rororo

Daniel Kehlmann, 1975 in München geboren, wurde für sein Werk unter anderem mit dem Candide-Preis, dem WELT-Literaturpreis, dem Per-Olov-Enquist-Preis, dem Kleist-Preis und dem Thomas-Mann-Preis ausgezeichnet, außerdem wurden ihm der Friedrich-Hölderlin-Preis und der Frank-Schirrmacher-Preis verliehen. Sein Roman *Die Vermessung der Welt* ist zu einem der erfolgreichsten deutschen Romane der Nachkriegszeit geworden. Er lebt zurzeit in Berlin und New York.

rororo

«Daniel Kehlmanns bislang bester Roman.»
Tilman Spreckelsen, Frankfurter Allgemeine Zeitung

«Kehlmanns Erzählkunst ist immer wieder verblüffend, ist leicht, ist Schein, ist Tanz auf dem Seil in schwindelnder Höhe.» *Richard Kämmerlings, Die Welt*

«Ein zu Herzen gehendes, lebensvolles, wundervoll undistanziert geschriebenes, brutales, modernes, romantisches deutsches Epos.» *Volker Weidermann, Der Spiegel*

«So ein Wunderbuch begegnet einem nicht jedes Jahr! (...) Hinreißend!» *Denis Scheck, Druckfrisch*

«Tyll ist verdammt großartig.»
Claudio Armbruster, ZDF heute-journal

«Tyll, ein wild unterhaltsames Buch, hat Züge eines Klassikers.» *Judith von Sternburg, Frankfurter Rundschau*

Daniel Kehlmann

Tyll

Roman

Rowohlt Taschenbuch Verlag

SCHUHE

Der Krieg war bisher nicht zu uns gekommen. Wir lebten in Furcht und Hoffnung und versuchten, Gottes Zorn nicht auf unsere fest von Mauern umschlossene Stadt zu ziehen, mit ihren hundertfünf Häusern und der Kirche und dem Friedhof, wo unsere Vorfahren auf den Tag der Auferstehung warteten.

Wir beteten viel, um den Krieg fernzuhalten. Zum Allmächtigen beteten wir und zur gütigen Jungfrau, wir beteten zur Herrin des Waldes und zu den kleinen Leuten der Mitternacht, zum heiligen Gerwin, zu Petrus dem Torwächter, zum Evangelisten Johannes, und sicherheitshalber beteten wir auch zur Alten Mela, die in den rauen Nächten, wenn die Dämonen frei wandeln dürfen, vor ihrem Gefolge her durch die Himmel streift. Wir beteten zu den Gehörnten der alten Tage und zum Bischof Martin, der seinen Mantel mit dem Bettler geteilt hatte, als es diesen fror, sodass sie danach beide froren und beide gottgefällig waren, denn was nützt ein halber Mantel im Winter, und natürlich beteten wir zum heiligen Moritz, der mit einer ganzen Legion den Tod gewählt hatte, um nicht seinen Glauben an den einen und gerechten Gott zu verraten.

Zweimal im Jahr kam der Steuereintreiber und schien immer überrascht, dass wir noch da waren. Hin und wieder kamen Händler, aber da wir nicht viel kauften, zogen sie schnell ihrer Wege, und so war es uns recht. Wir brauchten nichts aus der weiten Welt und dachten nicht an sie, bis eines Morgens ein Planwagen, gezogen von einem Esel, über unsere Hauptstraße rollte. Es war ein Samstag und seit kurzem auch Frühling, der Bach schwoll vom Schmelzwasser an, und auf den Feldern, die gerade nicht brachlagen, hatten wir die Saat ausgebracht.

Auf dem Wagen war ein Zelt aus rotem Segeltuch aufgeschlagen. Davor kauerte eine alte Frau. Ihr Körper sah wie ein Beutel aus, ihr Gesicht wie aus Leder, ihr Augenpaar wie winzige schwarze Knöpfe. Eine jüngere Frau mit Sommersprossen und dunklem Haar stand hinter ihr. Auf dem Kutschbock aber saß ein Mann, den wir erkannten, obgleich er noch nie hier gewesen war, und als die Ersten sich erinnerten und seinen Namen riefen, erinnerten sich auch andere, und so rief es bald von überall und mit vielen Stimmen: «Tyll ist hier!», «Tyll ist gekommen!», «Schaut, der Tyll ist da!» Es konnte kein anderer sein.

Sogar zu uns kamen Flugschriften. Sie kamen durch den Wald, der Wind trug sie mit sich, Händler brachten sie – draußen in der Welt wurden mehr davon gedruckt, als irgendwer zählen konnte. Sie handelten vom Schiff der Narren und von der großen Pfaffentorheit und vom bösen Papst in Rom und vom teuflischen Martinus Luther zu Wittenberg und dem Zauberer Horridus und dem Doktor Faust und dem Helden Gawain von der runden Tafel und eben von ihm, Tyll Ulenspiegel, der jetzt selbst zu uns gekommen war. Wir kannten sein geschecktes Wams, wir kannten die zerbeulte Kapuze und den Mantel aus Kalbsfell, wir kannten sein hageres Gesicht, die kleinen Augen, die hohlen Wangen und die Hasenzähne. Seine Hose war aus gutem Stoff, die Schuhe aus feinem Leder, seine Hände aber waren Diebes- oder Schreiberhände, die nie gearbeitet hatten; die rechte hielt die Zügel, die linke die Peitsche. Seine Augen blitzten, er grüßte hierhin und dorthin.

«Und wie heißt du?», fragte er ein Mädchen.

Die Kleine schwieg, denn sie begriff nicht, wie es sein konnte, dass einer, der berühmt war, mit ihr sprach.

«Na sag es!»

Als sie stockend herausgebracht hatte, dass sie Martha hieß, lächelte er nur, als hätte er das immer schon gewusst.

Dann fragte er mit einer Aufmerksamkeit, als wäre es ihm wichtig: «Und wie alt bist du?»

Sie räusperte sich und sagte es ihm. In den zwölf Jahren ihres Lebens hatte sie nicht Augen gesehen wie seine. Augen wie diese mochte es in den freien Städten des Reichs geben und an den Höfen der Großen, aber noch nie war einer, der solche Augen hatte, zu uns gekommen. Martha hatte nicht gewusst, dass solche Kraft, solche Behändigkeit der Seele aus einem Menschengesicht sprechen konnten. Dereinst würde sie ihrem Mann und noch viel später ihren ungläubigen Enkeln, die den Ulenspiegel für eine Figur alter Sagen hielten, erzählen, dass sie ihn selbst gesehen hatte.

Schon war der Wagen vorbeigerollt, schon war sein Blick anderswohin geglitten, zu anderen am Straßenrand. «Tyll ist gekommen!», rief es wieder an der Straße und: «Tyll ist hier!» aus den Fenstern und: «Der Tyll ist da!» vom Kirchplatz, auf den nun sein Wagen rollte. Er ließ die Peitsche knallen und stand auf.

Blitzschnell wurde der Wagen zur Bühne. Die zwei Frauen falteten das Zelt, die junge band ihre Haare zu einem Knoten, setzte ein Krönchen auf, warf sich ein Stück Purpurstoff um, die alte stellte sich vor den Wagen, erhob die Stimme und begann einen Leiergesang. Ihr Dialekt klang nach dem Süden, nach den großen Städten Bayerns, und war nicht leicht zu verstehen, aber wir bekamen doch mit, dass es um eine Frau und einen Mann ging, die einander liebten und nicht zueinanderkonnten, weil ein Gewässer sie trennte. Tyll Ulenspiegel nahm ein blaues Tuch, kniete sich hin, schleuderte es, eine Seite festhaltend, von sich, sodass es sich knatternd entrollte; er zog es zurück und schleuderte es wieder weg, zog es zurück, schleuderte es, und wie er auf der einen und die Frau auf der anderen Seite kniete und das Blau zwischen ihnen wogte, schien da wirklich Wasser zu sein, und die Wellen gingen derart wild auf und nieder, als könnte kein Schiff sie befahren.

Als die Frau sich aufrichtete und mit schreckensstarrem Gesicht auf die Wogen sah, bemerkten wir mit einem Mal, wie schön sie war. Während sie da stand und die Arme zum Himmel streckte, gehörte sie plötzlich nicht mehr hierher, und keiner von uns vermochte den Blick von ihr zu wenden. Nur aus dem Augenwinkel sahen wir ihren Geliebten springen und tanzen und fuhrwerken und sein Schwert schwingen und mit Drachen und Feinden und Hexen und bösen Königen kämpfen, auf dem schweren Weg zu ihr.

Das Stück dauerte bis in den Nachmittag. Aber obgleich wir wussten, dass den Kühen die Euter schmerzten, wurde keiner von uns ungeduldig. Die Alte trug Stunde um Stunde vor. Es schien unmöglich, dass jemand sich so viele Verse merken konnte, und einigen von uns kam der Verdacht, dass sie sie beim Singen erfand. Tyll Ulenspiegels Körper war unterdessen nie in Ruhe, seine Sohlen schienen kaum den Boden zu berühren; wann immer unsere Blicke ihn fanden, war er schon wieder anderswo auf der kleinen Bühne. Am Ende gab es ein Missverständnis: Die schöne Frau hatte sich Gift verschafft, um sich tot zu stellen und nicht den bösen Vormund heiraten zu müssen, aber die alles erklärende Botschaft an ihren Geliebten war auf dem Weg zu ihm verlorengegangen, und als er, der wahre

Bräutigam, der Freund ihrer Seele, zu guter Letzt bei ihrem reglosen Leib ankam, traf ihn der Schreck wie ein Blitzschlag. Eine lange Zeit stand er wie erfroren. Die Alte verstummte. Wir hörten den Wind und die nach uns muhenden Kühe. Keiner atmete.

Schließlich zog er das Messer und stach sich in die Brust. Es war erstaunlich, die Klinge verschwand in seinem Fleisch, ein rotes Tuch rollte ihm aus dem Kragen wie ein Blutstrom, und er verröchelte neben ihr, zuckte noch, lag still. War tot. Zuckte doch noch einmal, setzte sich auf, sank wieder zurück. Zuckte wieder, lag wieder still, und nun für immer. Wir warteten. Tatsächlich. Für immer.

Sekunden später wachte die Frau auf und erblickte den toten Leib neben sich. Erst war sie fassungslos, dann schüttelte sie ihn, dann begriff sie und war wieder fassungslos, und dann weinte sie, als würde nichts auf Erden jemals gut. Dann nahm sie sein Messer und tötete sich ebenfalls, und wieder bewunderten wir die schlaue Vorrichtung und wie tief die Klinge in ihrer Brust verschwand. Nun war nur mehr die Alte übrig und sprach noch ein paar Verse, die wir des Dialekts wegen kaum verstanden. Dann war das Stück zu Ende, und viele von uns weinten noch, als die Toten längst aufgestanden waren und sich verbeugten.

Das war aber nicht alles. Die Kühe mussten noch warten, denn nach der Tragödie kam das Lustspiel. Die Alte schlug eine Trommel, und Tyll Ulenspiegel pfiff auf einer Flöte und tanzte mit der Frau, die nun gar nicht mehr besonders schön aussah, nach rechts und nach links und vor und wieder zurück. Die beiden warfen die Arme hoch, und ihre Bewegungen stimmten in einem Maße überein, als wären sie nicht zwei Menschen, sondern Spiegelbilder voneinander. Wir konnten leidlich tanzen, wir feierten oft, aber keiner von uns konnte tanzen wie sie; wenn man ihnen zusah, war es einem, als hätte ein Menschenkörper keine Schwere und als wäre das Leben nicht traurig und hart. So hielt es auch uns nicht auf den Füßen, und wir begannen zu wippen, zu springen, zu hüpfen und uns zu drehen.

Doch plötzlich war der Tanz vorbei. Keuchend blickten wir auf zum Wagen, auf dem Tyll Ulenspiegel jetzt allein stand, die beiden Frauen waren nicht zu sehen. Er sang eine Spottballade über den armen dummen Winterkönig, den Pfälzer Kurfürsten, der gemeint hatte, er könne den Kaiser besiegen und von den Protestanten Prags Krone annehmen, doch sein Königtum war noch vor dem Schnee getaut. Auch vom Kaiser sang er, dem immer kalt war vom Beten, dem Männlein, das in der Hofburg zu Wien vor den Schweden zitterte, und dann sang er vom Schwedenkönig, dem Löwen aus der Mitternacht, stark wie ein Bär, aber was hatte es ihm genützt gegen die Kugel in Lützen, die ihm das Leben nahm wie einem kleinen Söldner, und aus war dein Licht, und fort das Königsseelchen, fort der Löwe! Tyll Ulenspiegel lachte, und wir lachten auch, weil man ihm nicht widerstehen konnte und weil es guttat, daran zu denken, dass die Großen starben und wir noch lebten, und dann sang er vom König in Spanien mit der vollen Unterlippe, der die Welt zu beherrschen glaubte, obgleich er pleite war wie ein Huhn.

Vor Lachen merkten wir erst nach einer Weile, dass die Musik sich verändert hatte, dass plötzlich kein Spott mehr darin klang. Eine Ballade vom Krieg sang er jetzt, vom gemeinsamen Reiten und dem Klirren der Waffen und der Freundschaft der Männer und der Bewährung in Gefahr und dem Jubel der pfeifenden Kugeln. Vom Söldnerleben sang er und von der Schönheit des Sterbens, er sang von der jauchzenden Freude eines jeden, der auf dem Pferd dem Feind entgegenritt, und wir alle spürten unsere Herzen schneller schlagen. Die Männer unter uns lächelten, die Frauen wiegten die Köpfe, die Väter hoben ihre Kinder auf die Schultern, die Mütter blickten stolz auf ihre Söhne hinab.

Nur die alte Luise zischte und ruckte mit dem Kopf und murmelte so laut, dass die, die neben ihr standen, ihr sagten, sie solle doch heimgehen. Worauf sie aber nur lauter wurde und rief, ob denn keiner verstehe, was er hier mache. Er beschwöre es, er rufe es her!

Aber als wir zischten und abwinkten und ihr drohten, trollte sie sich gottlob, und schon spielte er wieder die Flöte, und die Frau stand neben ihm und sah nun majestätisch aus wie eine Person von Stand. Sie sang mit klarer Stimme von der Liebe, die stärker war als der Tod. Von der Liebe der Eltern sang sie und von der Liebe Gottes und der Liebe zwischen Mann und Frau, und da änderte sich wieder etwas, der Taktschlag wurde schneller, die Töne wurden spitzer und schärfer, und auf einmal handelte das Lied von der Liebe der Körper, den warmen Leibern, dem Sich-Wälzen im Gras, dem Duft deiner Nacktheit und deinem großen Hintern. Die Männer unter uns lachten, und dann stimmten die Frauen ins Gelächter ein, und am lautesten lachten die Kinder. Auch die kleine Martha lachte. Sie hatte sich nach vorne geschoben, und sie verstand das Lied ganz gut, denn sie hatte Mutter und Vater oft im Bett gehört und die Knechte im Stroh und ihre Schwester mit dem Tischlersohn voriges Jahr – nachts hatten die beiden sich davongemacht, aber Martha war ihnen nachgeschlichen und hatte alles gesehen.

Auf dem Gesicht des berühmten Mannes zeigte sich ein lüstern breites Grinsen. Eine starke Kraft hatte sich zwischen ihm und der Frau aufgespannt, es drängte ihn hin- und sie herüber, so heftig zog es ihre Leiber aufeinander zu, und es war kaum auszuhalten, dass sie einander nicht endlich anfassten. Doch die Musik, die er spielte, schien es zu verhindern, denn wie aus Versehen war sie eine andere geworden, und der Moment war vorbei, die Töne erlaubten es nicht mehr. Es war das *Agnus Dei*. Die Frau faltete fromm die Hände, *qui tollis peccata mundi*, er wich zurück, und die beiden schienen selbst erschrocken über die Wildheit, die sie beinah erfasst hätte, so wie auch wir erschrocken waren und uns bekreuzigten, weil wir uns erinnerten, dass Gott alles sah und wenig billigte. Die beiden sanken in die Knie, wir taten es ihnen nach. Er setzte die Flöte ab, stand auf, breitete die Arme aus und bat um Bezahlung und Essen. Denn jetzt gebe es eine Pause. Und das Beste komme, falls man ihm gutes Geld zustecke, danach.

Benommen griffen wir in die Taschen. Die beiden Frauen gingen mit Bechern umher. Wir gaben so viel, dass die Münzen klirrten und sprangen. Alle gaben wir: Karl Schönknecht gab, und Malte Schopf gab, und seine lispelnde Schwester gab, und die Müllersfamilie, die sonst so geizig war, gab ebenfalls, und der zahnlose Heinrich Matter und Matthias Wohlsegen gaben besonders viel, obwohl sie Handwerker waren und sich für etwas Besseres hielten.

Martha ging langsam um den Planwagen herum.

Da saß, mit dem Rücken ans Wagenrad gelehnt, Tyll Ulenspiegel und trank aus einem großen Humpen. Neben ihm stand der Esel.

«Komm her», sagte er.

Mit klopfendem Herzen trat sie näher.

Er streckte ihr den Humpen hin. «Trink», sagte er.

Sie nahm den Krug. Das Bier schmeckte bitter und schwer.

«Die Leute hier. Sind das gute Leute?»

Sie nickte.

«Friedliche Leute, helfen einander, verstehen einander, mögen einander, solche Leute sind das?»

Sie nahm noch einen Schluck. «Ja.»

«Na dann», sagte er.

«Wir werden sehen», sagte der Esel.

Vor Schreck ließ Martha den Humpen fallen.

«Das schöne Bier», sagte der Esel. «Du saudummes Kind.»

«Man nennt das Reden mit dem Bauch», sagte Tyll Ulenspiegel. «Kannst du auch lernen, wenn du möchtest.»

«Kannst du auch lernen», sagte der Esel.

Martha hob den Humpen auf und trat einen Schritt zurück. Die Bierpfütze wurde größer und wieder kleiner, der trockene Boden saugte die Nässe ein.

«Im Ernst», sagte er. «Komm mit uns. Mich kennst du ja jetzt. Ich bin der Tyll. Meine Schwester da drüben ist die Nele. Sie ist nicht meine Schwester. Wie die Alte heißt, weiß ich nicht. Der Esel ist der Esel.»

Martha starrte ihn an.

«Wir bringen dir alles bei», sagte der Esel. «Ich und die Nele und die Alte und der Tyll. Und du kommst weg von hier. Die Welt ist groß. Du kannst sie sehen. Ich heiß nicht einfach Esel, ich hab auch einen Namen, ich bin Origenes.»

«Warum fragt ihr mich?»

«Weil du nicht wie die bist», sagte Tyll Ulenspiegel. «Du bist wie wir.»

Martha streckte ihm den Humpen hin, aber er nahm ihn nicht, also stellte sie ihn auf den Boden. Ihr Herz klopfte. Sie dachte an ihre Eltern und an die Schwester und an das Haus, in dem sie lebte, und an die Hügel draußen hinterm Wald und an das Geräusch des Windes in den Bäumen, von dem sie sich nicht vorstellen konnte, dass es anderswo genauso klang. Und sie dachte an den Eintopf, den ihre Mutter kochte.

Die Augen des berühmten Mannes blitzten auf, als er lächelnd sagte: «Denk an den alten Spruch. Was Besseres als den Tod findest du überall.»

Martha schüttelte den Kopf.

«Na gut», sagte er.

Sie wartete, aber er sagte nichts mehr, und sie brauchte einen Moment, um zu begreifen, dass sein Interesse an ihr schon erloschen war.

Also ging sie wieder um den Wagen herum und zu den Leuten, die sie kannte, zu uns. Wir waren jetzt ihr Leben, ein anderes gab es nicht mehr. Sie setzte sich auf den Boden. Sie fühlte sich leer. Aber als wir nach oben blickten, tat sie es auch, denn allen zugleich war uns aufgefallen, dass etwas im Himmel hing.

Eine schwarze Linie durchschnitt das Blau. Wir blinzelten. Es war ein Seil.

Auf der einen Seite war es am Fensterkreuz des Kirchturms festgebunden, auf der anderen an einer

Fahnenstange, die neben dem Fenster des Bürgerhauses aus der Mauer ragte, in dem der Stadtvogt arbeitete, was aber nicht oft geschah, denn er war faul. Im Fenster stand die junge Frau, sie musste das Seil gerade erst festgeknotet haben; aber wie, so fragten wir uns, hatte sie es gespannt? Man konnte hier oder dort sein, in diesem Fenster oder im anderen, man konnte leicht ein Seil festknoten und es fallen lassen, aber wie bekam man es wieder hinauf ins andere Fenster, um die andere Seite festzumachen?

Wir sperrten die Münder auf. Für eine Weile schien es uns, als wäre das Seil selbst schon das Kunststück und als bräuchte es nicht mehr. Ein Spatz landete darauf, machte einen kleinen Sprung, breitete die Flügel aus, überlegte es sich anders und blieb sitzen.

Da erschien Tyll Ulenspiegel drüben im Kirchturmfenster. Er winkte, sprang aufs Fensterbrett, trat aufs Seil. Er tat das, als wäre es nichts. Er tat es, als wäre es nur ein Schritt wie jeder. Keiner von uns sprach, keiner rief, keiner bewegte sich, wir hatten aufgehört zu atmen.

Er schwankte nicht und suchte nicht nach Gleichgewicht, er ging einfach. Seine Arme schlenkerten, er ging, wie man auf dem Boden geht, bloß sah es ein bisschen geziert aus, wie er immer einen Fuß genau vor den anderen setzte. Man musste scharf hinsehen, um die kleinen Hüftbewegungen zu bemerken, mit denen er das Schwanken des Seils abfing. Er machte einen Sprung und ging nur einen Moment in die Knie, als er wieder aufkam. Dann spazierte er, die Hände auf dem Rücken gefaltet, zur Mitte. Der Spatz flog auf, aber er machte nur ein paar Flügelschläge und setzte sich wieder und drehte den Kopf; es war so still, dass wir ihn fiepen und piepen hörten. Und natürlich hörten wir unsere Kühe.

Tyll Ulenspiegel über uns drehte sich, langsam und nachlässig – nicht wie einer, der in Gefahr ist, sondern wie einer, der sich neugierig umsieht. Der rechte Fuß stand längs auf dem Seil, der linke quer, die Knie waren ein wenig gebeugt und die Fäuste in die Seiten gestemmt. Und wir alle, die wir hochsahen, begriffen mit einem Mal, was Leichtigkeit war. Wir begriffen, wie das Leben sein kann für einen, der wirklich tut, was er will, und nichts glaubt und keinem gehorcht; wie es wäre, so ein Mensch zu sein, begriffen wir, und wir begriffen, dass wir nie solche Menschen sein würden.

«Zieht eure Schuhe aus!»

Wir wussten nicht, ob wir ihn verstanden hatten.

«Zieht sie aus», rief er. «Jeder den rechten. Fragt nicht, tut es, das wird lustig. Vertraut mir, zieht sie aus. Alt und Jung, Frau und Mann! Jeder. Den rechten Schuh.»

Wir starrten ihn an.

«War es denn nicht lustig bis jetzt? Wollt ihr nicht mehr? Ich zeige euch mehr, zieht die Schuhe aus, jeder den rechten, los!»

Wir brauchten eine Weile, um in Bewegung zu kommen. So ist es immer mit uns, wir sind bedächtige Leute. Als Erstes gehorchte der Bäcker, dann sogleich Malte Schopf und dann Karl Lamm und dann dessen Frau, und dann gehorchten die Handwerker, die sich immer für was Besseres hielten, und dann taten wir es alle, jeder von uns, nur Martha nicht. Tine Krugmann neben ihr stieß sie mit dem Ellenbogen und zeigte auf ihren rechten Fuß, aber Martha schüttelte den Kopf, und Tyll Ulenspiegel auf dem Seil machte von neuem einen Sprung, wobei er in der Luft die Füße zusammenschlug. So hoch sprang er, dass er beim Aufkommen die Arme ausstrecken musste, um sein Gleichgewicht zu finden – ganz kurz nur, aber es reichte, um uns daran zu erinnern, dass auch er Gewicht hatte und nicht fliegen konnte.

«Und jetzt werft», rief er mit hoher, klarer Stimme. «Denkt nicht, fragt nicht, zögert nicht, das wird ein großer Spaß. Tut, was ich sage. Werft!»

Tine Krugmann tat es als Erste. Ihr Schuh flog und stieg höher und verschwand in der Menge. Dann flog der nächste Schuh, es war der von Susanne Schopf, und dann der nächste, und dann flogen Dutzende und dann noch mehr und mehr und mehr. Alle lachten wir und schrien und riefen: «Pass auf!», und: «Duck dich!», und: «Hier kommt was!» Es war ein Heidenspaß, und es machte auch nichts, dass manche der Schuhe Köpfe trafen. Flüche stiegen auf, ein paar Frauen schimpften, ein paar Kinder weinten, aber es war nicht schlimm, und Martha musste sogar lachen, als ein schwerer Lederstiefel sie nur knapp verfehlte, während ein gewebter Pantoffel vor ihre Füße segelte. Er hatte recht gehabt, und einige fanden es sogar so lustig, dass sie auch die linken Schuhe warfen. Und einige warfen noch Hüte und Löffel und Krüge, die irgendwo zerbrachen, und natürlich warfen ein paar auch Steine. Aber als seine Stimme zu uns sprach, ebbte der Lärm ab, und wir horchten.

«Ihr Deppen.»

Wir blinzelten, die Sonne stand niedrig. Die auf der hinteren Seite des Platzes sahen ihn deutlich, für die anderen war er nur ein Umriss.

«Ihr Narren. Ihr Staubköpfe. Ihr Frösche. Ihr Nichtsnutze, ihr Maulwürfe, ihr blöden Ratten. Jetzt holt sie euch wieder.»

Wir starrten.

«Oder seid ihr zu blöd? Könnt sie euch nicht mehr holen, schafft es nicht, seid zu dumm in den Schädeln?» Er lachte meckernd. Der Spatz flog auf, erhob sich über die Dächer, war dahin.

Wir blickten einander an. Was er gesagt hatte, war gemein; aber es war so gemein auch wieder nicht, dass es nicht immer noch ein Scherz sein konnte und ein derbes Frotzeln nach seiner Art. Dafür war er ja berühmt, er konnte es sich erlauben.

«Na was denn?», fragte er. «Braucht ihr sie nicht

mehr? Wollt sie nicht mehr? Mögt sie nicht mehr? Ihr Rindviecher, holt eure Schuhe!»

Malte Schopf war der Erste. Ihm war die ganze Zeit nicht wohl gewesen, und so lief er jetzt dorthin, wo er meinte, dass sein Stiefel hingeflogen war. Er schob Leute zur Seite, drängte sich, schob sich, bückte sich und wühlte zwischen den Beinen. Auf der anderen Seite des Platzes tat Karl Schönknecht es ihm nach, und dann folgte Elsbeth, die Witwe des Schmieds, aber ihr kam der alte Lembke dazwischen und rief, sie solle sich trollen, das sei der Schuh seiner Tochter. Elsbeth, der noch die Stirn weh tat, weil ein Stiefel sie getroffen hatte, rief zurück, dass lieber er sich trollen solle, denn sie könne ja wohl noch ihren Schuh erkennen, so schöne bestickte Schuhe wie sie habe die Lembke-Tochter gewiss nicht, worauf der alte Lembke schrie, sie solle ihm aus dem Weg gehen und nicht seine Tochter schimpfen, worauf wiederum sie schrie, dass er ein stinkiger Schuhdieb sei. Da mischte sich Lembkes Sohn ein: «Ich warne dich!», und zur selben Zeit begannen Lise Schoch und die Müllerin zu streiten, denn ihre Schuhe sahen wirklich gleich aus, und ihre Füße waren gleich groß, und auch zwischen Karl Lamm und seinem Schwager setzte es laute Worte, und Martha begriff plötzlich, was hier geschah, und sie hockte sich auf den Boden und kroch los.

Über ihr war schon Geschiebe, Geschimpfe und Gestoße. Ein paar, die ihre Schuhe schnell gefunden hatten, machten sich davon, aber zwischen uns anderen brach eine Wut aus, so heftig, als hätte sie sich lange gestaut. Der Tischler Moritz Blatt und der Hufschmied Simon Kern schlugen mit Fäusten aufeinander ein, dass einer, der gedacht hätte, es ginge nur um Schuhe, das nicht hätte verstehen können, denn dafür hätte er wissen müssen, dass Moritz' Frau als Kind dem Simon versprochen gewesen war. Beide bluteten aus Nase und Mund, beide keuchten wie Pferde, und keiner traute sich dazwischenzugehen; auch Lore Pilz und Elsa Kohlschmitt waren scheußlich ineinander verbissen, aber schließlich hassten sie einander schon so lange, dass sie die Gründe nicht mehr wussten. Sehr wohl allerdings wusste man, warum die Semmler-Familie und die Leute vom Grünangerhaus aufeinander losgingen; es war wegen des strittigen Ackers und der alten Erbschaftssache, die noch von den Tagen des Schultheiß Peter her rührte, und auch wegen der Semmler-Tochter und ihres Kindes, das nicht von ihrem Ehemann war, sondern vom Karl Schönknecht. Wie ein Fieber griff die Wut um sich – wo man hinsah, wurde geschrien und geschlagen, Leiber wälzten sich, und jetzt drehte Martha den Kopf und sah nach oben.

Da stand er und lachte. Den Leib zurückgebogen, den Mund weit aufgerissen, mit zuckenden Schultern. Nur seine Füße standen ruhig, und seine Hüften schwangen mit dem Schaukeln des Seils. Martha kam es vor, als müsste sie nur besser hinsehen, dann würde sie begreifen, warum er sich so freute – aber da rannte ein Mann auf sie zu und sah sie nicht, und sein Stiefel traf ihre Brust, und ihr Kopf schlug auf den Boden, und als sie einatmete, war es, als ob Nadeln sie stachen. Sie rollte auf den Rücken. Seil und Himmel waren leer. Tyll Ulenspiegel war weg.

Sie raffte sich hoch. Sie humpelte vorbei an den sich prügelnden, sich wälzenden, einander beißenden, weinenden, schlagenden Leibern, an denen sie da und dort noch Gesichter erkannte; sie humpelte die Straße entlang, geduckt und mit gesenktem Kopf, aber gerade als sie ihre Haustür erreicht hatte, hörte sie hinter sich das Rumpeln des Planwagens. Sie drehte sich um. Auf dem Kutschbock saß die junge Frau, die er Nele genannt hatte, daneben kauerte reglos die Alte. Warum hielt sie denn keiner auf, warum folgte ihnen niemand? Der Wagen fuhr an Martha vorbei. Sie starrte ihm nach. Gleich würde er bei der Ulme sein, dann am Stadttor, dann fort.

Und da, als der Wagen schon fast die letzten Häuser erreicht hatte, rannte ihm doch einer hinterher, mit mühelos großen Schritten. Das Kalbsfell des Mantels sträubte sich um seinen Nacken wie etwas Lebendes.

«Ich hätt dich mitgenommen!», rief er, als er an Martha vorbeilief. Kurz bevor die Straße sich krümmte, holte er den Wagen ein und sprang auf. Der Torwächter war mit uns anderen am Hauptplatz, niemand hielt sie zurück.

Langsam ging Martha ins Haus, schloss die Tür hinter sich und legte den Riegel vor. Der Ziegenbock lag neben dem Ofen und sah fragend zu ihr auf. Sie hörte die Kühe brüllen, und vom Hauptplatz her gellte unser Geschrei.

Aber schließlich beruhigten wir uns. Noch vor dem Abend wurden die Kühe gemolken. Marthas Mutter kam zurück, und ihr war außer ein paar Schrammen wenig passiert, ihr Vater hatte einen Zahn verloren, und sein Ohr war eingerissen, ihrer Schwester war jemand so fest auf den Fuß getreten, dass sie noch einige Wochen hinkte. Aber es kamen der nächste Morgen und der nächste Abend, und das Leben ging weiter. In jedem Haus gab es Beulen und Schnitte und Schrammen und verstauchte Arme und fehlende Zähne, aber schon am Tag darauf war der Hauptplatz wieder sauber, und jeder trug seine Schuhe.

Wir sprachen nie über das, was geschehen war. Wir sprachen auch nicht über den Ulenspiegel. Ohne es ausgemacht zu haben, hielten wir uns daran; sogar Hans Semmler, den es so fürchterlich erwischt hatte, dass er von nun an im Bett liegen musste und nichts essen konnte außer dicker Suppe, tat so, als wäre es nie anders gewesen. Und auch die Witwe von Karl Schönknecht, den wir am nächsten Tag auf dem Gottesacker begruben, verhielt sich, als wäre es ein Schicksalsschlag gewesen und als wüsste sie nicht genau, wem das Messer in seinem Rücken gehört hatte. Nur das Seil hing noch tagelang über dem Platz, zitterte im Wind und war Spatzen und Schwalben ein Halt, bis der Priester, dem bei der Schlägerei besonders übel mitgespielt worden war, weil wir sein Großtun und seine Herablassung nicht mochten, wieder auf den Glockenturm steigen konnte, um es abzuschneiden.

Aber wir vergaßen auch nicht. Was geschehen war, blieb zwischen uns. Es war da, während wir die Ernte einholten, und es war da, wenn wir miteinander um das Korn handelten oder uns sonntags zur Messe versammelten, wo der Priester einen neuen Gesichtsausdruck hatte, halb Verwunderung und halb Furcht. Und besonders war es da, wenn wir auf dem Platz Feste begingen und wenn wir einander beim Tanzen ins Gesicht sahen. Dann kam es uns vor, als hätte die Luft mehr Schwere, als schmeckte das Wasser anders und als wäre der Himmel, seitdem das Seil in ihm gehangen hatte, nicht mehr derselbe.

Und ein gutes Jahr später kam der Krieg doch zu uns. Eines Nachts hörten wir es wiehern, und dann lachte es draußen mit vielen Stimmen, und schon hörten wir das Krachen der eingeschlagenen Türen, und bevor wir noch auf der Straße waren, mit nutzlosen Heugabeln oder Messern bewaffnet, züngelten die Flammen.

Die Söldner waren hungriger als üblich, und sie hatten noch mehr getrunken. Lange schon hatten sie keine Stadt betreten, die ihnen so viel bot. Die alte Luise, die tief geschlafen und diesmal keine Vorahnung gehabt hatte, starb in ihrem Bett. Der Pfarrer starb, als er sich schützend vors Kirchenportal stellte. Lise Schoch starb, als sie versuchte, Goldmünzen zu verstecken, der Bäcker und der Schmied und der alte Lembke und Moritz Blatt und die meisten anderen Männer starben, als sie versuchten, ihre Frauen zu schützen, und die Frauen starben, wie Frauen eben sterben im Krieg.

Martha starb auch. Sie sah noch, wie die Zimmerdecke über ihr sich in rote Hitze verwandelte, sie roch den Qualm, bevor er so fest nach ihr griff, dass sie nichts mehr erkannte, und sie hörte ihre Schwester um Hilfe rufen, während die Zukunft, die sie eben noch gehabt hatte, sich in nichts auflöste: der Mann, den sie nie haben, und die Kinder, die sie nicht großziehen, und die Enkel, denen sie niemals von einem berühmten Spaßmacher an einem Vormittag im Frühling erzählen würde, und die Kinder dieser Enkel, all die Menschen, die es nun doch nicht geben sollte. So schnell geht das, dachte sie, als wäre sie hinter ein großes Geheimnis gekommen. Und als sie die Dachbalken splittern hörte, fiel ihr noch ein, dass Tyll Ulenspiegel nun vielleicht der Einzige war, der sich an unsere Gesichter erinnern und wissen würde, dass es uns gegeben hatte.

Tatsächlich überlebten nur der lahme Hans Semmler, dessen Haus nicht Feuer gefangen hatte und der übersehen worden war, weil er sich nicht bewegen konnte, sowie Elsa Ziegler und Paul Grünanger, die heimlich miteinander im Wald gewesen waren. Als sie im Morgengrauen mit zerzausten Kleidern und wirren Haaren zurückkamen und nur Trümmer unter sich kräuselndem Rauch vorfanden, meinten sie für einen Augenblick, Gott der Herr hätte ihnen zur Strafe für ihre Sünde ein Wahngespinst geschickt. Sie zogen miteinander nach Westen, und für eine kurze Zeit waren sie glücklich.

Uns andere aber hört man dort, wo wir einst lebten, manchmal in den Bäumen. Man hört uns im Gras und im Grillenzirpen, man hört uns, wenn man den Kopf gegen das Astloch der alten Ulme legt, und zuweilen kommt es Kindern vor, als könnten sie unsere Gesichter im Wasser des Baches sehen. Unsere Kirche steht nicht mehr, aber die Kiesel, die das Wasser rund und weiß geschliffen hat, sind noch dieselben, wie auch die Bäume dieselben sind. Wir aber erinnern uns, auch wenn keiner sich an uns erinnert, denn wir haben uns noch nicht damit abgefunden, nicht zu sein. Der Tod ist immer noch neu für uns, und die Dinge der Lebenden sind uns nicht gleichgültig. Denn es ist alles nicht lang her.

HERR DER LUFT

I

Kniehoch hat er das Seil gespannt, von der Linde zur alten Tanne. Dafür musste er Kerben schneiden, bei der Tanne war das leicht, bei der Linde ist das Messer immer wieder abgerutscht, aber schließlich ist es gegangen. Er prüft die Knoten, zieht bedächtig seine Holzschuhe aus, steigt aufs Seil, fällt.

Jetzt steigt er wieder auf, breitet die Arme aus und macht einen Schritt. Er breitet die Arme aus, aber er kann sich nicht halten und fällt. Er steigt wieder auf, versucht es, fällt von neuem.

Er versucht es wieder und fällt.

Man kann auf einem Seil nicht gehen. Das ist offensichtlich. Menschenfüße sind nicht gemacht dafür. Warum es überhaupt probieren?

Aber er probiert weiter. Immer fängt er bei der Linde an, jedes Mal fällt er sofort. Die Stunden vergehen. Am Nachmittag gelingt ein Schritt, ein einziger nur, und bis es dunkel wird, schafft er nicht noch einen. Doch für einen Augenblick hat das Seil ihn gehalten, und er hat darauf gestanden wie auf festem Boden.

Am nächsten Tag regnet es in Strömen. Er hockt im Haus und hilft seiner Mutter. «Halt das Tuch straff, träum nicht, um Christi willen!» Und der Regen trommelt aufs Dach wie Hunderte kleine Finger.

Am nächsten Tag regnet es weiter. Eiskalt ist es, und das Seil ist klamm, man kann keinen Schritt machen.

Am nächsten Tag wieder Regen. Er steigt auf und fällt und steigt wieder auf und fällt, jedes Mal. Eine Weile liegt er auf dem Boden, die Arme ausgebreitet, die Haare nur ein dunkler Fleck vor Nässe.

Am nächsten Tag ist Sonntag, deshalb kann er erst am Nachmittag aufs Seil, der Gottesdienst dauert den ganzen Morgen. Am Abend gelingen drei Schritte, und wäre das Seil nicht nass gewesen, hätten es vier sein können.

Allmählich begreift er, wie man es machen kann. Seine Knie verstehen, die Schultern halten sich anders. Man muss dem Schwanken nachgeben, muss weich werden in Knien und Hüften, muss dem Sturz einen Schritt zuvorkommen. Die Schwere greift nach einem, aber schon ist man weiter. Seiltanz: dem Fallen davonlaufen.

Tags darauf ist es wärmer. Dohlen schreien, Käfer und Bienen brummen, und die Sonne lässt die Wolken zerrinnen. Sein Atem steigt in kleinen Wolken in die Luft. Die Helle des Morgens trägt die Stimmen weiter, er hört seinen Vater im Haus einen Knecht anschreien. Er singt vor sich hin, das Lied vom Schnitter, der heißt Tod, hat Gewalt vom großen Gott, das hat eine Melodie, zu der es sich gut auf dem Seil gehen lässt, aber offenbar war er zu laut, denn auf einmal steht Agneta, seine Mutter, neben ihm und fragt, warum er nicht arbeitet.

«Ich komme gleich.»

«Wasser muss geholt werden», sagt sie, «der Herd geputzt.»

Er breitet die Arme aus, steigt aufs Seil und versucht, dabei nicht auf ihren gewölbten Bauch zu achten. Steckt wirklich ein Kind in ihr, strampelt und zuckt und hört ihnen zu? Der Gedanke stört ihn. Wenn Gott einen Menschen schaffen möchte, warum tut er das in einem anderen Menschen? Es liegt etwas Hässliches darin, dass alle Wesen im Verborgenen entstehen: Maden im Teig, Fliegen im Kot, Würmer in der braunen Erde. Nur ganz selten, das hat ihm sein Vater erklärt, wachsen Kinder aus Alraunwurzeln, und noch seltener Säuglinge aus faulen Eiern.

«Soll ich den Sepp schicken?», fragt sie. «Willst du, dass ich den Sepp schicke?»

Der Junge fällt vom Seil, schließt die Augen, breitet die Arme aus, steigt erneut auf. Als er wieder hinsieht, ist seine Mutter gegangen.

Er hofft, dass sie die Drohung nicht wahr macht, aber nach einer Weile kommt Sepp wirklich. Der sieht ihm kurz zu, dann tritt er ans Seil und stößt ihn herunter: kein leichter Schubs, sondern ein Stoß, so fest, dass der Junge der Länge nach hinschlägt. Vor Wut nennt er Sepp einen widerlichen Ochsenarsch, der mit seiner eigenen Schwester schläft.

Das ist nicht klug gewesen. Denn erstens weiß er gar nicht, ob Sepp, der wie alle Knechte von irgendwoher gekommen ist und irgendwohin weiterziehen wird, überhaupt eine Schwester hat, zweitens hat der Kerl nur auf so etwas gewartet. Bevor der Junge aufstehen kann, hat Sepp sich auf seinen Hinterkopf gesetzt.

Er kann nicht atmen. Steine schneiden ihm ins Gesicht. Er windet sich, aber das hilft nichts, denn Sepp ist doppelt so alt wie er und dreimal so schwer und fünfmal so stark. Also nimmt er sich zusammen, um nicht zu viel Luft zu verbrauchen. Seine Zunge schmeckt nach Blut. Er atmet Dreck ein, würgt, spuckt. In seinen Ohren summt es und pfeift, und der Boden scheint sich zu heben, zu senken und wieder zu heben.

Plötzlich ist das Gewicht weg. Er wird auf den Rücken gerollt, Erde im Mund, die Augen verklebt, im Kopf ein bohrender Schmerz. Der Knecht zerrt ihn zur Mühle: über Kies und Erde, durch Gras, über noch mehr Erde, über scharfe Steinchen, vorbei an den Bäumen, vorbei an der lachenden Magd, dem Heuschuppen, dem Ziegenstall. Dann reißt er ihn empor, öffnet die Tür und stößt ihn hinein.

«Na wird auch Zeit», sagt Agneta. «Der Herd putzt sich nicht selbst.»

Geht man von der Mühle in Richtung Dorf, so muss man durch ein Stück Wald. Dort, wo sich die Bäume lichten und man die Flur des Dorfes überquert – Wiesen und Weiden und Äcker, davon ein Drittel brachliegend, zwei Drittel bewirtschaftet und geschützt von Bretterzäunen –, sieht man schon die Spitze des Kirchturms. Irgendwer liegt hier immer im Dreck und zimmert an den Zäunen, sie gehen ständig kaputt, aber sie müssen standhalten, sonst entkommt das Vieh, oder die Tiere des Waldes zerstören das Korn. Die meisten Äcker gehören Peter Steger. Die meisten Tiere auch, man kann es leicht erkennen, sie haben sein Brandzeichen am Hals.

Zuerst kommt man am Haus der Hanna Krell vorbei. Sie sitzt, was soll sie sonst tun, auf ihrer Schwelle und flickt Kleidung, so verdient sie ihr Brot. Danach geht man durch die schmale Lücke zwischen dem Steger-Hof und dem Schmiedehaus des Ludwig Stelling, steigt auf den hölzernen Steg, der verhindert, dass man im weichen Kot einsinkt, lässt Jakob Kröhns Stall rechts liegen und befindet sich auf der Hauptstraße, die die einzige Straße ist: Hier wohnt Anselm Melker mit Frau und Kindern, neben ihm sein Schwager Ludwig Koller und daneben Maria Loserin, deren Mann voriges Jahr gestorben ist, weil jemand ihn verwünscht hat; die Tochter ist siebzehn und sehr schön, und sie wird Peter Stegers ältesten Sohn heiraten. Auf der anderen Seite wohnt Martin Holtz, der das Brot bäckt, gemeinsam mit seiner Frau und den Töchtern, und neben ihm sind die kleineren Häuser der Tamms, der Henrichs und der Familie Heinerling, aus deren Fenstern man oft Streiten hört; die Heinerlings sind keine guten Leute, sie haben keine Ehre. Alle außer dem Schmied und dem Bäcker haben draußen ein wenig Land, jeder hat ein paar Ziegen, aber nur Peter Steger, der reich ist, hat Kühe.

Dann ist man auf dem Dorfplatz mit der Kirche, der alten Dorflinde und dem Brunnen. Neben der Kirche steht das Pfarrhaus, neben dem Pfarrhaus das Haus, in dem der Amtmann wohnt, Paul Steger, der Vetter von Peter Steger, der zweimal im Jahr die Felder begeht und jeden dritten Monat die Steuern zum Grundherrn bringt.

Auf der hinteren Seite des Dorfplatzes ist ein Zaun. Öffnet man das Gatter und geht über das große Feld, das auch dem Steger gehört, ist man schon wieder im Wald, und wenn man sich nicht zu sehr vor der Kalten fürchtet und immerfort weiterwandert und im Unterholz den Weg nicht verliert, so ist man in sechs Stunden beim Hof von Martin Reutter. Wenn einen dort der Hund nicht beißt und man weitergeht, ist man in drei Stunden im nächsten Dorf, das auch nicht viel größer ist.

Dort aber ist der Junge nie gewesen. Er war noch nie anderswo. Und obwohl mehrere Leute, die schon anderswo waren, ihm gesagt haben, dass es dort genauso sei wie hier, kann er nicht aufhören, sich zu fragen, wo man wohl hinkäme, wenn man einfach immer weiterginge, nicht bloß zum nächsten Dorf, sondern weiter und weiter.

Am Kopfende des Tisches spricht der Müller über Sterne. Seine Frau und sein Sohn und die Knechte und die Magd tun, als würden sie zuhören. Es gibt Grütze. Grütze gab es auch gestern, und Grütze wird es morgen wieder geben, mal mit mehr und mal mit weniger Wasser gekocht; es gibt jeden Tag Grütze, nur an den schlechteren Tagen gibt es statt Grütze nichts. Im Fenster hält eine dicke Scheibe den Wind ab, unter dem Herd, der zu wenig Wärme abstrahlt, balgen sich zwei Katzen, und in der Ecke der Stube liegt eine Ziege, die eigentlich drüben im Stall sein müsste, aber keiner mag sie hinauswerfen, denn alle sind müde, und ihre Hörner sind spitz. Neben der Tür und um das Fenster sind Pentagramme eingeritzt, der bösen Geister wegen.

Der Müller beschreibt, wie vor genau zehntausendsiebenhundertunddrei Jahren, fünf Monaten und neun Tagen der Mahlstrom im Herzen der Welt Feuer gefangen hat. Und jetzt dreht das Ding, das die Welt ist, sich wie eine Spindel und gebärt Sterne in Ewigkeit, denn da die Zeit keinen Anfang hat, hat sie auch kein Ende.

«Kein Ende», wiederholt er und stockt. Er hat bemerkt, dass er etwas Unklares gesagt hat. «Kein Ende», sagt er leise, «kein Ende.»

Claus Ulenspiegel stammt von droben her, aus Mölln im lutherischen Norden. Schon nicht mehr ganz jung, ist er vor einem Jahrzehnt in die Gegend gekommen, und weil er nicht von hier war, hat er nur Müllersknecht sein können. Der Müllersstand ist nicht ehrlos wie der des Abdeckers, der die verwesten Tiere beseitigt, oder der des Nachtwächters oder gar des Henkers, aber auch nicht besser als jener der Taglöhner und weit schlechter als der Stand der Handwerker in ihren Zünften oder der der Bauern, die einem wie ihm nicht einmal die Hand gegeben hätten. Aber dann hat ihn die Tochter des Müllers geheiratet, und bald ist der Müller gestorben, und jetzt ist er selbst Müller. Nebenbei heilt er die Bauern, die ihm immer noch nicht die Hand reichen, denn was sich nicht gehört, gehört sich nicht; aber wenn sie Schmerzen haben, kommen sie zu ihm.

Kein Ende. Claus kann nicht weitersprechen, es beschäftigt ihn zu sehr. Wie soll Zeit aufhören! Andererseits ... Er reibt sich den Kopf. Sie muss ja auch begonnen haben. Denn wenn sie nie begonnen hätte, wie wäre man bis zu diesem Moment gelangt? Er blickt um sich. Unendlich viel Zeit kann nicht vorbei sein. Also muss sie eben doch angefangen haben. Aber vorher? Ein Vorher vor der Zeit? Schwindlig wird einem. So wie in den Bergen, wenn man in eine Klamm schaut.

Einmal, erzählt er jetzt, habe er in so eine gesehen, in der Schweiz, da habe ein Senner ihn zum Almauftrieb mitgenommen. Die Kühe hätten große Glocken getragen, und der Name des Senners sei Ruedi gewesen. Claus stutzt, dann erinnert er sich, was er eigentlich hat sagen wollen. Da habe er also in die Klamm geschaut, und die sei so tief gewesen, dass man den Grund nicht habe sehen können. Da habe er den Senner, der übrigens Ruedi geheißen habe – ein seltsamer Name –, also da habe er den Ruedi gefragt: «Wie tief ist die denn?» Und der Ruedi habe ihm so schleppend, als hätte ihn die Müdigkeit ergriffen, geantwortet: «Die hat keinen Boden!»

Claus seufzt. Die Löffel schaben in der Stille. Erst habe er gedacht, erzählt er weiter, das sei nicht möglich und der Senner sei ein Lügner. Dann habe er sich gefragt, ob die Schlucht vielleicht der Eingang zur Hölle sei. Aber plötzlich sei ihm klargeworden, dass es darauf gar nicht ankomme: Auch wenn die Schlucht einen Grund habe, so müsse man doch bloß nach oben blicken, um eine Schlucht ohne Grund zu sehen. Mit schwerer Hand kratzt er sich am Kopf. Eine Schlucht, murmelt er, die einfach immer weitergehe, weiter und weiter, immer noch weiter, in die also alle Dinge der Welt passten, ohne auch nur den kleinsten Teil ihrer Tiefe zu füllen, eine Tiefe, an der alles zunichte werde ... Er isst einen Löffel Grütze. Ganz übel werde einem da, so wie einem ja auch marod zumute sei, sobald man sich klarmache, dass die Zahlen nie endeten! Dass man zu jeder Zahl noch eine hinzutun könne, als gäbe es keinen Gott, um solchem Treiben

Einhalt zu gebieten. Immer noch eine! Zählen ohne Ende, Tiefe ohne Boden, Zeit vor der Zeit. Claus schüttelt den Kopf. Und wenn –

Da schreit Sepp auf. Er presst die Hände an den Mund. Alle sehen ihn an, verdutzt, aber vor allem froh über die Unterbrechung.

Sepp spuckt ein paar braune Kiesel aus, die genauso aussehen wie die Teigklumpen in der Grütze. Es ist nicht leicht gewesen, sie unbemerkt in seine Schüssel zu schmuggeln. Für so etwas muss man auf den richtigen Moment warten, und wenn nötig, muss man selbst Ablenkung schaffen: Deshalb hat der Junge vorhin Rosa, die Magd, gegen das Schienbein getreten, und als sie aufgeschrien und ihm gesagt hat, dass er ein Rattenvieh, und er ihr gesagt hat, dass sie eine hässliche Kuh sei, und sie ihm wieder gesagt hat, dass er dreckiger sei als der Dreck, und seine Mutter ihnen beiden gesagt hat, dass sie sofort ruhig sein sollten, in Gottes Namen, oder es gebe heute kein Essen, hat er sich schnell vorgebeugt und genau in dem Moment, da alle auf Agneta geblickt haben, die Steine in Sepps Schüssel plumpsen lassen. Der richtige Augenblick ist schnell versäumt, aber wenn man aufmerksam ist, kann man ihn spüren. Dann könnte ein Einhorn durchs Zimmer laufen, ohne dass die anderen es bemerken würden.

Sepp tastet mit dem Finger im Mund, spuckt einen Zahn auf den Tisch, hebt den Kopf und sieht den Jungen an.

Das ist nicht gut. Der Junge war sich ziemlich sicher, dass Sepp es nicht durchschauen würde, aber der ist offenbar doch nicht so blöd.

Da springt der Junge auf und rennt zur Tür. Leider ist Sepp nicht nur groß, sondern auch schnell, und er bekommt ihn zu fassen. Der Junge will sich losreißen, es gelingt nicht, Sepp holt aus und schlägt ihm die Faust ins Gesicht. Der Schlag saugt alle anderen Geräusche auf.

Er blinzelt. Agneta ist aufgesprungen, die Magd lacht, sie mag es, wenn geprügelt wird. Claus sitzt mit gerunzelter Stirn da, gefangen in seinen Gedanken. Die zwei anderen Knechte reißen neugierig die Augen auf. Der Junge hört nichts, der Raum dreht sich, die Zimmerdecke ist unter ihm, Sepp hat ihn sich über die Schulter geworfen wie einen Mehlsack. Dann trägt er ihn hinaus, und der Junge sieht Gras über sich, drunten wölbt sich der Himmel, durchzogen von den Wolkenfasern des Abends. Jetzt hört er wieder etwas: Ein hoher Ton hängt zitternd in der Luft.

Sepp hält ihn an den Oberarmen und starrt ihm aus nächster Nähe ins Gesicht. Der Junge kann das Rot im Bart des Knechts sehen. Dort, wo der Zahn fehlt, blutet es. Er könnte dem Knecht mit aller Kraft die Faust ins Gesicht schlagen. Sepp würde ihn wohl fallen lassen, und wenn er schnell wieder auf die Füße käme, könnte er Abstand gewinnen und den Wald erreichen.

Aber wozu? Sie leben in derselben Mühle. Wenn

Sepp ihn heute nicht erwischt, so erwischt er ihn morgen, und wenn nicht morgen, dann übermorgen. Besser, man bringt es jetzt hinter sich, da alle zusehen. Vor den Augen der anderen wird Sepp ihn wahrscheinlich nicht umbringen.

Sie sind alle aus dem Haus gekommen: Rosa steht auf den Zehenspitzen, um besser sehen zu können, sie lacht noch immer, und auch die zwei Knechte neben ihr lachen. Agneta ruft etwas; der Junge sieht sie den Mund aufreißen und die Hände schwingen, aber hören kann er sie nicht. Neben ihr blickt Claus immer noch drein, als dächte er an etwas anderes.

Da hat der Knecht ihn hoch über den Kopf gehoben. Der Junge befürchtet, dass Sepp ihn auf den harten Boden schleudern wird; er hebt die Hände schützend vor die Stirn. Aber Sepp tritt einen und noch einen und einen dritten Schritt vor, und plötzlich beginnt das Herz des Jungen zu rasen. Das Blut pocht in seinen Ohren, er beginnt zu schreien. Er kann seine Stimme nicht hören, er schreit lauter, er hört sie noch immer nicht. Er hat begriffen, was Sepp vorhat. Begreifen es auch die anderen? Noch könnten sie einschreiten, aber – jetzt nicht mehr. Sepp hat es getan. Der Junge fällt.

Er fällt immer noch. Die Zeit scheint langsamer zu werden, er kann sich noch umsehen, er spürt den Sturz, das Gleiten durch die Luft, und er kann auch noch denken, dass ganz genau das geschieht, wovor er sein Leben lang gewarnt worden ist: Steig nicht vor dem Rad in den Bach, geh niemals vor dem, geh vor dem Mühlrad nicht, auf keinen Fall geh nie, nie, geh nie vor dem Mühlrad in den Bach! Und jetzt, da das gedacht ist, ist der Sturz noch immer nicht vorbei, und er fällt noch immer und fällt und fällt immer noch, aber gerade, als er einen weiteren Gedanken fasst, nämlich dass womöglich gar nichts passieren und der Sturz immer weiter andauern wird, schlägt er klatschend auf und sinkt, und wieder dauert es einen Augenblick, bevor die Eiseskälte zubeißt. Seine Brust schnürt sich zu, vor seinen Augen wird es schwarz.

Er spürt, wie ein Fisch seine Wange streift. Er spürt das Wasser strömen, spürt, wie es schneller und schneller fließt, spürt den Sog zwischen seinen Fingern. Er weiß, dass er sich festhalten müsste, aber woran nur, alles ist in Bewegung, nichts Festes irgendwo, und dann spürt er eine Bewegung über sich, und er muss daran denken, dass er sich das sein Lebtag vorgestellt hat, mit Grauen und Neugier, die Frage, was er tun müsste, wenn er tatsächlich einmal vor dem Mühlrad in den Bach fiele. Nun ist alles anders, und er kann gar nichts tun, und er weiß, dass er gleich tot sein wird, zerdrückt, zerpresst, zermahlen, aber er erinnert sich doch, dass er nicht auftauchen darf, droben ist kein Entkommen, droben ist das Rad. Er muss nach unten.

Aber wo ist das, unten?

Mit aller Kraft macht er Schwimmstöße. Sterben ist nichts, das begreift er. Es geht so schnell, es ist keine große Sache, mach einen falschen Schritt, einen Sprung, eine Bewegung, und du bist kein Lebender mehr. Ein Grashalm reißt, ein Käfer wird zertreten, eine Flamme geht aus, ein Mensch stirbt, es ist nichts! Seine Hände graben im Schlamm, er hat es auf den Grund geschafft.

Und da weiß er plötzlich, dass er heute nicht sterben wird. Fäden aus langem Gras streicheln ihn, Dreck kommt in seine Nase, er spürt einen kalten Griff am Nacken, hört ein Knirschen, spürt etwas am Rücken, dann an den Fersen; er ist unterm Mühlrad durch.

Er stößt sich vom Boden ab. Während er aufsteigt, sieht er kurz ein bleiches Gesicht, die Augen groß und leer, der Mund offen, es leuchtet schwach in der Wasserdunkelheit, wahrscheinlich der Geist von einem Kind, das irgendwann weniger Glück hatte als er. Er macht Schwimmstöße. Schon ist er an der Luft. Er atmet ein und spuckt Schlamm und hustet und krallt sich im Gras fest und kriecht keuchend ans Ufer.

Ein Fleck bewegt sich auf dünnen Beinchen vor seinem rechten Auge. Er blinzelt. Der Fleck kommt näher. Es kitzelt an seiner Braue, er drückt die Hand ans Gesicht, der Fleck verschwindet. Droben schwebt, rund schillernd, eine Wolke. Jemand beugt sich über ihn. Es ist Claus. Er kniet sich hin, streckt die Hand aus und berührt seine Brust, murmelt etwas, das er nicht versteht, weil der hohe Ton immer noch in der Luft hängt und alles andere übertönt; aber da, während sein Vater spricht, wird der Ton leiser und leiser. Claus steht auf, der Ton ist verstummt.

Jetzt ist auch Agneta da. Und neben ihr Rosa. Jedes Mal, wenn wieder jemand auftaucht, braucht der Junge einen Augenblick, um das Gesicht zu erkennen, etwas in seinem Kopf ist langsam geworden und arbeitet noch nicht wieder. Sein Vater macht kreisende Handbewegungen. Er fühlt seine Kräfte zurückkehren. Er will sprechen, aber aus seinem Hals kommt nur Krächzen.

Agneta streicht ihm über die Wange. «Zweimal», sagt sie, «bist du jetzt getauft.»

Er versteht nicht, was sie meint. Wahrscheinlich liegt das am Schmerz in seinem Kopf, einem Schmerz so stark, dass er nicht nur ihn, sondern die Welt selbst ausfüllt – alle sichtbaren Dinge, die Erde, die Menschen um ihn, auch die Wolke dort droben, die immer noch weiß ist wie frischer Schnee.

«Na komm ins Haus», sagt Claus. Seine Stimme klingt tadelnd, als hätte er ihn bei etwas Verbotenem ertappt.

Der Junge setzt sich auf, beugt sich vornüber und übergibt sich. Agneta kniet neben ihm und hält seinen Kopf.

Dann sieht er, wie sein Vater weit ausholt und Sepp eine Ohrfeige gibt. Sepps Oberkörper kippt vornüber; er hält sich die Wange und richtet sich wieder auf, da trifft ihn der nächste Schlag. Und dann ein dritter, wieder weit ausgeholt, die Wucht schleudert ihn fast zu

Boden. Claus reibt sich die schmerzenden Hände, Sepp torkelt. Dem Jungen ist klar, dass er das nur vorspielt: Es hat ihm nicht sehr weh getan, er ist wesentlich stärker als der Müller. Aber auch er weiß, dass man dafür bestraft werden muss, wenn man das Kind seines Brotgebers fast tötet, so wie wiederum der Müller und alle anderen wissen, dass man ihn nicht einfach fortjagen kann, Claus braucht drei Knechte, mit weniger geht es nicht, und wenn einer davon ausfällt, kann es Wochen dauern, bis ein neuer Müllersknecht auf Wanderschaft auftaucht – die Bauernknechte wollen nicht in der Mühle arbeiten, sie liegt zu weit vom Dorf, und der Beruf ist ehrlos, nur die Verzweifelten sind dazu bereit.

«Komm ins Haus», sagt nun auch Agneta.

Es ist fast dunkel. Alle haben es eilig, denn keiner will mehr draußen sein. Jeder weiß, was sich nachts in den Wäldern herumtreibt.

«Zweimal getauft», sagt Agneta wieder.

Als er sie fragen will, was sie meint, merkt er, dass sie nicht mehr bei ihm ist. Hinter ihm murmelt der Bach, durch den dicken Vorhang des Mühlenfensters dringt etwas Licht nach draußen. Claus muss schon die Talgkerze angezündet haben. Offenbar hat sich keiner die Mühe machen wollen, ihn hineinzuschleppen.

Frierend steht der Junge auf. Überlebt. Er hat überlebt. Das Mühlrad hat er überlebt. Er hat das Mühlrad überlebt. Das Mühlrad. Hat er überlebt. Er fühlt sich unsagbar leicht. Er macht einen Sprung, aber als er aufkommt, gibt sein Bein nach, und er fällt ächzend auf die Knie.

Vom Wald her kommt ein Flüstern. Er hält die Luft an und horcht, nun ist es ein Knurren, nun ein Zischen, dann hört es für einen Moment auf, dann beginnt es von neuem. Ihm ist, als bräuchte er nur besser hinzuhören, und er könnte Worte verstehen. Aber das will er auf keinen Fall. Hastig humpelt er zur Mühle.

Wochen vergehen, bis sein Bein ihm erlaubt, zurück aufs Seil zu gehen. Schon am ersten Tag taucht eine der Bäckerstöchter auf und setzt sich ins Gras. Er kennt sie vom Sehen, ihr Vater kommt oft zur Mühle, denn seit Hanna Krell ihn nach einem Streit verflucht hat, plagt ihn das Rheuma. Die Schmerzen lassen ihn nicht schlafen, deshalb braucht er den Abwehrzauber von Claus.

Der Junge überlegt, ob er sie davonjagen soll. Aber erstens wäre das nicht nett, und zweitens hat er nicht vergessen, dass sie beim letzten Dorffest das Steinewerfen gewonnen hat. Sie muss sehr stark sein, und ihm dagegen tut noch der ganze Körper weh. Also erträgt er ihre Gegenwart. Obwohl er sie nur aus dem Augenwinkel sieht, fällt ihm auf, dass sie Sommersprossen auf den Armen und im Gesicht hat und dass ihre Augen in der Sonne blau sind wie Wasser.

«Dein Vater», sagt sie, «hat zu meinem Vater gesagt, es gibt keine Hölle.»

«Hat er nicht gesagt.» Er schafft vier ganze Schritte, bevor er fällt.

«Doch.»

«Nie», sagt er bestimmt. «Ich schwöre.»

Er ist sich ziemlich sicher, dass sie recht hat. Sein Vater könnte allerdings auch das Gegenteil gesagt haben: Wir sind in der Hölle, immerdar, und kommen nie heraus. Oder er könnte gesagt haben, dass wir im Himmel sind. Er hat seinen Vater schon alles sagen hören, was man überhaupt sagen kann.

«Weißt du's schon?», fragt sie. «Peter Steger hat beim alten Baum ein Kalb geschlachtet. Der Schmied hat's erzählt. Sie waren zu dritt. Peter Steger, der Schmied und der alte Heinerling. Sie sind nachts zur Weide gegangen und haben das Kalb dort gelassen, für die Kalte.»

«Ich war auch einmal da», sagt er.

Sie lacht. Natürlich glaubt sie ihm nicht, und natürlich hat sie recht, er war nicht da; niemand geht zur Weide, wenn er nicht muss.

«Ich schwör's!», sagt er. «Glaub mir, Nele!»

Er steigt wieder auf das Seil und steht da, ohne sich festzuhalten. Das kann er jetzt. Um den Schwur zu bestärken, legt er sich zwei Finger der rechten Hand aufs Herz. Aber dann nimmt er die Hand schnell wieder fort, denn er erinnert sich daran, dass die kleine Käthe Loser letztes Jahr vor ihren Eltern falsch geschworen hat, und zwei Nächte darauf ist sie gestorben. Um aus der

Verlegenheit herauszukommen, tut er so, als verlöre er das Gleichgewicht, und lässt sich der Länge nach ins Gras fallen.

«Mach das weiter», sagt sie ruhig.

«Was?» Mit schmerzverzerrtem Gesicht steht er auf.

«Das Seil. Etwas können, das kein anderer kann. Das ist gut.»

Er zuckt die Achseln. Ihm ist nicht klar, ob sie sich über ihn lustig macht.

«Muss gehen», sagt sie, springt auf und läuft los.

Während er ihr nachsieht, reibt er sich die schmerzende Schulter. Dann steigt er zurück aufs Seil.

In der Woche darauf müssen sie einen Karren Mehl zum Reutterhof bringen. Martin Reutter hat das Korn vor drei Tagen gebracht, aber er kann das Mehl nicht abholen, ihm ist die Deichsel gebrochen. Sein Knecht Heiner ist gestern gekommen, um Bescheid zu sagen.

Die Lage ist vertrackt. Man kann nicht einfach den Knecht mit dem Mehl losschicken, denn der könnte sich damit auf Nimmerwiedersehen davonmachen, einem Knecht darf man nie über den Weg trauen. Claus aber kann nicht von der Mühle weg, weil es zu viel Arbeit gibt, also muss Agneta mit, und weil die nicht mit Heiner allein im Wald sein sollte, da Knechte zu allem imstande sind, kommt auch der Junge mit.

Sie fahren vor Sonnenaufgang los. Nachts ist viel

Regen gefallen. Nebel hängt zwischen den Stämmen, die Wipfel scheinen im noch dunklen Himmel zu verschwinden, die Wiesen sind schwer von Nässe. Der Esel geht schleppend, ihm ist alles eins. Der Junge kennt ihn, so lange er denken kann. Er hat viele Stunden bei ihm im Stall gehockt, hat sich sein leises Schnauben angehört, hat ihn gestreichelt und Freude daran gehabt, wie das Tier ihm seine immerfeuchte Schnauze gegen die Wange gedrückt hat. Agneta hält die Zügel, der Junge sitzt neben ihr auf dem Bock, die Augen halb geschlossen, und schmiegt sich an sie. Hinter ihnen liegt Heiner auf den Mehlsäcken; manchmal grunzt er, und manchmal lacht er vor sich hin, ohne dass man sagen könnte, ob er schläft oder wach ist.

Hätten sie den breiten Weg genommen, könnten sie schon diesen Nachmittag am Ziel sein, aber der führt zu nahe an der Lichtung mit der alten Weide vorbei. Kein Ungeborenes darf in die Nähe der Kalten kommen. Daher müssen sie den Umweg über den schmalen überwachsenen Pfad nehmen, der viel tiefer durch den Wald führt, vorbei am Ahornhügel und dem großen Mäusetümpel.

Agneta erzählt von der Zeit, als sie noch nicht Ulenspiegels Frau gewesen ist. Einer der beiden Söhne von Bäcker Holtz habe sie heiraten wollen. Er habe gedroht, sich den Söldnern anzuschließen, wenn sie ihn nicht nehme. Nach Osten habe er ziehen wollen, in die ungarischen Ebenen, um gegen die Türken zu kämpfen. Und fast hätte sie ihn ja genommen – warum nicht, habe sie gedacht, am Ende sei einer wie der andere. Aber dann sei der Claus ins Dorf gekommen, ein Katholik aus dem Norden, was ja an sich schon seltsam sei, und als sie den geheiratet habe, weil sie ihm nicht habe widerstehen können, sei der junge Holtz doch nicht nach Osten gezogen. Geblieben sei er und habe Brote gebacken, und als zwei Jahre später die Pest durchs Dorf gezogen sei, sei er als Erster gestorben, und als auch sein Vater gestorben sei, habe sein Bruder die Bäckerei übernommen.

Agneta seufzt und streicht dem Jungen über den Kopf. «Du weißt ja nicht, wie er mal war. Jung und rank und ganz anders als die anderen.»

Der Junge braucht einen Moment, um zu verstehen, von wem sie spricht.

«Er hat alles gewusst. Er hat lesen können. Und er war auch schön. Stark war er, und helle Augen hat er gehabt, und er konnte besser singen und tanzen als alle anderen.» Sie überlegt eine Weile. «Er war ... wach!»

Der Junge nickt. Er würde lieber ein Märchen hören.

«Er ist ein guter Mensch», sagt Agneta. «Das darfst du nie vergessen.»

Der Junge muss gähnen.

«Nur ist er im Kopf nie da. Das habe ich damals nicht verstanden. Ich hab ja nicht gewusst, dass es so einen gibt. Wie hätte ich's wissen sollen? Ich bin ja immer hier gewesen. Dass so einer dann auch nie recht bei uns sein kann. Am Anfang war er nur manchmal anderswo im Kopf, meistens war er bei mir, getragen hat er mich, gelacht haben wir, seine Augen waren so hell. Nur manchmal war er bei den Büchern oder bei seinen Versuchen, angezündet hat er etwas oder Pulver gemischt. Dann war er öfter bei den Büchern und seltener bei mir, und dann noch seltener, und jetzt? Du siehst ja. Letzten Monat, als das Mühlrad stehen geblieben ist. Erst nach drei Tagen hat er es repariert, weil er vorher etwas auf der Wiese hat ausprobieren wollen. Keine Zeit hat er gehabt für die Mühle, der Herr Müller. Und dann hat er das Rad auch noch schlecht repariert, und die Achse ist stecken geblieben, und wir haben den Anselm Melker zu Hilfe holen müssen. Aber ihm ist's gleich gewesen!»

«Kann ich ein Märchen hören?»

Agneta nickt. «Vor langer Zeit», beginnt sie. «Als die Steine noch jung gewesen sind und es keine Herzöge gegeben hat und keiner einen Zehnt hat bezahlen müssen. Vor langer Zeit, als selbst im Winter noch kein Schnee gefallen ist ...»

Sie zögert, berührt ihren Bauch und nimmt die Zügel kürzer. Der Weg ist nun schmal und geht über breite Wurzeln hinweg. Ein falscher Schritt des Esels, und der Wagen könnte kippen.

«Vor langer Zeit», beginnt sie von neuem, «hat ein

Mädchen einen goldenen Apfel gefunden, den wollte sie mit ihrer Mutter teilen, aber sie hat sich in den Finger geschnitten, und aus ihrem Blutstropfen ist ein Baum gewachsen, der hat mehr Äpfel getragen, allerdings nicht güldene, sondern schrumpelhässlich garstige Äpfel, wer von denen gegessen hat, ist eines schweren Todes gestorben. Denn ihre Mutter ist eine Hexe gewesen, die hat den Goldapfel wie ihren Augenstern gehütet, und jeden Ritter, der gegen sie gezogen ist, um die Tochter zu freien, hat sie zerrissen und gefressen, gelacht hat sie dabei und gefragt: Ist denn kein Held unter euch? Als aber endlich der Winter gekommen ist und alles bedeckt hat mit kühlem Schnee, da hat die arme Tochter für ihre Mutter putzen und kochen müssen, tagaus, tagein und ohne Ende.»

«Schnee?»

Agneta verstummt.

«Du hast gesagt, dass es im Winter keinen Schnee gab.»

Agneta schweigt.

«Entschuldige», sagt der Junge.

«Da hat die arme Tochter für ihre Mutter putzen und kochen müssen, tagaus, tagein und ohne Ende, und das, obgleich sie so schön gewesen ist, dass keiner sie hat ansehen können, ohne sich zu verlieben.»

Agneta schweigt wieder, dann stöhnt sie leise.

«Was ist?»

«Also ist die Tochter im tiefen Winter davongelaufen, denn sie hat gehört, dass es weit, weit, weit weg, am Rand des großen Meers, einen Jungen gibt, der des Goldapfels würdig ist. Aber zuerst hat sie fliehen müssen, und das war schwer, denn die Mutter, die Hexe, war wachsam.»

Agneta verstummt erneut. Der Wald ist nun sehr dicht, nur ganz oben zwischen den Wipfeln blitzt noch hellblauer Himmel. Agneta zieht an den Zügeln, der Esel bleibt stehen. Ein Eichhörnchen springt auf den Weg, sieht sie mit kalten Augen an; dann, schnell wie eine Täuschung, ist es verschwunden. Der Knecht hinter ihnen hört auf zu schnarchen und setzt sich auf.

«Was ist?», fragt der Junge wieder.

Agneta antwortet nicht. Leichenblass ist sie plötzlich. Und da sieht der Junge, dass ihr Rock voll Blut ist.

Für einen Moment wundert er sich darüber, dass ihm ein so großer Fleck bisher nicht aufgefallen ist, dann versteht er, dass das Blut gerade eben noch nicht da war.

«Es kommt», sagt Agneta. «Ich muss zurück.»

Der Junge starrt sie an.

«Heißes Wasser», sagt sie mit brüchiger Stimme. «Und Claus. Ich brauch heißes Wasser, und den Claus brauch ich auch mit seinen Sprüchen und Kräutern. Und die Hebamme aus dem Dorf brauch ich, die Lise Köllerin.»

Der Junge starrt sie an. Heiner starrt sie an. Der Esel starrt vor sich hin.

«Weil ich sonst sterbe», sagt sie. «Das muss sein. Da kann man nichts machen. Ich kann den Wagen hier nicht umdrehen, der Heiner stützt mich, wir gehen zu Fuß, und du bleibst.»

«Warum fahren wir nicht weiter?»

«Es dauert bis zum Abend, bis wir beim Reutterhof sind, zu Fuß zur Mühle zurück geht es schneller.» Sie steigt keuchend ab. Der Junge will nach ihrem Arm greifen, aber sie schiebt ihn weg. «Hast verstanden?»

«Was?»

Agneta ringt nach Luft. «Einer muss beim Mehl bleiben. Das ist so viel wert wie die halbe Mühle.»

«Allein im Wald?»

Agneta stöhnt.

Heiner blickt dumpf zwischen ihnen hin und her.

«Mit zwei Trotteln bin ich hier.» Agneta legt beide Hände auf die Wangen des Jungen und blickt ihm so fest in die Augen, dass er sein Spiegelbild sehen kann. Ihr Atem pfeift und rasselt. «Verstehst du?», fragt sie leise. «Mein Herz, mein kleiner Junge, verstehst du? Du wartest hier.»

In seiner Brust pocht es so laut, dass er meint, sie müsse es hören können. Er will ihr sagen, dass sie sich das falsch überlegt hat, dass der Schmerz ihre Klarheit trübt. Sie wird es zu Fuß nicht schaffen, es dauert Stunden, sie blutet zu stark. Aber seine Kehle ist ausgetrocknet, die Worte bleiben im Hals stecken. Hilflos sieht er zu, wie sie, an Heiner gelehnt, davonhumpelt.

Halb stützt der Knecht sie, halb schleppt er sie, bei jedem Schritt stöhnt sie auf. Eine kurze Zeit sieht er sie noch, dann hört er das Stöhnen leiser werden, und dann ist er allein.

Eine Weile lenkt er sich ab, indem er den Esel an den Ohren zieht. Rechts und links und rechts, jedes Mal gibt das Vieh ein trauriges Geräusch von sich. Warum ist es so geduldig, warum so gutartig, warum beißt es nicht? Er sieht ihm ins rechte Auge. Wie eine Glaskugel liegt es in seiner Höhle, dunkel, wässrig und leer. Es blinzelt nicht, es zuckt bloß ein wenig, als er es mit dem Finger berührt. Er fragt sich, wie es wohl ist, dieser Esel zu sein. Eingesperrt in eine Eselseele, einen Eselkopf auf den Schultern, mit Eselgedanken darin, wie mag sich das anfühlen?

Er hält die Luft an und horcht. Der Wind: Geräusche in Geräuschen hinter anderen Geräuschen, Summen und Rascheln, Quieken, Ächzen und Knarren. Das Wispern der Blätter über dem Wispern von Stimmen, und wieder scheint ihm, als müsste er bloß eine Weile zuhören, dann könnte er verstehen. Er beginnt, vor sich hin zu summen, doch der Klang seiner Stimme kommt ihm fremd vor.

Da fällt ihm auf, dass die Mehlsäcke mit einem Seil verknotet sind; einem langen, das von einem Sack zum nächsten läuft. Erleichtert holt er sein Messer hervor und macht sich daran, Kerben in Stämme zu schneiden.

Sobald er das Seil brusthoch zwischen zwei Bäumen festgezurrt hat, geht es ihm besser. Er prüft die Festigkeit, dann zieht er die Schuhe aus, klettert hinauf und geht mit ausgebreiteten Armen bis zur Mitte. Dort steht er, vor Karren und Esel, über dem lehmigen Weg. Er verliert das Gleichgewicht, springt ab, klettert sofort wieder hinauf. Eine Biene steigt aus den Büschen, sinkt wieder und verschwindet im Grün. Langsam setzt der Junge sich in Bewegung. Fast hätte er es bis ans andere Ende geschafft, aber dann fällt er doch.

Er bleibt eine Weile liegen. Wozu auch aufstehen? Er rollt sich auf den Rücken. Ihm ist, als ob die Zeit stocken würde. Etwas hat sich verändert: Der Wind flüstert weiter, und weiterhin bewegen sich die Blätter, und dem Esel knurrt laut der Magen, aber all das hat nichts mit der Zeit zu tun. Früher war Jetzt, und jetzt ist Jetzt, und in der Zukunft, wenn alles anders ist und wenn es andere Menschen gibt und keiner außer Gott mehr von ihm und Agneta und Claus und der Mühle weiß, dann wird es immer noch Jetzt sein.

Das Himmelsband über ihm ist dunkelblau geworden, nun überzieht es sich mit samtigem Grau. Schatten klettern an Baumstämmen herunter, und auf einmal ist es unten Abend. Das Licht droben gerinnt zu einem schmalen Funkeln. Und dann ist es Nacht.

Er weint. Aber weil keiner da ist, der helfen könnte, und weil man eigentlich immer nur eine kurze Weile weinen kann, bevor einem die Kraft und die Tränen ausgehen, hört er schließlich wieder auf.

Er hat Durst. Agneta und Heiner haben den Schlauch mit dem Bier mitgenommen, Heiner hat ihn umgeschnallt, keiner hat daran gedacht, ihm etwas zu trinken hierzulassen. Seine Lippen sind trocken. Es müsste in der Nähe einen Bach geben, aber wie soll er den finden?

Die Geräusche sind nun andere als am Tag: Andere Tierlaute, ein anderer Wind, auch die Äste knacken anders. Er horcht. Droben muss es sicherer sein. Er macht sich daran, einen Baum zu besteigen. Aber das ist schwer, wenn man kaum etwas sieht. Dünne Äste brechen, und die schrundige Rinde schneidet in seine Finger. Ein Schuh gleitet von seinem Fuß; er hört ihn noch gegen einen und gegen noch einen Ast prallen. Sich an den Stamm klammernd, schiebt er sich empor und schafft es noch ein wenig höher. Dann kann er nicht mehr.

Eine Weile hängt er. Er hat sich vorgestellt, dass er auf einem breiten Ast schlafen könnte, an den Stamm gelehnt, aber jetzt merkt er, dass das so nicht geht. Es gibt nichts Weiches an einem Baum, und man muss sich ständig anklammern, damit man nicht fällt. Ein Zweig presst sich gegen sein Knie. Zunächst meint er, dass sich das aushalten lässt, doch auf einmal ist es unerträglich. Auch der Ast, auf dem er sitzt, schmerzt ihn. Er muss an das Märchen von der bösen Hexe und der schönen Tochter und dem Ritter und dem Goldapfel denken: Wird er je erfahren, wie es endet?

Er steigt wieder ab. Das ist schwierig im Dunkeln, aber er ist geschickt und rutscht nicht ab und erreicht den Boden. Nur kann er seinen Schuh nicht mehr finden. Wie gut, dass wenigstens der Esel da ist. Der Junge schmiegt sich an das weiche, sanft stinkende Tier.

Ihm fällt ein, dass seine Mutter zurückkommen könnte. Wenn sie auf dem Weg nach Hause gestorben ist, könnte sie plötzlich auftauchen. An ihm vorbeistreifen könnte sie, ihm etwas zuraunen, ihm ihr verwandeltes Gesicht zeigen. Der Gedanke lässt sein Herz gefrieren. Könnte es wirklich sein, dass man einen Menschen gerade noch geliebt hat, aber im nächsten Moment stirbt man vor Schreck, wenn dieser Mensch zurückkommt? Er denkt daran, dass die kleine Gritt letztes Jahr beim Pilzesammeln ihrem toten Vater begegnet ist: Keine Augen hat er gehabt, und eine Handbreit über dem Boden ist er geschwebt. Und an den Kopf denkt er, den Großmutter vor vielen Jahren im Grenzstein hinter dem Steger-Hof gesehen hat, heb den Rock, Mädchen, und da sei keiner hinter dem Stein versteckt gewesen, sondern der Stein habe mit einem Mal Augen und Lippen gehabt, so heb ihn doch schon und zeig, was drunter ist! Großmutter hat das erzählt, als er klein war; jetzt ist sie lange schon tot, auch ihr Körper muss längst zerfallen sein, ihre Augen sind zu Steinen geworden und ihre Haare zu Gras. Er befiehlt sich, nicht an solche Dinge zu denken, aber es gelingt ihm nicht, und vor allem einen Gedanken kann er nicht wegwischen: Lieber soll Agneta tot sein, lieber in der tiefsten ewigen Hölle gefangen, als plötzlich als Geist aus den Büschen zu treten.

Der Esel zuckt, Holz knackt in der Nähe, etwas kommt heran, seine Hose füllt sich mit Wärme. Ein wuchtiger Körper streift vorbei und entfernt sich wieder, seine Hose wird kalt und schwer. Der Esel brummt, er hat es auch gespürt. Was war das? Jetzt ist da ein grünliches Glimmen zwischen den Ästen, größer als ein Glühwürmchen, doch weniger hell, und vor Angst kommen ihm fiebrige Bilder in den Kopf. Ihm ist heiß, dann wird ihm kalt. Dann wieder heiß. Und trotz allem denkt er: Agneta, lebend oder tot, darf nicht wissen, dass er in die Hose gemacht hat, sonst gibt es Schläge. Und als er sie wimmernd unter einem Busch liegen sieht, der zugleich das Band ist, an dem die Erdscheibe vom Mond hängt, sagt ihm ein Rest seines sich auflösenden Verstandes, dass er wohl gerade einschläft, ermüdet von seiner Angst und all dem Herzklopfen, gnädig seinen schwindenden Kräften überlassen, auf dem kalten Boden und im Nachtlärm des Waldes, neben dem leise schnarchenden Esel. Und so weiß er nicht, dass seine Mutter tatsächlich nicht fern von ihm auf dem Boden liegt, wimmernd und stöhnend, unter einem Busch, der nicht viel anders aussieht als der Busch in seinem Traum, einer Wacholderstaude mit majestätisch vollen Beeren. Dort liegt sie, in der Dunkelheit, dort.

Agneta und der Knecht haben den kurzen Weg genommen, sie war zu schwach für den Umweg, und so sind sie der Lichtung der Kalten zu nahe gekommen. Nun liegt Agneta auf dem Boden und hat keine Kraft mehr und kaum noch Stimme zum Schreien, und Heiner sitzt neben ihr, in seinem Schoß das neugeborene Wesen.

Der Knecht überlegt, ob er fortlaufen soll. Was hält ihn schon? Diese Frau wird sterben, und wenn er in der Nähe gewesen ist, wird man sagen, er sei schuld. So ist es immer. Wenn etwas passiert und ein Knecht ist in der Nähe, dann ist der Knecht schuld.

Er könnte auf Nimmerwiedersehen verschwinden, auf dem Reutterhof hält ihn nichts, das Essen ist nicht reichlich, und der Bauer ist nicht gut zu ihm, er schlägt ihn so oft, wie er seine eigenen Söhne schlägt. Warum Mutter und Kind nicht liegen lassen? Groß ist die Welt, sagen die Knechte, andere Herrschaft findet sich leicht, neue Höfe gibt es genug, und etwas Besseres als der Tod findet sich, wo immer du suchst.

Er weiß, dass man nachts nicht im Wald sein soll, und er hat Hunger, und stechenden Durst hat er auch, weil er irgendwo am Weg den Bierschlauch verloren hat. Er schließt die Augen. Das hilft. Wenn man die Augen schließt, ist man bei sich, da ist dann kein anderer, der einem etwas tut, da ist man innen, da ist dann nur man selbst. Er erinnert sich an Wiesen, durch die er gelaufen ist, als er ein Kind war, er erinnert sich an frisches Brot, so gut, wie er es schon lange nicht mehr bekommen hat, und an einen Mann, der ihn mit einem Stock geschlagen hat, vielleicht war es sein Vater, er weiß es nicht. Und so ist er dem Mann davongelaufen, und dann war er anderswo, dann ist er wieder fortgelaufen. Fortlaufen ist etwas Wunderbares. Es gibt keine Gefahr, der man nicht entkommen kann, wenn man schnelle Beine hat.

Aber diesmal läuft er nicht. Er hält das Kind, und Agnetas Kopf hält er auch, und als sie aufstehen will, stützt er sie und wuchtet sie empor.

Trotzdem wäre Agneta nicht auf die Füße gekommen, hätte sie sich nicht an das mächtigste aller Quadrate erinnert. Merk es dir, hat Claus gesagt, benütz es nur in der Not. Du kannst es schreiben, nur aussprechen darfst du es nie! Und so hat sie den letzten Rest Klarheit in ihrem Kopf dazu verwendet, die Buchstaben in den Boden zu ritzen. Es beginnt mit SALOM AREPO, aber wie es weitergeht, ist ihr nicht eingefallen; das Schreiben ist dreifach schwer, wenn man es nie gelernt hat und wenn es dunkel ist und wenn man blutet. Aber dann hat sie sich über Claus' Anweisung hinweggesetzt und mit krächzender Stimme gerufen: «Salom Arepo Salom Arepo!» Und schon, da selbst Bruchstücke Kraft entfalten, kommt ihre Erinnerung zurück, und sie weiß auch den Rest.

S A L O M
A R E P O
L E M E L
O P E R A
M O L A S

Und allein dadurch schon, sie hat es fühlen können, sind die bösen Kräfte zurückgewichen, die Blutung hat nachgelassen, und das Kind ist unter Schmerzen wie von glühenden Eisen aus ihrem Leib gerutscht.

So gerne wäre sie liegen geblieben. Aber sie weiß, wer viel Blut verloren hat, der bleibt, wenn er liegt, für immer liegen.

«Gib mir das Kind.»

Er gibt es ihr.

Sie kann es nicht sehen, die Nacht ist so schwarz, als wäre man blind, aber als sie das kleine Wesen hält, spürt sie, dass es noch lebt.

Keiner wird von dir wissen, denkt sie. Keiner sich erinnern, nur ich, deine Mutter, und ich vergesse nicht, weil ich nicht vergessen darf. Denn alle anderen werden dich vergessen.

Das hat sie auch den anderen drei gesagt, die ihr bei der Geburt gestorben sind. Und wirklich, von jedem weiß sie noch alles, was es zu wissen gibt: den Geruch, die Schwere, die jedes Mal ein wenig andere Gestalt in ihren Händen. Sie hatten nicht einmal Namen.

Ihre Knie knicken ein, Heiner hält sie. Für einen

Augenblick ist die Versuchung stark, sich einfach wieder hinzulegen. Aber sie hat zu viel Blut verloren, die Kalte ist nicht weit, und auch das kleine Volk könnte sie finden. Sie reicht Heiner das Kind und will losgehen, doch sofort fällt sie und liegt auf Wurzeln und Reisig und spürt, wie groß die Nacht ist. Warum widersteht man eigentlich? Es wäre so leicht. Einfach loslassen. So leicht.

Stattdessen schlägt sie die Augen auf. Sie fühlt die Wurzeln unter sich. Sie schlottert vor Kälte und begreift, dass sie noch lebt.

Wieder steht sie auf. Offenbar hat die Blutung nachgelassen. Heiner hält ihr das Kind hin; sie nimmt es und merkt sofort, dass kein Leben mehr in ihm ist, also gibt sie es zurück, denn sie braucht beide Hände, um sich an einem Baumstamm festzuhalten. Er legt es auf den Boden, aber sie zischt ihn an, und er hebt es wieder auf. Denn natürlich kann man es nicht hier lassen: Moos würde darüberwachsen, Pflanzen würden es umschlingen, Käfer seine Glieder bewohnen, sein Geist würde nie ruhen.

Und in diesem Moment geschieht es, dass Claus in der Dachkammer seiner Mühle die Ahnung beschleicht, dass etwas nicht in Ordnung ist. Schnell murmelt er ein Gebet, streut eine Prise zerriebenen Alraun in die Flamme seiner qualmenden Tranfunzel. Das schlechte Omen bestätigt sich: Anstatt aufzulodern, verlöscht die Flamme sofort. Scharfer Gestank erfüllt den Raum.

In der Dunkelheit schreibt Claus ein Quadrat mittlerer Kraft an die Wand:

M I L O N
I R A G O
L A M A L
O G A R I
N O L I M

Danach, um sicherzugehen, sagt er siebenmal laut: *Nipson anomimata mi monan ospin.* Er weiß, dass das Griechisch ist. Was es heißt, weiß er nicht, aber es liest sich vorwärts genauso wie rückwärts, und Sätze dieser Art haben besondere Kraft. Dann legt er sich wieder auf den harten Bretterboden, um mit seiner Arbeit weiterzumachen.

Zurzeit beobachtet er jede Nacht den Lauf des Mondes. Seine Fortschritte sind so schleppend, dass es zum Verzweifeln ist. Der Mond geht jedes Mal anderswo auf als in der Nacht zuvor, seine Bahn bleibt nie die gleiche. Und weil offenbar keiner das erläutern kann, hat Claus beschlossen, die Sache selbst aufzuklären.

«Wenn etwas keiner weiß», hat ihm Wolf Hüttner einst gesagt, «müssen wir es rausfinden!»

Hüttner, der Mann, der sein Lehrer war, ein Chiromant und Geisterbeschwörer zu Konstanz, von Beruf Nachtwächter. Claus Ulenspiegel ist einen Winter lang bei ihm im Dienst gewesen, und kein Tag vergeht, da er nicht dankbar an ihn denkt. Hüttner hat ihm die Quadrate, Sprüche und wirkstarken Kräuter gezeigt, und Claus hat kein Wort versäumt, wenn Hüttner zu ihm vom kleinen Volk und dem großen Volk und den Alten der Vorzeit und dem Volk der tiefen Erde und den Geistern der Luft gesprochen hat und davon, dass man den Gelehrten nicht trauen dürfe, denn sie wüssten nichts, aber sie gäben es nicht zu, um die Gnade ihrer Fürsten nicht zu verlieren, und als Claus nach der Schneeschmelze weitergezogen ist, hat er drei Bücher aus Hüttners Sammlung im Sack gehabt. Damals hat er noch nicht lesen können, aber das hat ihm dann in Augsburg ein Pastor beigebracht, den er vom Rheuma geheilt hat, und als er weitergezogen ist, hat er auch drei Bücher aus der Bibliothek des Pastors mitgenommen. Schwer sind all die Bücher gewesen, ein Dutzend von ihnen füllten den Tragesack wie Blei. Bald ist ihm klargeworden, dass er entweder die Bücher zurücklassen oder sesshaft werden muss, am besten an einem versteckten Ort abseits der großen Straßen, denn Bücher sind teuer, und nicht alle Besitzer haben sich freiwillig von ihnen getrennt, und wenn man Pech hat, könnte Hüttner selbst plötzlich vor der Tür stehen, einen Fluch auf ihn legen und zurückverlangen, was ihm gehörte.

Als es tatsächlich zu viele Bücher gewesen sind, um weiterzuziehen, hat das Schicksal seinen Lauf genommen. Eine Müllerstochter hat ihm gefallen, sie war gut anzusehen, und lustig war sie auch, und Kraft hatte sie, und dass sie ihn mochte, konnte ein Blinder sehen. Sie zu gewinnen ist nicht schwer gewesen, im Tanzen war er gut, und die richtigen Sprüche und Kräuter, um ein Herz zu binden, hat er gekannt, überhaupt hat er mehr gewusst als jeder andere im Dorf, das hat ihr gefallen. Der Vater hat zunächst Zweifel gehabt, aber keiner der anderen Knechte hat ausgesehen, als ob er die Mühle übernehmen könnte, also hat er nachgegeben. Und eine Weile ist auch alles gut gewesen.

Dann hat er ihre Enttäuschung gespürt. Erst manchmal, dann öfter. Und dann ständig. Sie hat seine Bücher nicht gemocht, sie hat nicht gemocht, dass er die Rätsel der Welt lösen muss, und es stimmt ja auch, es ist eine große Aufgabe, die lässt einem nicht viel Kraft für anderes, schon gar nicht für den täglichen Mühlentrott. Plötzlich ist es auch Claus wie ein Fehler vorgekommen: Was tu ich hier, was habe ich mit den Mehlwolken zu schaffen, was mit den stumpfsinnigen Bauern, die einen immer betrügen wollen beim Bezahlen, was mit dem begriffsstutzigen Gesinde, das nie macht, was man ihm aufträgt? Andererseits, so sagt er sich oft, führt das Leben einen eben irgendwohin – wärst du nicht hier, so wärst du anderswo, und alles wäre gerade ebenso seltsam. Wirklich Sorgen bereitet ihm allerdings die Frage, ob man wohl in die Hölle kommt, wenn man so viele Bücher gestohlen hat.

Aber man muss das Wissen nun mal packen, wo es

sich finden lässt, man ist doch nicht bestimmt dafür, ahnungslos zu vegetieren. Und wenn man niemanden hat, mit dem man sprechen kann, ist es nicht leicht. So viel beschäftigt dich, aber keiner will sie hören, deine Gedanken darüber, was der Himmel ist und wie die Steine entstehen und wie die Fliegen und das überall wimmelnde Leben und in welcher Sprache die Engel miteinander reden und wie Gott der Herr sich selbst geschaffen hat und sich immer noch schaffen muss, Tag für Tag, denn täte er es nicht, hörte alles von einem Moment zum nächsten auf – wer, wenn nicht Gott, sollte die Welt daran hindern, einfach nicht zu sein?

Für manche Bücher hat Claus Monate gebraucht, für andere Jahre. Manche kennt er auswendig und versteht sie trotzdem nicht. Und mindestens einmal im Monat kehrt er ratlos zu dem dicken lateinischen Werk zurück, das er aus einer brennenden Pfarrei in Trier gestohlen hat. Es war nicht er, der das Feuer gelegt hat, aber er war in der Nähe und hat den Rauch gerochen und die Gelegenheit ergriffen. Ohne ihn wäre das Buch verbrannt. Er hat ein Recht darauf. Doch lesen kann er es nicht.

Siebenhundertfünfundsechzig Seiten sind es, in enger Schrift bedruckt, und einige haben auch Bilder, die aus üblen Träumen zu stammen scheinen: Männer mit Vogelköpfen, eine Stadt mit Zinnen und hohen Türmen auf einer Wolke, aus der in dünnen Strichen Regen fällt, ein Pferd mit zwei Köpfen auf einer Waldlichtung, ein

Insekt mit langen Flügeln, eine Schildkröte, die auf einem Sonnenstrahl gen Himmel klettert. Das erste Blatt, auf dem wohl einmal der Buchtitel stand, fehlt; ebenso hat jemand das Blatt mit den Seiten dreiundzwanzig und vierundzwanzig sowie jenes mit den Seiten fünfhundertneunzehn und fünfhundertzwanzig herausgerissen. Dreimal schon ist Claus mit dem Buch beim Priester gewesen und hat um Hilfe gebeten, aber jedes Mal hat der ihn rüde fortgeschickt und erklärt, dass es nur Menschen von Bildung zustehe, sich mit lateinischen Schriften zu befassen. Zunächst hat Claus erwogen, ihm eine milde Verwünschung auf den Hals zu schicken – Rheuma oder eine Mäuseplage im Pfarrhaus oder schlechte Milch –, doch dann hat er begriffen, dass der arme Dorfpriester, der zu viel trinkt und sich in der Predigt ständig wiederholt, in Wahrheit selber kaum Latein versteht. So hat er sich beinahe damit abgefunden, dass er genau dieses eine Buch, das womöglich den Schlüssel zu allem enthält, nie wird lesen können. Denn wer könnte ihm hier, in einer gottverlassenen Mühle, Latein beibringen?

Trotzdem, in den letzten Jahren hat er eine Menge herausgefunden. Im Wesentlichen weiß er inzwischen, woher die Dinge kommen, wie die Welt entstanden ist und warum alles so ist, wie es ist: die Geister, die Stoffe, die Seelen, das Holz, das Wasser, der Himmel, das Leder, das Korn, die Grillen. Hüttner wäre stolz auf ihn. Nicht mehr lange, dann wird er die letzten Lücken geschlossen haben. Dann wird er selbst ein Buch schreiben, in dem alle Antworten stehen, und dann werden die Gelehrten in ihren Universitäten sich wundern und schämen und sich die Haare raufen.

Aber leicht wird das nicht. Seine Hände sind groß, und der dünne Federkiel zerbricht ihm immer wieder zwischen den Fingern. Er wird viel üben müssen, bevor er ein ganzes Buch mit den Spinnenzeichen aus Tinte füllen kann. Aber es muss sein, denn er kann all das, was er herausgefunden hat, nicht für immer im Gedächtnis halten. Es ist schon zu viel, es schmerzt ihn, oft ist ihm schwindlig von all dem Wissen im Kopf.

Vielleicht wird er irgendwann seinem Sohn etwas beibringen können. Er hat gemerkt, dass ihm der Junge beim Essen manchmal zuhört, wider Willen fast und bemüht, sich nichts anmerken zu lassen. Dünn und zu schwach ist er, aber er scheint klug zu sein. Vor kurzem hat Claus ihn dabei ertappt, wie er mit drei Steinen jongliert hat, ganz leicht und ohne Mühe – reiner Unsinn, aber doch auch ein Zeichen, dass das Kind vielleicht nicht so stumpf ist wie die anderen. Neulich hat der Junge ihn gefragt, wie viele Sterne es eigentlich gibt, und da er erst vor kurzem nachgezählt hat, hat er ihm nicht ohne Stolz eine Antwort geben können. Er hofft, dass das Kind, das Agneta trägt, wieder ein Junge wird; mit etwas Glück sogar einer, der kräftiger ist, damit er ihm besser bei der Arbeit hilft, und dem er dann auch etwas beibringen kann.

Der Bretterboden ist zu hart. Aber würde er weicher liegen, schliefe er ein und könnte nicht den Mond beobachten. Mühevoll hat Claus im schrägen Dachfenster ein Gitter aus dünnen Fäden angebracht – seine Finger sind dick und schwerfällig, und die von Agneta gesponnene Wolle ist widerspenstig. Doch schließlich hat er es geschafft, das Fenster in kleine und fast gleich große Vierecke zu unterteilen.

So liegt er also und starrt. Zeit vergeht. Er gähnt. Tränen treten ihm in die Augen. Du darfst nicht einschlafen, sagt er sich, du darfst um keinen Preis einschlafen!

Und endlich ist da der Mond, silbern und beinahe rund, mit Flecken wie von schmutzigem Kupfer. In der untersten Reihe ist er aufgetaucht, doch nicht im ersten Viereck, wie Claus es erwartet hätte, sondern im zweiten. Wieso nur? Er blinzelt. Seine Augen schmerzen. Er kämpft gegen den Schlaf und nickt ein und ist wieder wach und nickt wieder ein, aber nun ist er doch wach und blinzelt, und der Mond steht nicht mehr in der zweiten, sondern in der dritten Reihe von unten, im zweiten Viereck von links. Wie ist das passiert? Leider sind die Vierecke ungleich groß, weil die Wolle fasert, daher sind die Knoten zu dick geraten – aber warum verhält der Mond sich so? Es ist ein gemeines Gestirn, tückisch und verlogen; nicht zufällig steht sein Bild in den Karten für Untergang und Verrat. Um aufzuzeichnen, wann der Mond wo ist, muss man außerdem die

Zeit wissen, aber woran, bei allen Teufeln, soll man die Zeit ablesen, wenn nicht am Stand des Mondes? Ganz verrückt kann einen das machen! Hinzu kommt, dass gerade einer der Fäden sich gelöst hat; Claus richtet sich auf und versucht, ihn mit störrischen Fingern festzuknoten. Und kaum ist ihm das endlich gelungen, zieht eine Wolke auf. Das Licht schimmert fahl um ihre Ränder, aber wo genau der Mond steht, lässt sich nicht mehr sagen. Er schließt die schmerzenden Augen.

Als Claus am frühen Morgen frierend zu sich kommt, hat er von Mehl geträumt. Es ist nicht zu fassen – immerzu geschieht das. Früher hat er Träume voller Licht und Lärm gehabt. Musik gab es in seinen Träumen, manchmal haben Geister mit ihm gesprochen. Aber das ist lange her. Heute träumt er von Mehl.

Während er sich unmutig aufrichtet, wird ihm klar, dass es nicht der Mehltraum war, der ihn geweckt hat, es waren Stimmen von draußen. Um diese Zeit? Beunruhigt erinnert er sich an das Omen der vergangenen Nacht. Er beugt sich aus dem Fenster, und im selben Moment teilt sich das Dämmergrau des Waldes, und Agneta und Heiner humpeln heraus.

Sie haben es wirklich geschafft, gegen alle Wahrscheinlichkeit. Zunächst hat der Knecht sie beide getragen, die lebende Frau und das tote Kind; dann konnte er nicht mehr, und Agneta ist allein gegangen, gestützt von ihm; dann war ihm das Kind zu schwer und auch zu gefährlich, denn ein ungetauft Gestorbenes zieht

Geister an, sowohl die von droben als auch die aus der Tiefe, und Agneta hat es selbst tragen müssen. So haben sie tastend den Weg gefunden.

Claus klettert die Leiter hinunter, stolpert über die schnarchenden Knechte, tritt eine Ziege zur Seite, reißt die Tür auf und läuft gerade rechtzeitig hinaus, um die zusammenbrechende Agneta auffangen zu können. Vorsichtig legt er sie hin und tastet nach ihrem Gesicht. Er spürt ihren Atem. Er zeichnet ein Pentagramm auf ihre Stirn, mit der Spitze nach oben natürlich, damit es heilt, und dann holt er tief Luft und spricht in einem einzigen Atemzug: *Das solt ihr nit tun, ihr solet alle Beume bladen und alle Wasser waden und all Berge stigen und alle Gottesengel mieden, und alle Glocken werden klingen und alle Messe singen und alle Evengelien gelesen sollen ihr die Gesundheit widder nesen.* Er weiß nur ungefähr, was das bedeutet, aber der Spruch ist uralt, und er kennt keinen stärkeren, um die Alben der Nacht zu verscheuchen.

Nun wäre Quecksilber gut, aber er hat keines mehr, also macht er stattdessen das Zeichen des Quecksilbers über ihrem Unterleib – das Kreuz mit der Acht, das für Hermes steht, den großen Mercurius; das Zeichen allein wirkt nicht so gut wie echtes Quecksilber, aber es ist besser als nichts. Dann schreit er Heiner an: «Los, auf den Dachboden, hol das Knabenkraut!» Heiner nickt, wankt in die Mühle und klettert keuchend die Leiter empor. Erst als er oben in der nach

Holz und altem Papier riechenden Kammer steht und verwirrt das Wollgeflecht im Fenster anstarrt, fällt ihm auf, dass er keine Ahnung hat, was Knabenkraut ist. Also legt er sich auf den Boden, bettet den Kopf auf das mit Heu gestopfte Kissen, in dem der Müller einen Abdruck hinterlassen hat, und schlummert ein.

Der Tag bricht an. Nachdem Claus seine Frau in die Mühle getragen hat, steigt der Tau aus der Wiese, die Sonne geht auf, der Morgendunst weicht dem Mittagslicht. Die Sonne erreicht den Zenit und beginnt ihren Weg hinab. Neben der Mühle gibt es nun einen Haufen frisch aufgeworfener Erde: Da liegt das namenlose Kind, das nicht getauft wurde und deshalb nicht auf den Friedhof darf.

Und Agneta stirbt nicht. Das überrascht alle. Vielleicht liegt es an ihrer Kraft, vielleicht an Claus' Sprüchen, vielleicht am Knabenkraut, obgleich das nicht sehr stark ist, Zaunrübe oder Eisenhut wären besser gewesen, aber leider hat er seine letzten Vorräte vor kurzem für Maria Stelling hergegeben, deren Kind tot geboren worden ist; man munkelt, sie habe nachgeholfen, weil sie nicht von ihrem Mann, sondern von Anselm Melker schwanger gewesen sei, aber das interessiert Claus nicht. Agneta also ist nicht gestorben, und erst als sie sich aufsetzt und sich müde umsieht und zunächst leise, dann lauter und schließlich schreiend einen Namen ruft, wird allen klar, dass sie über der Aufregung den Jungen vergessen haben und den Wagen mit dem Esel. Und das teure Mehl.

Aber die Sonne geht bald unter. Es ist zu spät, um sich noch auf den Weg zu machen. Und so beginnt eine weitere Nacht.

Früh am Morgen bricht Claus mit den Knechten Sepp und Heiner auf. Sie gehen schweigend. Claus ist in Gedanken versunken, Heiner sagt sowieso nie etwas, und Sepp pfeift leise vor sich hin. Da sie Männer sind und zu dritt, müssen sie keinen Umweg nehmen, sondern können geradewegs die Lichtung mit der alten Weide überqueren. Schwarz und riesig steht der böse Baum da, und seine Äste vollführen Bewegungen, wie Äste sie sonst nicht machen. Die Männer bemühen sich, nicht hinzusehen. Als sie wieder im Wald sind, atmen sie auf.

Immer wieder kehren Claus' Gedanken zu dem gestorbenen Kind zurück. Obwohl es ein Mädchen war, tut der Verlust weh. Es ist doch ein guter Brauch, sagt er sich, die eigenen Kinder nicht zu früh zu lieben. So oft hat Agneta schon geboren, aber nur eines hat überlebt, und auch das ist dünn und schwächlich, und man weiß nicht, ob es die zwei Nächte im Wald überstanden hat.

Die Liebe zu den Kindern – besser, man kämpft gegen sie an. Man kommt ja auch nicht einem Hund zu nahe; sogar wenn er freundlich aussieht, kann er zuschnappen. Stets muss man einen Abstand lassen zwischen sich und seinem Kind, sie sterben einfach zu schnell. Aber mit jedem Jahr, das vergeht, gewöhnt man sich mehr an so ein Wesen. Man fasst Zutrauen, man erlaubt sich, es gernzuhaben. Und plötzlich ist es weg.

Kurz vor Mittag entdecken sie Fußspuren des kleinen Volks. Aus Vorsicht bleiben sie stehen, aber nach einer genauen Untersuchung erkennt Claus, dass sie nach Süden führen, weg von hier. Außerdem sind die kleinen Leute im Frühjahr noch nicht sehr gefährlich, erst im Herbst werden sie rastlos und gemein.

Sie finden die Stelle am späten Nachmittag. Fast wären sie vorbeigegangen, weil sie ein wenig vom Pfad abgekommen sind, das Unterholz ist dicht, man weiß kaum, wohin man geht. Aber dann hat Sepp den süßlich scharfen Geruch bemerkt. Sie schieben Zweige zur Seite, brechen Äste, halten sich die Hände vor die Nasen. Bei jedem Schritt wird der Geruch stärker. Und da ist der Wagen, umschwärmt von einer Fliegenwolke. Die Säcke sind aufgerissen, der Boden ist weiß von Mehl. Hinter dem Wagen liegt etwas. Es sieht aus wie ein Haufen alter Felle. Sie brauchen einen Moment, um zu erkennen, dass es die Überreste des Esels sind. Nur der Kopf fehlt.

«Wahrscheinlich war's ein Wolf», sagt Sepp und rudert mit den Armen, um die Fliegen abzuwehren.

«Das würde anders aussehen», sagt Claus.

«Die Kalte?»

«Die interessiert sich nicht für Esel.» Claus bückt

sich und tastet. Ein glatter Schnitt, nirgends Bissspuren. Kein Zweifel, das ist ein Messer gewesen.

Sie rufen nach dem Jungen. Sie horchen, sie rufen wieder. Sepp blickt nach oben und verstummt. Claus und Heiner rufen weiter. Sepp steht wie erstarrt.

Nun blickt auch Claus nach oben. Das Entsetzen greift nach ihm und hält ihn und greift noch fester zu, sodass er meint, er müsse ersticken. Etwas schwebt über ihnen, weiß vom Kopf bis zu den Füßen, und stiert herab, und obgleich es schon dunkel wird, sieht man die großen Augen, die gefletschten Zähne, das verzerrte Gesicht. Und jetzt, da sie emporstarren, hören sie ein hohes Geräusch. Es klingt wie ein Schluchzen, aber das ist es nicht. Was auch immer da über ihnen ist, es lacht.

«Komm runter», ruft Claus.

Der Junge, denn er ist es wirklich, kichert und rührt sich nicht. Ganz nackt ist er, ganz weiß. Er muss sich im Mehl gewälzt haben.

«Herrgott», sagt Sepp. «Großer gütiger Herrgott!»

Und während Claus hinaufblickt, sieht er noch etwas, was er eben noch nicht gesehen hat, weil es zu sonderbar ist. Was der Junge da oben auf dem Kopf trägt, während er kichernd und nackt auf einem Seil steht, ohne herabzufallen, ist kein Hut.

«Heilige Jungfrau», sagt Sepp. «Hilf und verlass uns nicht.»

Auch Heiner bekreuzigt sich.

Claus zieht sein Messer und ritzt mit zitternder Hand ein Pentagramm in einen Stamm: Spitze nach rechts, die Form fest geschlossen. Rechts davon ritzt er ein Alpha, links ein Omega ein, dann hält er den Atem an, zählt langsam bis sieben und murmelt eine Bannformel – Geister der oberen Welt, Geister der unteren, alle Heiligen, gütige Jungfrau, steht uns bei im Namen des dreifaltigen Gottes. «Hol ihn runter», sagt er dann zu Sepp. «Schneid das Seil durch!»

«Warum ich?»

«Weil ich es sage.»

Sepp starrt und bewegt sich nicht. Fliegen landen auf seinem Gesicht, aber er scheucht sie nicht weg.

«Dann du», sagt Claus zu Heiner.

Heiner öffnet und schließt den Mund. Würde ihm das Sprechen nicht so schwerfallen, spräche er jetzt davon, dass er gerade erst eine Frau durch den Wald geschleppt und gerettet hat; ganz auf sich gestellt, hat er den Weg gefunden. Er spräche davon, dass alles seine Grenzen hat, auch die Duldsamkeit des Sanftesten. Aber da das Reden nicht seine Sache ist, verschränkt er die Arme und blickt verstockt auf den Boden.

«Dann du», sagt Claus zu Sepp. «Einer muss es machen. Und ich habe Rheuma. Du kletterst jetzt, oder du bereust es, solang du lebst.» Er versucht, sich an den Spruch zu erinnern, mit dem man Widerstrebende zum Gehorsam zwingt, aber die Worte fallen ihm nicht ein.

Sepp stößt furchtbare Flüche aus und beginnt zu klettern. Er stöhnt, die Äste geben keinen guten Halt, und er muss sich mit aller Kraft bemühen, nicht zu der weißen Erscheinung hinaufzusehen.

«Was soll das?», ruft Claus empor. «Was ist in dich gefahren?»

«Der große, große Teufel», sagt der Junge fröhlich.

Sepp steigt wieder herab. Diese Antwort zu hören ist über seine Kräfte gegangen. Außerdem ist ihm wieder eingefallen, dass er den Jungen ja in den Bach geworfen hat, und falls der es noch weiß und auf ihn wütend ist, dann ist jetzt nicht mehr der Moment, ihm zu begegnen. Er erreicht den Boden und schüttelt den Kopf.

«Dann du!», sagt Claus zu Heiner.

Aber der dreht sich wortlos um, geht davon und verschwindet im Dickicht. Eine Weile hört man ihn noch. Dann nicht mehr.

«Geh wieder hinauf», sagt Claus zu Sepp.

«Nein!»

«Mutus dedit», murmelt Claus, der sich nun doch an die Worte der Formel erinnert, *«mutus dedit nomen –»*

«Hilft nichts», sagt Sepp. «Ich mach es nicht.»

Es kracht im Unterholz, Äste brechen, Heiner ist wieder da. Ihm ist klargeworden, dass es gleich Nacht sein wird. Er kann nicht allein im dunklen Wald sein, das hält er nicht noch einmal aus. Wütend wehrt er Fliegen ab, lehnt sich an einen Stamm und brummt vor sich hin.

Als Claus und Sepp sich von ihm abwenden, merken sie, dass der Junge neben ihnen steht. Erschrocken springen sie zurück. Wie ist er so schnell heruntergekommen? Der Junge nimmt das ab, was er auf dem Kopf getragen hat: ein Stück fellbedeckte Kopfhaut mit zwei langen Eselsohren. Seine Haare sind verkrustet von Blut.

«Um Gottes willen», sagt Claus. «Um Marias und Gottes und des Sohnes willen.»

«Die Zeit war lang», sagt der Junge. «Niemand ist gekommen. Es war nur ein Spaß. Und die Stimmen! Ein großer Spaß.»

«Was für Stimmen?»

Claus sieht sich um. Wo ist der Rest des Eselskopfes? Die Augen, der Kiefer mit den Zähnen, der ganze riesige Schädelknochen, wo ist das alles?

Der Junge kniet sich langsam hin. Dann kippt er lachend zur Seite und rührt sich nicht mehr.

Sie heben ihn auf, wickeln ihn in eine Decke und machen sich davon – weg von dem Wagen, dem Mehl, dem Blut. Eine Weile stolpern sie durch die Dunkelheit, bis sie sich sicher genug fühlen, das Kind abzulegen. Sie zünden kein Feuer an, und sie sprechen nicht miteinander, um nichts herbeizulocken. Der Junge kichert im Schlaf, seine Haut fühlt sich heiß an. Äste krachen, der Wind flüstert, mit geschlossenen Augen murmelt Claus Gebete und Bannsprüche, was ein wenig hilft, denn nach und nach wird ihnen besser. Während er betet, versucht er zu überschlagen, wie viel ihn das kosten wird: Der Wagen ist zerstört, der Esel tot, vor allem wird er das Mehl ersetzen müssen. Wovon soll er das bezahlen?

In den frühen Morgenstunden lässt das Fieber des Jungen nach. Als er aufwacht, fragt er verwirrt, wovon seine Haare so verklebt sind und warum sein Körper weiß ist. Dann zuckt er mit den Schultern und findet es nicht weiter wichtig, und als sie ihm sagen, dass Agneta am Leben ist, freut er sich und lacht. Sie finden einen Bach, er wäscht sich; das Wasser ist so kalt, dass er am ganzen Körper zittert. Claus wickelt ihn wieder in die Decke, und sie brechen auf. Auf dem Heimweg erzählt der Junge das Märchen, das er von Agneta gehört hat. Eine Hexe kommt darin vor und ein Ritter und ein goldener Apfel, und am Ende geht alles gut aus, die Prinzessin heiratet den Helden, die böse Alte ist mausetot.

Zurück in der Mühle, auf seinem Strohsack neben dem Herd, schlummert der Junge in der Nacht so tief, als könnte nichts ihn je wieder wecken. Er ist der Einzige, der schlafen kann, denn das gestorbene Kind kehrt wieder: nur ein Flackern in der Dunkelheit, dazu ein leises Wimmern, mehr ein Luftzug als eine Stimme. Eine Zeitlang ist es hinten im Verschlag, wo Claus und

Agneta liegen, aber als es nicht ans Bett der Eltern kann, weil die Pentagramme auf den Pfosten es abhalten, taucht es in der Stube auf, wo der Junge und die Knechte sich um den warmen Herd gebettet haben. Es ist blind und taub und versteht nichts und stößt den Milcheimer um, wirbelt die frisch gewaschenen Tücher vom Küchenbrett und verwickelt sich im Vorhang am Fenster, bevor es verschwindet – in den Limbus, wo die Ungetauften zehnmal hunderttausend Jahre in der Eiseskälte frieren, bevor der Herr ihnen vergibt.

Ein paar Tage später schickt Claus den Jungen zu Ludwig Stelling, dem Schmied, ins Dorf. Claus braucht einen neuen Hammer, der aber nicht teuer sein darf, denn seit er die Ladung Mehl verloren hat, ist er bei Martin Reutter hoch verschuldet.

Auf dem Weg hebt der Junge drei Steine auf. Er wirft den ersten in die Höhe, dann den zweiten, dann fängt er den ersten und wirft ihn wieder hoch, dann wirft er den dritten, fängt den zweiten und wirft ihn wieder, dann fängt er den dritten und wirft ihn, dann wieder den ersten – nun sind alle drei in der Luft. Seine Hände machen kreisende Bewegungen, und alles geht wie von selbst. Der Kniff ist, nicht zu denken und keinen der Steine scharf anzusehen. Man muss genau aufpassen und zugleich so tun, als wären sie nicht da.

So geht er, umwirbelt von den Steinen, an Hanna Krells Haus vorbei und über das Steger'sche Feld. Vor der Schmiede lässt er die Steine in den feuchten Schlamm fallen und tritt ein.

Er legt zwei Münzen auf den Amboss. Zwei hat er noch in der Tasche, aber das muss der Schmied nicht wissen.

«Viel zu wenig», sagt der Schmied.

Der Junge zuckt die Achseln, nimmt die beiden Münzen und wendet sich zur Tür.

«Warte», sagt der Schmied.

Der Junge bleibt stehen.

«Du musst schon mehr geben.»

Der Junge schüttelt den Kopf.

«So geht das nicht», sagt der Schmied. «Wenn du was kaufen willst, musst du handeln.»

Der Junge geht zur Tür.

«Warte!»

Der Schmied ist riesenhaft, sein nackter Bauch ist behaart, um den Kopf hat er ein Tuch gebunden, sein Gesicht ist rot und voller Poren. Jeder im Dorf weiß, dass er nachts mit der Ilse Melkerin ins Gesträuch geht, nur Ilses Mann weiß es nicht, oder vielleicht weiß er es doch und tut nur so, als wüsste er es nicht, denn was kann man schon ausrichten gegen einen Schmied. Wenn der Priester sonntags über die Sittenlosigkeit predigt, sieht er immer den Schmied an und manchmal auch Ilse. Aber das hält die beiden nicht ab.

«Das ist zu wenig», sagt der Schmied.

Aber der Junge weiß, dass er gewonnen hat, er

wischt sich über die Stirn. Vom Feuer strahlt grelle Hitze, Schatten tanzen an der Wand. Er legt seine Hand aufs Herz und schwört: «Mehr hab ich nicht mitbekommen, beim Heil meiner Seele!»

Mit wütendem Gesicht gibt der Schmied ihm den Hammer. Der Junge bedankt sich artig und geht langsam, damit die Münzen in seiner Tasche nicht klimpern, zur Tür.

Er geht an Jakob Brantners Stall und dem Melkerhaus und dem Tammhaus vorbei bis zum Dorfplatz. Ob Nele wohl da ist? Und wirklich, da sitzt sie, im Nieselregen, auf dem Mäuerchen des Brunnens.

«Du schon wieder», sagt er.

«Dann geh doch weg», sagt sie.

«Geh selber weg.»

«Ich war vorher da.»

Er setzt sich neben sie. Beide grinsen.

«Der Händler war hier», sagt sie. «Er hat gesagt, der Kaiser lässt jetzt alle hohen Herren Böhmens köpfen.»

«Auch den König?»

«Den Winterkönig. Auch den. So nennen sie ihn, weil er nur einen Winter König war, nachdem ihm die Böhmen ihre Krone gegeben haben. Er konnte fliehen und wird zurückkommen, an der Spitze eines großen Heeres, der englische König ist nämlich der Vater seiner Frau. Er wird Prag zurückerobern, und den Kaiser wird er absetzen und selbst Kaiser sein.»

Hanna Krell kommt mit einem Eimer und macht sich am Brunnenrand zu schaffen. Das Wasser ist schmutzig, trinken kann man es nicht, aber man braucht es zum Waschen und für das Vieh. Als sie klein waren, haben sie Milch getrunken, aber seit ein paar Jahren sind sie alt genug für Dünnbier. Alle im Dorf essen Grütze und trinken Dünnbier. Sogar die reichen Stegers. Für Winterkönige und Kaiser gibt es Rosenwasser und Wein, aber einfache Menschen trinken Milch und Dünnbier, von ihrem ersten Tag an bis zum letzten.

«Prag», sagt der Junge.

«Ja», sagt Nele. «Prag!»

Beide denken an Prag. Gerade weil es nur ein Wort ist, weil sie nichts darüber wissen, klingt es so verheißungsvoll wie aus einem Märchen.

«Wie weit ist Prag?», fragt der Junge.

«Sehr weit.»

Er nickt, als wäre das eine Antwort gewesen. «Und England?»

«Auch sehr weit.»

«Da reist man wohl ein Jahr.»

«Länger.»

«Wollen wir hin?»

Nele lacht.

«Warum nicht?», fragt er.

Sie antwortet nicht, und er weiß, dass sie jetzt aufpassen müssen. Ein falsches Wort kann Folgen haben.

Peter Stegers jüngster Sohn hat Else Brantnerin voriges Jahr eine Holzpfeife geschenkt, und weil sie die angenommen hat, sind die beiden jetzt verlobt, obwohl sie einander gar nicht mögen. Die Angelegenheit ist bis zum Landvogt in der Amtstadt gegangen, der es wiederum ans Offizial weitergeleitet hat, wo entschieden wurde, dass da nichts zu machen ist: Ein Geschenk ist ein Versprechen, und ein Versprechen gilt vor Gott. Jemanden zu einer Reise einzuladen ist noch kein Geschenk, aber es ist fast ein Versprechen. Der Junge weiß es, und er weiß, dass Nele es auch weiß, und sie beide wissen, dass sie das Thema wechseln müssen.

«Wie geht es deinem Vater?», fragt der Junge. «Das Rheuma besser?»

Sie nickt. «Ich weiß nicht, was dein Vater gemacht hat. Aber es hat geholfen.»

«Sprüche und Kräuter.»

«Wirst du das lernen? Leute heilen, wirst du das auch mal können?»

«Ich will lieber nach England.»

Nele lacht.

Er steht auf. Er hat die unbestimmte Hoffnung, dass sie ihn zurückhalten wird, aber sie rührt sich nicht.

«Beim nächsten Sonnwendfest», sagt er. «Ich werde übers Feuer springen wie die anderen.»

«Ich auch.»

«Du bist ein Mädchen!»

«Und das Mädchen haut dich gleich.»

Er geht los, ohne sich noch einmal umzudrehen. Er weiß, dass das wichtig ist, denn wenn er sich umdreht, hat sie gewonnen.

Der Hammer ist schwer. Vor dem Heinerlinghaus endet der Holzsteg, der Junge verlässt den Weg und schlägt sich durchs hohe Gras. Das ist nicht ganz ungefährlich, der kleinen Leute wegen. Er denkt an Sepp. Seit der Nacht im Wald hat der Knecht Angst vor ihm und hält sich in sicherer Entfernung, das ist nützlich. Wenn er bloß wüsste, was im Wald passiert ist. Er weiß, dass er nicht daran denken möchte. Erinnerung ist etwas Eigenartiges: Sie kommt und geht nicht einfach, wie sie will, sondern man kann sie hell machen und wieder löschen wie einen Kienspan. Der Junge denkt an seine Mutter, die gerade erst wieder hat aufstehen dürfen, und für einen Moment denkt er auch an das tote Kleine, seine Schwester, deren Seele jetzt in der Kälte ist, weil man sie nicht getauft hat.

Er bleibt stehen und blickt empor. Über den Kronen müsste man das Seil spannen, von einem Kirchturm zum nächsten, von Dorf zu Dorf. Er breitet die Arme aus und stellt es sich vor. Dann setzt er sich auf einen Stein und sieht zu, wie die Wolken sich teilen. Warm ist es geworden, und die Luft füllt sich mit Dampf. Er schwitzt, legt den Hammer neben sich. Plötzlich fühlt er sich schläfrig, und er hat Hunger, aber es sind noch viele Stunden bis zur Grütze. Und wenn man fliegen könnte? Mit den Armen schlagen, sich vom Seil lösen, höher steigen, höher? Er bricht einen Halm ab und schiebt ihn sich zwischen die Lippen. Der Halm schmeckt süßlich, feucht und ein wenig scharf. Er legt sich ins Gras und schließt die Augen, sodass das Sonnenlicht warm auf seinen Lidern liegt. Die Nässe des Grases dringt klamm durch seine Kleidung.

Ein Schatten fällt auf ihn. Der Junge öffnet die Augen.

«Habe ich dich erschreckt?»

Der Junge setzt sich auf, schüttelt den Kopf. Fremde sind hier selten. Manchmal kommt der Vogt aus der Kreishauptstadt, und hin und wieder kommen Händler. Aber diesen Fremden kennt er nicht. Er ist jung, kaum schon ein Mann. Er hat ein kleines Bärtchen, und er trägt ein Wams, eine Hose aus gutem grauem Stoff und hohe Stiefel. Sein Blick ist hell und neugierig.

«Hast dir vorgestellt, wie das wäre, wenn du fliegen könntest?»

Der Junge starrt den Fremden an.

«Nein», sagt der Fremde, «das war keine Zauberei. Man kann Gedanken nicht lesen. Keiner kann das. Aber wenn ein Kind die Arme ausbreitet und sich auf die Zehenspitzen stellt und nach oben schaut, denkt es ans Fliegen. Das macht es, weil es noch nicht ganz glauben kann, dass es nie fliegen wird. Dass Gott uns das Fliegen nicht erlaubt. Den Vögeln schon, aber uns nicht.»

«Irgendwann können wir alle fliegen», sagt der Junge. «Wenn wir tot sind.»

«Wenn man tot ist, ist man erst einmal tot. Dann liegt man im Grab, bis der Herr wiederkehrt, uns zu richten.»

«Wann kehrt er wieder?»

«Hat der Priester dir das nicht beigebracht?»

Der Junge zuckt die Achseln. Natürlich spricht der Priester in der Kirche oft über diese Dinge, das Grab, das Gericht, die Toten, aber er hat eine monotone Stimme, und dass er betrunken ist, kommt auch nicht selten vor.

«Am Ende der Zeit», sagt der Fremde. «Nur können die Toten keine Zeit empfinden, sie sind ja tot, also kann man auch sagen: Sofort. Sobald du tot bist, bricht der Tag des Gerichts an.»

«Das hat mein Vater auch gesagt.»

«Dein Vater ist ein Gelehrter?»

«Mein Vater ist Müller.»

«Hat er Meinungen? Liest er?»

«Er weiß viel», sagt der Junge. «Er hilft den Menschen.»

«Hilft ihnen?»

«Wenn sie krank sind.»

«Vielleicht kann er mir auch helfen.»

«Seid Ihr krank?»

Der Fremde setzt sich neben ihn auf den Boden. «Was meinst du, bleibt es sonnig, oder kommt der Regen wieder?»

«Woher soll ich das wissen.»

«Du bist doch von hier!»

«Der Regen kommt wieder», sagt der Junge, weil es ja meistens regnet, das Wetter ist fast immer schlecht. Deshalb ist die Kornernte so übel, deshalb bekommt die Mühle nicht genug Getreide, deshalb haben alle Hunger. Angeblich war es früher besser. Die älteren Leute erinnern sich an lange Sommer, aber vielleicht bilden sie es sich auch ein, wer kann es wissen, sie sind alt.

«Mein Vater meint», sagt der Junge, «dass auf den Regenwolken die Engel reiten und auf uns heruntersehen.»

«Wolken sind aus Wasser», sagt der Fremde. «Niemand sitzt auf ihnen. Die Engel haben Körper aus Licht und brauchen kein Gefährt. Wie auch die Dämonen. Die sind aus Luft. Deshalb nennt man den Teufel den Herrn der Lüfte.» Er hält inne, als wollte er seinen eigenen Sätzen nachhorchen, und betrachtet mit beinahe neugierigem Ausdruck seine Fingerspitzen. «Und doch», sagt er dann, «sind sie nichts als Partikel von Gottes Willen.»

«Auch die Teufel?»

«Natürlich.»

«Die Teufel sind Gottes Wille?»

«Gottes Wille ist größer als alles, was sich vorstellen lässt. Er ist so groß, dass er sich selbst zu verneinen vermag. Ein altes Rätsel lautet: Kann Gott einen Stein so schwer machen, dass er ihn danach nicht mehr heben kann? Das klingt nach einem Paradox. Weißt du, was das ist, ein Paradox?»

«Ja.»

«Wirklich?»

Der Junge nickt.

«Was denn?»

«Ihr seid ein Paradox, und Euer Galgenstrick von einem Kupplervater ist auch eines.»

Der Fremde schweigt einen Moment, dann ziehen sich seine Mundwinkel zu einem dünnen Lächeln empor. «Es ist eigentlich kein Paradox, denn die richtige Antwort lautet: Natürlich kann er das. Aber danach kann er den Stein, den er nicht mehr heben kann, ohne Mühe heben. Gott ist zu umfassend, um mit sich eins zu sein. Deshalb gibt es den Herrn der Luft und seine Konsorten. Deshalb gibt es alles, was nicht Gott ist. Deshalb gibt es die Welt.»

Der Junge hebt eine Hand vors Gesicht. Die Sonne steht nun frei von Wolken, eine Amsel flattert vorbei. Ja doch, denkt er, so müsste man fliegen, das wäre noch besser, als auf dem Seil zu gehen. Aber wenn man nun mal nicht fliegen kann, dann ist auf dem Seil zu gehen das Zweitbeste.

«Deinen Vater würde ich gern kennenlernen.»

Der Junge nickt gleichgültig.

«Beeil dich lieber», sagt der Fremde. «In einer Stunde regnet es.»

Der Junge zeigt fragend auf die Sonne.

«Siehst du die kleinen Wolken dort hinten?», fragt der Fremde. «Und die langgezogenen über uns? Die dort hinten ballt der Wind zusammen, der kommt aus Osten und bringt kalte Luft, und die über uns fangen sie auf, und dann kühlt alles noch weiter ab, und das Wasser wird schwer und fällt zur Erde. Es sitzen keine Engel auf den Wolken, aber es lohnt sich trotzdem, sie anzusehen, denn sie bringen Wasser und Schönheit. Wie heißt du?»

Der Junge sagt es ihm.

«Vergiss deinen Hammer nicht, Tyll.» Der Fremde wendet sich ab und geht davon.

Claus ist düster zumute an diesem Abend. Dass er das Körnerproblem nicht lösen kann, liegt ihm bei Tisch auf der Seele.

Es ist vertrackt. Wenn man einen Kornhaufen vor sich hat und ein Korn davon wegnimmt, so hat man noch immer einen Haufen vor sich. Nun nimm noch eines. Ist das noch ein Haufen? Natürlich. Nun nimm noch eines weg. Ist das noch ein Haufen? Ja, natürlich. Nun nimm noch eines weg. Ist es noch ein Haufen? Natürlich. Und immer so weiter. Es ist ganz simpel: Nie wird ein Kornhaufen allein dadurch, dass man ein einziges Korn wegnimmt, zu etwas, das kein Kornhaufen ist. Niemals auch wird etwas, das kein Kornhaufen ist, dadurch, dass man ein Korn dazulegt, zu einem Haufen.

Und doch: Nimmt man Korn um Korn fort, ist der Haufen irgendwann kein Haufen mehr. Irgendwann liegen bloß noch ein paar Körnchen auf dem Boden, die man beim allerbesten Willen nicht Haufen nennen kann. Und wenn man noch weitermacht, kommt einmal der Moment, da man das letzte nimmt und auf dem Boden nichts mehr liegt. Ist ein Korn ein Haufen? Sicher nicht. Und gar nichts? Nein, gar nichts ist kein Haufen. Denn gar nichts ist gar nichts.

Aber welches Korn ist das Korn, durch dessen Fortnahme der Haufen aufhört, ein Haufen zu sein? Wann geschieht es eigentlich? Hunderte Male hat Claus es durchgespielt, Hunderte Kornhaufen hat er in seiner Phantasie aufgeschüttet, um dann im Geist einzelne Körner fortzunehmen. Aber er hat den entscheidenden Moment nicht gefunden. Es hat sogar den Mond verdrängt aus seiner Aufmerksamkeit, und auch ans gestorbene Kind hat er nicht mehr oft gedacht.

Heute Nachmittag hat er es dann in Wirklichkeit probiert. Am schwierigsten ist es gewesen, so viel ungemahlenes Korn hinauf in die Dachkammer zu bekommen, ohne dass dabei etwas verlorengeht, denn übermorgen kommt ja Peter Steger und holt das Mehl ab: Schreiend und mit Drohungen hat Claus die Knechte zur Vorsicht anhalten müssen, noch mehr Schulden kann er sich nicht leisten. Agneta hat ihn ein pelziges Hornvieh genannt, worauf er ihr gesagt hat, sie soll sich nicht in Dinge mischen, die für Frauen zu schwierig sind, woraufhin sie ihm eine gelangt hat, woraufhin er ihr gesagt hat, dass sie sich in Acht nehmen soll, worauf sie ihm eine solche Ohrfeige gegeben hat, dass er sich für eine Weile hat hinsetzen müssen. So kommt es oft zwischen ihnen. Am Anfang hat er Agneta manchmal zurückgeschlagen, aber das ist ihm nie gut bekommen, er ist zwar stärker, doch sie ist meist wütender, und in jedem Zwist gewinnt der, der wütender ist, und so hat er es sich schon lange wieder abgewöhnt, sie zu schlagen, denn so schnell, wie ihre Wut kommt, so schnell verfliegt sie zum Glück auch.

Dann hat er in seiner Dachkammer zu arbeiten begonnen. Zu Anfang besonnen und gewissenhaft, bei jedem Korn den Haufen prüfend, aber nach und nach schwitzend und mürrisch und am späten Nachmittag schon in blanker Verzweiflung. Irgendwann hat auf der rechten Seite des Raumes ein neuer Haufen gelegen und auf der linken etwas, das man vielleicht noch einen Haufen hätte nennen können, vielleicht aber auch nicht. Und eine Weile später ist links nur noch eine Handvoll Körner gewesen.

Und wo war nun eigentlich die Grenze? Es ist zum Weinen. Er löffelt seine Grütze, seufzt und hört dem prasselnden Regen zu. Die Grütze schmeckt schlecht wie immer, aber für eine Weile besänftigt ihn das Regengeräusch. Dann fällt ihm ein, dass es sich mit Regen ja ähnlich verhält: Wie viele Tropfen weniger müssten fallen, damit es kein Regen mehr ist? Er stöhnt. Manchmal scheint es ihm, als wäre es Gottes Ziel gewesen, bei der Einrichtung der Welt den Verstand eines armen Müllers zu narren.

Agneta legt ihm die Hand auf den Arm und fragt, ob er mehr Grütze möchte.

Er möchte nicht, aber er versteht, dass er ihr leidtut und dass es ein Friedensangebot ist wegen der Ohrfeigen. «Ja», sagt er leise. «Danke.»

Da pocht es an der Tür.

Claus kreuzt die Finger zur Abwehr. Er murmelt einen Spruch, macht Zeichen in der Luft, dann erst ruft er: «Wer da, im Namen Gottes?» Alle wissen, dass man nie herein sagen darf, bevor der draußen seinen Namen ausgesprochen hat. Die bösen Geister sind mächtig, aber die allermeisten können nur über die Schwelle, wenn man sie einlädt.

«Zwei Wanderer», ruft eine Stimme. «In Christi Namen, macht auf.»

Claus erhebt sich, geht zur Tür und schiebt den Riegel zur Seite.

Ein Mann tritt ein. Er ist nicht mehr jung, aber er sieht kräftig aus. Seine Haare und sein Bart sind triefend nass, Regenwasser perlt auf dem dicken grauen Leinenstoff seines Mantels. Ihm folgt ein zweiter, viel jüngerer Mann. Der blickt sich um, und als er den Jungen sieht, geht ein Lächeln über sein Gesicht. Es ist der Fremde von heute Mittag.

«Ich bin Doktor Oswald Tesimond von der Gesellschaft Jesu», sagt der Ältere. «Das ist Doktor Kircher. Man hat uns eingeladen.»

«Eingeladen?», fragt Agneta.

«Gesellschaft Jesu?», fragt Claus.

«Wir sind Jesuiten.»

«Jesuiten», wiederholt Claus. «Wirkliche, wahrhaftige Jesuiten?»

Agneta bringt zwei Hocker an den Tisch, die anderen rücken zusammen.

Claus macht eine ungeschickte Verbeugung. Er sei Claus Ulenspiegel, sagt er, und das sei seine Frau und das sein Sohn und das sein Gesinde. Sie bekämen selten Besuch hoher Herren. Es sei eine Ehre. Viel gebe es nicht, aber was man habe, stehe zur Verfügung. Hier die Grütze, da das Dünnbier und im Krug noch etwas Milch. Er räuspert sich. «Darf ich fragen, ob Ihr Gelehrte seid?»

«Das will ich meinen», antwortet Doktor Tesimond und nimmt mit spitzen Fingern einen Löffel. «Ich bin Doktor der Medizin und der Theologie, außerdem ein Chemikus mit dem Fachgebiet Drakontologie. Doktor Kircher beschäftigt sich mit den okkulten Zeichen, mit der Kristallkunde und dem Wesen der Musik.» Er isst etwas Grütze, verzieht das Gesicht und legt den Löffel weg.

Für einen Moment ist es still. Dann beugt Claus sich vor und fragt, ob es ihm erlaubt sei, eine Frage zu stellen.

«Mit Gewissheit», sagt Doktor Tesimond. Etwas daran, wie er spricht, ist ungewöhnlich: Manche Wörter in seinen Sätzen stehen nicht dort, wo man sie erwarten würde, auch betont er sie anders; es klingt, als hätte er kleine Steine im Mund.

«Was ist Drakontologie?», fragt Claus. Sogar im schwachen Licht der Talgkerze kann man erkennen, dass seine Wangen rot angelaufen sind.

«Die Lehre vom Wesen der Drachen.»

Die Knechte heben die Köpfe. Die Magd lässt den Mund offen stehen.

Dem Jungen wird heiß. «Habt Ihr welche gesehen?», fragt er.

Doktor Tesimond runzelt die Stirn, als hätte ein unschönes Geräusch ihn gestört.

Doktor Kircher blickt zum Jungen und schüttelt den Kopf.

Er bitte um Entschuldigung, sagt Claus. Das sei ein einfaches Haus, sein Sohn könne sich nicht benehmen und vergesse manchmal, dass ein Kind ruhig zu sein habe, wenn Erwachsene sprächen. Aber die Frage sei doch auch ihm gekommen. «Habt Ihr welche gesehen?»

Er höre diese amüsante Frage nicht zum ersten Mal, sagt Doktor Tesimond. In der Tat begegne jeder Drakontologe ihr regelmäßig beim einfachen Volk. «Aber Drachen sind selten. Sie sind sehr ... Wie heißt es noch?»

«Scheu», sagt Doktor Kircher.

Deutsch sei nicht seine Muttersprache, sagt Doktor Tesimond, er müsse sich entschuldigen, manchmal falle er ins Idiom seiner über alles geliebten Heimat, die er im Leben nicht mehr sehen werde: England, die Insel der Äpfel und des Morgennebels. Ja, die Drachen seien unvorstellbar scheu und zu verblüffenden Kunststücken der Tarnung fähig. Man könne hundert Jahre suchen und doch nie in die Nähe eines Drachen kommen. Ebenso könne man hundert Jahre in unmittelbarer Nähe eines Drachen verbringen und ihn nie bemerken. Ebendeshalb brauche man die Drakontologie. Denn die medizinische Wissenschaft könne nicht verzichten auf die Heilkraft ihres Blutes.

Claus reibt sich die Stirn. «Woher habt Ihr denn das Blut?»

«Das Blut haben wir natürlich nicht. Medizin ist die Kunst ... Wie heißt es?»

«Der Substitution», sagt Doktor Kircher.

Jawohl, Drachenblut sei eine Substanz von solcher Mächtigkeit, dass man des Stoffes selbst nicht bedürfe. Es reiche, dass der Stoff in der Welt sei. In seiner geliebten Heimat gebe es noch zwei Drachen, aber aufgespürt habe sie seit Jahrhunderten kein Mensch.

«Regenwurm und Engerling», sagt Doktor Kircher, «sehen dem Drachen ähnlich. Zu feiner Substanz zerstoßen, kann ihr Körper Erstaunliches bewirken. Drachenblut vermag den Menschen unverwundbar zu machen, aber ersatzweise kann zerriebener Zinnober ob seiner Ähnlichkeit immerhin Hautkrankheiten kurieren. Zinnober ist ebenfalls schwer zu bekommen, doch Zinnober wiederum ersetzt man durch alle Kräuter mit drachenhaft geschuppter Oberfläche. Heilkunst ist Substitution nach dem Prinzip der Ähnlichkeit – Krokus kuriert Augenkrankheiten, weil er aussieht wie ein Auge.»

«Je mehr ein Drakontologe von seinem Geschäft versteht», sagt Doktor Tesimond, «desto besser kann er die Absenz des Drachen durch Substitution ausgleichen. Die höchste Weihe aber liegt darin, nicht den Körper des Drachen, sondern sein … Wie ist das Wort?»

«Wissen», sagt Doktor Kircher.

«Sein Wissen zu nützen. Schon Plinius berichtet, dass Drachen ein Kraut kennen, mit dessen Hilfe sie tote Artgenossen wiederbeleben. Dieses Kraut zu finden wäre der heilige Gral unserer Wissenschaft.»

«Aber woher weiß man, dass es Drachen gibt?», fragt der Junge.

Doktor Tesimond runzelt die Stirn. Claus beugt sich vor und gibt seinem Sohn eine Ohrfeige.

«Wegen der Wirksamkeit der Substitute», sagt Doktor Kircher. «Woher soll denn ein mickriges Tier wie der Engerling Heilkraft haben, wenn nicht durch seine Ähnlichkeit mit dem Drachen! Warum kann der Zinnober heilen, wenn nicht deshalb, weil er dunkelrot ist wie Drachenblut!»

«Noch eine Frage», sagt Claus. «Wenn ich schon mit gelehrten Leuten rede … Wenn ich schon die Möglichkeit habe …»

«Bitte», sagt Doktor Tesimond.

«Ein Haufen Körner. Wenn man immer nur eines wegnimmt. Es treibt mich in den Wahnsinn.»

Die Knechte lachen.

«Ein bekanntes Problem», sagt Doktor Tesimond. Er macht eine auffordernde Bewegung in Richtung Doktor Kirchers.

«Wo ein Ding ist, kann kein anderes sein», sagt Doktor Kircher, «aber zwei Wörter schließen einander nicht aus. Zwischen einem Ding, das ein Kornhaufen ist, und einem Ding, das kein Kornhaufen ist, ist keine scharfe Grenze gezogen. Die Haufennatur verblasst nach und nach, vergleichbar einer Wolke, die sich auflöst.»

«Ja», sagt Claus wie zu sich selbst. «Ja. Nein, nein. Denn … Nein! Aus einem Fingernagel Holz kann man keinen Tisch machen. Keinen, den man verwenden kann. Es ist zu wenig. Es geht nicht. Auch nicht aus zwei Fingernägeln Holz. Zu wenig Holz, um daraus einen Tisch zu machen, wird nie zu genügend Holz, nur weil man eine Winzigkeit hinzutut!»

Die Gäste schweigen. Alle hören dem Regen und dem Kratzen der Löffel und dem Wind zu, der am Fensterladen rüttelt.

«Eine gute Frage», sagt Doktor Tesimond und blickt Doktor Kircher auffordernd an.

«Dinge sind, was sie sind», sagt Doktor Kircher, «aber Vagheit ist tief eingeschlossen ins Innere unserer Begriffe. Es ist eben nicht immer klar, ob ein Ding ein Berg ist oder kein Berg, eine Blume oder keine Blume, ein Schuh oder kein Schuh oder eben ein Tisch oder kein Tisch. Deshalb spricht Gott, wenn er Klarheit will, in Zahlen.»

«Es ist ungewöhnlich, dass ein Müller sich für solche Fragen interessiert», sagt Doktor Tesimond. «Oder für so etwas.» Er zeigt auf die über dem Türstock eingeschnitzten Pentagramme.

«Die halten die Dämonen ab», sagt Claus.

«Und die schnitzt man einfach so ein? Das reicht?»

«Man braucht die richtigen Worte.»

«Halt den Mund», sagt Agneta.

«Aber das ist doch schwierig mit den Worten», sagt Doktor Tesimond. «Mit den ...» Er sieht Doktor Kircher fragend an.

«Sprüchen», sagt Doktor Kircher.

«Genau», sagt Doktor Tesimond, «ist das nicht gefährlich? Man sagt, dass die gleichen Worte, die Dämonen bannen, diese unter gewissen Bedingungen auch anlocken.»

«Das sind andere Sprüche. Die kenne ich auch. Keine Sorge. Die kann ich unterscheiden.»

«Sei ruhig», sagt Agneta.

«Und für was interessiert so ein Müller sich denn

noch? Was beschäftigt ihn, was will er wissen? Wie kann man dir noch ... helfen?»

«Na, mit den Blättern», sagt Claus.

«Halt den Mund!», sagt Agneta.

«Vor ein paar Monaten habe ich bei der alten Eiche auf Jakob Brantners Feld zwei Blätter gefunden. Eigentlich ist es nicht das Feld vom Brantner, es hat immer den Losers gehört, aber der Schultheiß hat im Erbschaftsstreit entschieden, dass es ein Brantner-Feld ist. Egal, die Blätter jedenfalls haben ganz gleich ausgesehen.»

«Es ist sehr wohl das Feld vom Brantner», sagt Sepp, der ein Jahr lang Knecht auf dem Brantner-Hof gewesen ist. «Die Losers sind Lügner, die der Teufel holen wird.»

«Wenn es hier einen Lügner gibt», sagt die Magd, «dann ist es der Jakob Brantner. Man muss nur sehen, wie der die Frauen anschaut in der Kirche.»

«Aber das Feld gehört ihm doch», sagt Sepp.

Claus schlägt auf den Tisch, alle verstummen.

«Die Blätter. Die haben gleich ausgesehen, jede Ader, jeder Riss. Ich habe sie getrocknet, ich kann sie zeigen. Ich habe sogar dem Händler eine Lupe abgekauft, als er durchs Dorf gekommen ist, um sie besser ansehen zu können. Der Händler kommt nicht oft, er heißt Hugo, er hat an der linken Hand nur zwei Finger, und wenn man ihn fragt, wie er die anderen verloren hat, sagt er: Herr Müller, es sind bloß Finger!» Claus denkt kurz nach, verblüfft darüber, wo der Fluss seiner Rede ihn hingetragen hat. «Als sie da also vor mir gelegen haben, die beiden Blätter, da habe ich mich auf einmal gefragt, ob das nicht bedeutet, dass sie eigentlich eines sind. Wenn der Unterschied nur darin besteht, dass das eine Blatt links und das andere rechts liegt – da braucht man ja bloß eine Handbewegung zu machen.» Er zeigt es mit so unbeholfener Geste, dass ein Löffel nach der einen und eine Schüssel nach der anderen Seite fliegt. «Man stelle sich vor, einer sagt nun, dass beide Blätter ein und dasselbe sind, was soll man ihm antworten? Er hätte doch recht!» Claus pocht auf den Tisch, aber alle außer Agneta, die ihn unverwandt und beschwörend ansieht, folgen mit den Augen der rollenden Schüssel, die einen und noch einen Kreis beschreibt und dann liegen bleibt. «Diese zwei Blätter also», sagt Claus in die Stille. «Wenn sie nur zum Schein zwei Blätter und in Wahrheit eines sind, heißt das nicht, dass ... all das Hier und Dort und Da nur ein Netz ist, das Gott geknüpft hat, damit wir nicht seine Geheimnisse durchschauen?»

«Du musst jetzt still sein», sagt Agneta.

«Und weil wir von Geheimnissen sprechen», sagt Claus. «Ich habe ein Buch, das ich nicht lesen kann.»

«Es gibt keine zwei gleichen Blätter in der Schöpfung», sagt Doktor Kircher. «Es gibt nicht einmal zwei gleiche Körner Sand. Keine zwei Dinge, zwischen denen Gott nicht Unterschiede erkennt.»

«Die Blätter sind oben, ich kann sie zeigen! Und das Buch kann ich auch zeigen! Und das mit dem Engerling stimmt nicht, ehrwürdiger Herr, zerstoßener Engerling kann nicht heilen, sondern macht Rückenschmerz und kalte Gelenke.» Claus gibt seinem Sohn ein Zeichen. «Hol das große Buch, das ohne Einband, das mit den Bildern!»

Der Junge steht auf und läuft zur Leiter, die nach oben führt. Er klettert blitzschnell, schon ist er durch die Luke verschwunden.

«Du hast einen guten Sohn», sagt Doktor Kircher.

Claus nickt zerstreut.

«Wie dem auch sei», sagt Doktor Tesimond. «Es ist spät, und wir müssen vor Einbruch der Nacht im Dorf sein. Kommst du, Müller?»

Claus sieht ihn verständnislos an. Die beiden Gäste stehen auf.

«Du Trottel», sagt Agneta.

«Wohin?», fragt Claus. «Warum?»

«Kein Grund, sich Sorgen zu machen», sagt Doktor Tesimond. «Wir wollen nur sprechen, ausführlich und in Ruhe. Das hast du doch gewollt, Müller. In Ruhe. Über alles, was dich beschäftigt. Sehen wir wie böse Leute aus?»

«Aber ich kann nicht», sagt Claus. «Übermorgen kommt der Steger und will sein Korn. Es ist noch nicht gemahlen, ich habe es oben in der Kammer, die Zeit drängt.»

«Das sind gute Knechte», sagt Doktor Tesimond. «Auf die kann man sich verlassen, die Arbeit wird getan.»

«Wer seinen Freunden nicht folgen will», sagt Doktor Kircher, «muss damit rechnen, es einmal mit Leuten zu tun zu haben, die nicht seine Freunde sind. Man hat zusammen gespeist, hat zusammen in der Mühle gesessen. Man kann einander vertrauen.»

«Dieses lateinische Buch», sagt Doktor Tesimond. «Ich will es sehen. Wenn es Fragen gibt, können wir antworten.»

Alle warten auf den Jungen, der sich oben durch die dunkle Dachstube tastet. Es dauert eine Weile, bis er neben dem Kornhaufen das richtige Buch gefunden hat. Als er wieder hinunterklettert, stehen sein Vater und die Gäste schon in der Tür.

Er reicht Claus das Buch, der streicht ihm über den Kopf, dann bückt er sich und küsst ihn auf die Stirn. Im letzten Tageslicht sieht der Junge die kleinen, scharfen Fältchen seines Vaters. Er sieht das Flackern in seinen unruhigen Augen, die immer nur kurz auf ein Ding blicken können, er sieht die weißen Haare im schwarzen Bart.

Und während Claus auf seinen Sohn hinunterblickt, wundert es ihn, dass ihm so viele Kinder bei der Geburt gestorben sind, dass aber ausgerechnet dieses eine überlebt hat. Er hat sich zu wenig für den Jungen interessiert, er war einfach zu sehr daran gewöhnt, dass sie alle gleich wieder verschwinden. Aber das wird sich ändern, denkt Claus, ich werde ihm beibringen, was ich weiß, die Sprüche, die Quadrate, die Kräuter und den Lauf des Mondes. Fröhlich nimmt er das Buch und tritt in den Abend hinaus. Der Regen hat aufgehört.

Agneta hält ihn fest. Sie umarmen einander lange. Claus will loslassen, aber Agneta hält ihn noch. Die Knechte kichern.

«Du bist bald zurück», sagt Doktor Tesimond.

«Da hörst du es», sagt Claus.

«Du Trottel», sagt Agneta und weint.

Plötzlich ist Claus all das peinlich – die Mühle, die schluchzende Frau, der dürre Sohn, sein ganzes armes Dasein. Resolut schiebt er Agneta von sich. Es gefällt ihm, dass er nun gemeinsame Sache mit den gelehrten Männern machen darf, denen er sich näher fühlt als diesen Mühlenmenschen, die nichts wissen.

«Keine Angst», sagt er zu Doktor Tesimond. «Ich finde den Weg auch im Dunkeln.»

Claus geht mit großen Schritten los, die beiden Männer folgen ihm. Agneta sieht ihnen nach, bis die Dämmerung sie verschluckt.

«Geh rein», sagt sie zu dem Jungen.

«Wann kommt er zurück?»

Sie schließt die Tür und legt den Riegel vor.

II

Doktor Kircher öffnet die Augen. Jemand ist im Zimmer. Er horcht. Nein, hier ist keiner außer Doktor Tesimond, dessen Schnarchen er von drüben aus dem Bett hört. Er schlägt die Decke zurück, bekreuzigt sich und steht auf. Es ist so weit. Gerichtstag.

Zu allem Überfluss hat er wieder von ägyptischen Zeichen geträumt. Eine lehmgelbe Mauer, darin Männchen mit Hundeköpfen, Löwen mit Flügeln, Äxte, Schwerter, Lanzen, Wellenlinien aller Art. Kein Mensch versteht sie, das Wissen um sie ist verlorengegangen, bis ein begnadeter Geist auftreten wird, sie wieder zu entschlüsseln.

Das wird er sein. Eines Tages.

Sein Rücken schmerzt wie jeden Morgen. Der Strohsack, auf dem er schlafen muss, ist dünn, der Boden eiskalt. Es gibt nur ein Bett im Pfarrhaus, und in dem schläft sein Mentor, selbst der Pfarrer muss nebenan auf dem Boden liegen. Immerhin ist sein Mentor diese Nacht nicht aufgewacht. Oft schreit er im Schlaf, und manchmal zieht er das unterm Kissen versteckte Messer hervor und denkt, es ginge ihm ans Leben. Wenn das geschieht, hat er wieder von der großen Verschwörung geträumt, damals in England, als es ihm und ein paar mutigen Leuten fast gelungen wäre, den König in die Luft zu sprengen. Der Versuch ist fehlgeschlagen, aber sie haben nicht aufgegeben: Tagelang haben sie nach der Prinzessin Elisabeth gesucht, um sie zu entführen und mit Gewalt auf den Thron zu setzen. Es hätte gelingen können, und wäre es gelungen, so wäre die Insel heute wieder im Besitz des rechten Glaubens. Wochenlang hat Doktor Tesimond damals in den Wäldern gelebt, von Wurzeln und Quellwasser, als Einziger ist er entkommen und hat es übers Meer geschafft. Später wird man ihn heiligsprechen, aber nachts sollte man nicht in seiner Nähe liegen, denn das Messer ist immer unter seinem Kissen, und in seinen Träumen schwärmen protestantische Schinder aus.

Doktor Kircher wirft seinen Mantel über und verlässt das Pfarrhaus. Benommen steht er in der Fahlheit des frühen Morgens. Rechts von ihm ist die Kirche, vor ihm der Hauptplatz mit Brunnen und Linde und dem gestern errichteten Podium, daneben die Häuser der Tamms, Henrichs und Heinerlings, er kennt jetzt alle Bewohner dieses Dorfs, er hat sie einvernommen, er weiß um ihre Geheimnisse. Etwas bewegt sich auf dem Dach des Henrich-Hauses, instinktiv weicht er zurück, aber es ist wahrscheinlich nur eine Katze. Er murmelt einen Abwehrsegen und schlägt dreimal das Kreuz, geh hin, böser Geist, lass ab, ich stehe unter dem Schutz des Herrn und der Jungfrau und aller Heiligen. Dann setzt er sich, lehnt sich an die Wand des Pfarrhauses und wartet mit klappernden Zähnen auf die Sonne.

Er merkt, dass jemand neben ihm sitzt. Lautlos muss der sich genähert, lautlos sich hingesetzt haben. Es ist Meister Tilman.

«Guten Morgen», murmelt Doktor Kircher und erschrickt. Das war ein Fehler, nun könnte Meister Tilman zurückgrüßen.

Zu seinem Entsetzen geschieht das auch. «Guten Morgen!»

Doktor Kircher blickt sich nach allen Seiten um. Zum Glück ist niemand zu sehen, das Dorf schläft noch, keiner beobachtet sie.

«Diese Kälte», sagt Meister Tilman.

«Ja», sagt Doktor Kircher, denn irgendwas muss man ja sagen. «Schlimm.»

«Und wird jedes Jahr schlimmer», sagt Meister Tilman.

Sie schweigen.

Doktor Kircher weiß, dass es am besten wäre, nicht zu antworten, aber die Stille ist lastend, also räuspert er sich und sagt: «Die Welt geht zu Ende.»

Meister Tilman spuckt auf den Boden. «Und wie lange noch?»

«Wohl so hundert Jahre», sagt Doktor Kircher und blickt weiter unbehaglich um sich. «Manche meinen, etwas weniger, während andere glauben, dass es um die hundertzwanzig sein werden.»

Er verstummt, spürt einen Kloß im Hals. Das passiert ihm jedes Mal, wenn er von der Apokalypse spricht. Er bekreuzigt sich, Meister Tilman tut es ihm nach.

Der arme Mann, denkt Doktor Kircher. Eigentlich braucht kein Henker das Jüngste Gericht zu fürchten, da die Verurteilten ihren Scharfrichtern vor dem Tod vergeben müssen, aber dann und wann gibt es Verstockte, die sich weigern, und zuweilen geschieht es sogar, dass einer seinen Henker ins Tal Josaphat bestellt. Jeder kennt diesen Fluch: Ich bestelle dich ins Tal Josaphat. Wer das zum Henker sagt, beschuldigt ihn des Mordes und verweigert die Vergebung. Ob Meister Tilman das schon passiert ist?

«Ihr fragt Euch, ob ich Angst vor dem Gericht habe.»

«Nein!»

«Ob einer mich ins Tal Josaphat bestellt hat.»

«Nein!»

«Jeder fragt sich das. Wisst Ihr, ich habe mir das nicht ausgesucht. Ich bin, was ich bin, weil mein Vater war, was er war. Und der war es wegen seines Vaters. Und mein Sohn wird sein müssen, was ich bin, denn ein Henkerssohn wird Henker.» Meister Tilman spuckt wieder aus. «Mein Sohn ist ein sanfter Kerl. Ich schaue ihn an, er ist erst acht und ganz lieb, und Töten passt nicht zu ihm. Aber er hat keine Wahl. Zu mir hat es auch nicht gepasst. Und ich hab es gelernt, und gar nicht schlecht.»

Doktor Kircher ist jetzt wirklich besorgt. Keinesfalls darf jemand sehen, wie er hier einträchtig mit dem Henker plaudert.

Am Himmel breitet sich weißliche Helligkeit aus, an den Hauswänden sind bereits die Farben zu unterscheiden. Auch das Podium drüben vor der Linde kann man schon deutlich erkennen. Dahinter steht, nur ein unscharfer Fleck in der Dämmerung, der Pferdewagen des Moritatensängers, der vor zwei Tagen angereist ist. So ist es immer: Wenn es etwas zu sehen gibt, versammelt sich das fahrende Volk.

«Gottlob gibt es in diesem Dreckloch keine Schänke», sagt Meister Tilman. «Denn wenn es eine gibt, gehe ich abends hin, aber dann sitze ich allein, und alle schielen herüber und flüstern. Und obwohl ich es vorher weiß, gehe ich trotzdem in die Schänke, denn wohin soll ich sonst? Ich kann es nicht erwarten, wieder nach Eichstätt zu kommen.»

«Behandelt man Euch da besser?»

«Nein, aber da bin ich zu Hause. Zu Hause schlecht behandelt zu werden ist besser, als anderswo schlecht behandelt zu werden.» Meister Tilman hebt die Arme und streckt sich gähnend.

Doktor Kircher zuckt zur Seite. Die Hand des Henkers ist nur wenige Zoll von seiner Schulter entfernt, es darf nicht zu einer Berührung kommen. Wen ein Henker anfasst, und sei es auch nur im Vorbeigehen, der verliert seine Ehre. Aber natürlich darf man ihn auch nicht gegen sich aufbringen. Verärgert man ihn, könnte er einen absichtlich packen und die Strafe in Kauf nehmen. Doktor Kircher verflucht sich für seine Gutmütigkeit – nie hätte er sich auf diese Unterhaltung einlassen dürfen.

Zu seiner Erleichterung hört er in diesem Moment von drinnen den trockenen Husten seines Mentors. Doktor Tesimond ist aufgewacht. Mit einer entschuldigenden Geste steht er auf.

Meister Tilman lächelt schief.

«Gott sei mit uns an diesem großen Tag», sagt Doktor Kircher.

Aber Meister Tilman antwortet nicht. Doktor Kircher geht schnell ins Pfarrhaus, um seinem Mentor beim Ankleiden zu helfen.

Gemessenen Schrittes und bekleidet mit der roten Robe des Richters, bewegt sich Doktor Tesimond zum Podium. Oben steht ein Tisch mit Stößen Papier, beschwert von Steinen aus dem Mühlbach, damit der Wind kein Blatt davonträgt. Die Sonne nähert sich dem Zenit. Flirrend fällt das Licht durch die Krone der Linde. Alle sind da: vorne sämtliche Mitglieder der Familie Steger und der Schmied Stelling mit seiner Frau und der Bauer Brantner mit den Seinen, dahinter Bäcker Holtz mit Frau und beiden Töchtern und Anselm Melker mit seinen Kindern und Frau und Schwägerin und alter Mutter und alter Schwiegermutter und altem Schwiegervater und Tante und daneben Maria Loserin mit ihrer schönen Tochter und dahinter die Henrichs und die Heinerlings mitsamt ihren Knechten und ganz hinten die mausartig runden Gesichter der Tamms. Abseits steht Meister Tilman, gelehnt an den Stamm des Baums. Er trägt eine braune Kutte, sein Gesicht ist blass und aufgequollen. Hinten auf seinem Eselswagen steht der Moritatensänger und kritzelt in ein Büchlein.

Leichtfüßig springt Doktor Tesimond hinauf und stellt sich hinter einen Stuhl. Doktor Kircher fällt es trotz seiner Jugend weniger leicht als ihm, das Podium ist hoch, und die Robe behindert ihn beim Steigen. Als er oben ist, sieht Doktor Tesimond ihn auffordernd an, und Doktor Kircher weiß, dass er jetzt die Stimme erheben soll, aber während er um sich blickt, schwindelt es ihn. Das Gefühl der Unwirklichkeit ist so groß, dass er sich an der Tischkante festhalten muss. Das geschieht ihm nicht zum ersten Mal, es ist eines der Dinge, die er unbedingt geheim halten muss. Er hat gerade erst die niederen Weihen bekommen, er ist noch lange kein vollgültiger Jesuit, und nur Männer von bester Gesundheit an Körper und Geist dürfen Mitglied der Gesellschaft Jesu sein.

Vor allem aber darf niemand wissen, wie sehr ihm immer wieder die Zeit in Unordnung gerät. Manchmal findet er sich an einem fremden Ort wieder, ohne zu wissen, was inzwischen geschehen ist. Neulich hat er für eine gute Stunde vergessen, dass er schon erwachsen ist, hat sich für ein Kind gehalten, das nahe dem Elternhaus im Gras spielt, als wären die fünfzehn Jahre seither und das schwere Studium in Paderborn bloß die Phantasie eines Jungen gewesen, der sich wünscht, endlich erwachsen zu sein. Wie brüchig die Welt ist. Fast jede Nacht sieht er ägyptische Zeichen, und zunehmend wächst die Sorge in ihm, dass er eines Tages aus einem Traum nicht mehr aufwachen, dass er für immer eingesperrt sein könnte in der bunten Hölle eines gottlosen Pharaonenreichs.

Hastig wischt er sich über die Augen. Peter Steger und Ludwig Stelling, die Beisitzer, sind in schwarzen Roben zu ihnen heraufgestiegen, ihnen nach kommt Ludwig von Esch, der Pfleger und Vorstand des Amtsgerichtsbezirks, der das Urteil sprechen muss, damit es Gültigkeit hat. Sonnenflecken tanzen auf Gras und Brunnen. Trotz der Helligkeit ist es so kalt, dass der Atem zu Dunstwölkchen wird. Lindenkrone, denkt Doktor Kircher. Lindenkrone, so ein Wort kann sich festhaken in einem, aber das darf jetzt nicht geschehen, er darf sich nicht ablenken lassen, er muss seine ganze Kraft auf die Zeremonie richten. Lindenkönig, Lindenkrone, Lindenkron. Nein! Jetzt nicht, jetzt keine Verwirrung, alle warten! Als Schriftführer eröffnet er die Verhandlung, ein anderer kann es nicht tun, es ist seine Aufgabe, er muss ihr gerecht werden. Um sich zu beruhigen, sieht er in die Gesichter der Zuschauer vorne und in der Mitte, aber kaum ist er ruhiger geworden, trifft sein Blick den des Müllersjungen. Ganz hinten steht der, neben seiner Mutter. Die Augen schmal, die Wangen hohl, die Lippen ein wenig gespitzt, als würde er vor sich hin pfeifen.

Versuch, ihn aus deinem Geist zu löschen. Du hast nicht umsonst so viele Exerzitien mitgemacht. Mit dem Verstand verhält es sich wie mit den Augen, sie sehen, was vor ihnen liegt, aber worauf sie sich richten, kannst du bestimmen. Er blinzelt. Nur ein Fleck, denkt er, nur Farben, nur ein Spiel des Lichts. Ich sehe keinen Jungen, ich sehe Licht. Ich sehe kein Gesicht, Farben sehe ich. Nur Farbe, Licht und Schatten.

Und tatsächlich, schon ist der Junge nicht mehr von Bedeutung. Er darf ihn bloß nicht ansehen. Ihre Blicke dürfen sich nicht treffen. Solange das nicht passiert, ist alles in Ordnung.

«Ist der Richter hier?», fragt er mit belegter Stimme.

«Der Richter ist hier», antwortet Doktor Tesimond.

«Der Pfleger hier?»

«Bin hier», sagt Ludwig von Esch ärgerlich. Unter normalen Umständen wäre er es, der den Gerichtstag führt, aber das hier sind keine normalen Umstände.

«Der erste Beisitzer hier?»

«Hier», sagt Peter Steger.

«Der zweite?»

Schweigen. Peter Steger stößt Ludwig Stelling in die Seite. Der sieht sich verwundert um. Peter Steger stößt noch einmal.

«Ja, ist hier», sagt Ludwig Stelling.

«Das Gericht ist versammelt», sagt Doktor Kircher.

Aus Versehen blickt er Meister Tilman an. Fast lässig lehnt der Henker am Stamm der Linde, reibt seinen Bart und lächelt, aber worüber? Mit klopfendem Herzen blickt er woanders hin, auf keinen Fall darf der Eindruck entstehen, er hätte ein Einverständnis mit dem Scharfrichter. Also sieht er zum Moritatensänger. Vorgestern hat er ihn singen gehört. Die Laute war schlecht gestimmt, die Reime waren klapprig, und die unerhörten Ereignisse, von denen er gesungen hat, waren so unerhört nicht: ein Kindesmord durch die Protestanten in Magdeburg, ein ärmliches Spottlied auf den pfälzischen Kurfürsten, in dem sich *Brot* auf *verbog* und *wundersam* auf *Waffengang* reimte. Mit Unbehagen denkt er daran, dass in der Ballade, die der Sänger über diesen Prozess singen wird, wohl auch er vorkommen wird.

«Das Gericht ist versammelt», hört er sich erneut sagen. «Zusammengekommen, um Recht zu sprechen und Recht zu erkennen vor der Gemeinde, die Ruhe und Frieden zu halten hat, vom Anfang der Verhandlung bis zum Schluss, im Namen Gottes.» Er räuspert sich, dann ruft er: «Bringt die Armesünder!»

Eine Weile ist es so still, dass man den Wind hört, die Bienen, das ganze Mäh und Muh und Gekläff und Brummen der Tiere. Dann öffnet sich die Tür des Brantner'schen Kuhstalls. Sie quietscht, weil man sie kürzlich erst mit Eisen verstärkt hat, auch die Fensterläden sind mit Brettern vernagelt. Die Kühe, für die darin jetzt kein Platz mehr ist, sind im Steger-Stall untergekommen; deshalb hat es Streit gegeben, weil Peter Steger Bezahlung dafür wollte und Ludwig Brantner gesagt hat, er könne ja nichts dafür. In einem Dorf ist nie etwas einfach.

Ein Landsknecht tritt gähnend ins Freie, ihm folgen blinzelnd die zwei Angeklagten und hinter ihnen noch zwei Landsknechte. Es sind ältliche Krieger kurz vor der Ausmusterung, einer hinkt, dem anderen fehlt die linke Hand. Etwas Besseres hat man aus Eichstätt nicht geschickt.

Und wenn man sich die Angeklagten so anschaut, kann es einem ja auch scheinen, als wäre mehr nicht notwendig. Mit ihren geschorenen Köpfen, auf denen sich, wie immer, wenn man eines Menschen Haupthaar abschneidet, allerlei Beulen und Buchten zeigen, sehen sie aus wie die harmlosesten und schwächsten Leute überhaupt. Ihre Hände sind mit dicken Verbänden umwickelt, damit man die gequetschten Finger nicht sieht, und um ihre Stirnen ziehen sich dort, wo Meister Tilman das Lederband angelegt hat, blutige Abdrücke. Wie leicht, denkt Doktor Kircher, könnte einen das Erbarmen überkommen, aber man darf sich nicht erlauben, dem Anschein zu glauben, denn sie sind im Bunde mit der größten Macht der gefallenen Welt, und ihr Herr ist jeden Moment bei ihnen. Deshalb ist das so gefährlich: Beim Gerichtstag kann der Teufel immer eingreifen, jederzeit kann er seine Stärke zeigen und sie befreien, nur Mut und Reinheit der Richter können es verhindern. Immer wieder haben seine Oberen ihm im Seminar eingeschärft: Unterschätze die Teufelsbündler nicht! Vergiss nie, dass dein Mitleid ihre Waffe ist und dass ihnen Mittel zur Verfügung stehen, von denen dein Verstand nichts ahnt.

Die Zuschauer machen Platz, eine Gasse entsteht, die beiden Angeklagten werden zum Podium geführt: vorneweg die alte Hanna Krell, dahinter der Müller. Beide gehen sie vorgebeugt, sie wirken geistesabwesend, es wird nicht klar, ob sie wissen, wo sie sind und was geschieht.

Unterschätze sie nicht, sagt sich Doktor Kircher, das ist das Wichtige. Dass du sie nicht unterschätzt.

Das Gericht setzt sich: in der Mitte Doktor Tesimond, rechts von ihm Peter Steger, links Ludwig Stelling. Und links von Stelling, mit einem kleinen Abstand, weil der Gerichtsschreiber zwar zuständig für den reibungslosen Ablauf, aber selbst nicht Teil des Gerichts ist, steht der Stuhl für ihn.

«Hanna», sagt Doktor Tesimond und hebt ein Blatt Papier. «Hier ist dein Geständnis.»

Sie schweigt. Ihre Lippen bewegen sich nicht, ihre Augen scheinen erloschen. Wie eine leere Hülle sieht sie aus, ihr Gesicht eine Maske, die keiner trägt, ihre Arme wie falsch eingehängt in den Gelenken. Besser, man denkt nicht darüber nach, denkt Doktor Kircher, der im selben Augenblick natürlich doch darüber nachdenken muss, was Meister Tilman mit diesen Armen angestellt hat, damit sie so falsch hängen. Besser man stellt es sich nicht vor. Er reibt sich die Augen und stellt es sich vor.

«Du schweigst», sagt Doktor Tesimond, «also werden wir deine Worte aus dem Verhör vorlesen. Sie stehen auf diesem Blatt. Du hast sie gesprochen, Hanna. Nun sollen alle sie hören. Nun soll alles zutage liegen.» Seine Worte scheinen nachzuhallen, als wären sie in einem steinernen Raum gesprochen und nicht im Freien unter einer Linde, in deren Lindenkrone lind der Wind – nein! Nicht zum ersten Mal muss Doktor Kircher daran denken, wie glücklich er sich schätzen kann und wie sehr er von Gott begünstigt ist, dass Doktor Tesimond ihn zu seinem Famulus erwählt hat. Er selbst hat nichts dazugetan, hat sich nicht angeboten und nicht nach vorne gedrängt, damals, als der legendäre Mann von Wien nach Paderborn gekommen ist, ein Gast der Oberen, ein bewunderter Durchreisender, ein Zeuge des wahren Glaubens, der mit einem Mal beim Exerzitium in der Ordenskirche aufgestanden und auf ihn zugegangen ist. Ich werde dich befragen, mein Junge, antworte schnell. Denk nicht nach, was ich hören will, das kannst du nicht erraten, sag nur, was richtig ist. Wen liebt Gott mehr – die Engel, die ohne Sünde sind, oder den Menschen, der gesündigt hat und bereut? Antworte schneller. Sind die Engel von Gottes Substanz und damit ewig, oder sind sie geschaffen wie wir? Noch schneller. Und die Sünde, ist sie Gottes Schöpfung, und wenn sie es ist, kann er sie lieben wie alle seine Geschöpfe, und wenn nicht, wie ist es möglich, dass die Strafe des Sünders ohne Ende ist, ohne Ende sein Schmerz und ohne Ende sein Leid im Feuer, sprich schnell!

So ist es eine Stunde gegangen. Er hat sich antworten gehört, auf immer neue Fragen, und wenn er keine Antworten gewusst hat, hat er welche erfunden und manchmal gleich Zitate und Quellen dazu, über hundert Bände hat Thomas von Aquin geschrieben, niemand kennt sie alle, und auf seine Erfindungskraft hat er sich immer schon verlassen können. So hat er gesprochen und gesprochen, als redete ein anderer durch ihn, und hat all seine Kraft zusammengenommen und seinem Gedächtnis nicht erlaubt, ihm Antworten, Sätze oder Namen vorzuenthalten, und auch die Zahlen hat er zusammenrechnen und voneinander abziehen und dividieren können, ohne aufs Klopfen seines Herzens oder den Schwindel in seinem Kopf zu achten, und die ganze Zeit über hat ihm der Mitbruder mit solcher Intensität ins Gesicht gesehen, dass es ihm noch heute manchmal scheinen will, als dauerte die Befragung noch an und würde für immer dauern, als wäre alles seither ein Traum. Doch schließlich ist Doktor Tesimond einen Schritt zurückgetreten und hat mit geschlossenen Augen und wie zu sich selbst gesagt: «Ich brauche dich. Mein Deutsch ist nicht gut, du musst helfen. Ich reise nach Wien zurück, heilige Pflichten rufen, du kommst mit.»

Und so sind sie nun seit einem Jahr unterwegs. Der Weg nach Wien ist weit, wenn es unterwegs so viel Dringliches gibt; ein Mann wie Doktor Tesimond kann nicht einfach weiterziehen, wenn er Machenschaften vorfindet. In Lippstadt haben sie einen Dämon austreiben müssen, dann war in Passau ein ehrvergessener Priester zu verjagen. Um Pilsen haben sie einen Bogen gemacht, weil die dort besonders wütenden Protestanten durchreisende Jesuiten womöglich hätten verhaften können, und dieses Umwegs wegen hat es sie in ein Dörfchen verschlagen, wo die Verhaftung, Folterung und Verurteilung einer üblen Hexe sie ein halbes Jahr in Anspruch genommen haben. Dann haben sie Kunde von einem drakontologischen Kolloquium in Bayreuth erhalten. Natürlich haben sie dorthin reisen müssen, um Erhard von Felz, den größten Rivalen des Doktors, daran zu hindern, unwidersprochen Unsinn von sich zu geben; die Debatte der beiden hat sieben Wochen, vier Tage und drei Stunden gedauert. Danach hat er inständig gehofft, dass sie die Kaiserstadt nun endlich erreichen würden, aber als sie im Collegium Willibaldinum in Eichstätt übernachtet haben, hat der Fürstbischof sie zur Audienz bestellt: «Meine Leute sind verschlafen, Doktor Tesimond, die Pfleger machen nicht genug Anzeigen in den Dörfern, der Hexer werden mehr und mehr, keiner tut etwas, mein eigenes Jesuitenseminar kann ich kaum finanzieren, weil der Domherr dagegen ist. Wollt Ihr mir helfen? Ich ernenne Euch zum Hexen-Commissarius ad hoc, und ich erteile Euch die Erlaubnis, das kapitale Supplicium der Malefikanten an Ort und Stelle vorzunehmen, wenn Ihr mir nur bitte helft. Ihr erhaltet jede Vollmacht.»

Deswegen hat Doktor Kircher einen ganzen Nachmittag lang gezögert, als ein Gespräch mit einem sonderbaren Jungen in ihm den Verdacht aufkommen ließ, dass ihr Weg sich schon wieder mit dem eines Hexers gekreuzt hat. Ich muss es nicht melden, hat er gedacht, ich kann schweigen, ich kann es vergessen, ich hätte schließlich mit dem Jungen gar nicht sprechen müssen, es war ein Zufall. Aber sogleich ist da wieder die Stimme des Gewissens gewesen: Sprich mit deinem Mentor. Zufälle gibt es nicht, es gibt nur Gottes Willen. Und wie erwartet hat Doktor Tesimond an jenem Nachmittag sofort entschieden, dass der Müller besucht werden müsse, und wie erwartet hat danach alles seinen üblichen Lauf genommen. Jetzt sitzen sie schon seit Wochen in diesem gottverlassenen Dorf, und Wien ist ferner denn je.

Ihm fällt auf, dass alle ihn ansehen, nur die Angeklagten blicken zu Boden. Es ist wieder passiert: Er war abwesend. Er kann nur hoffen, dass es nicht zu lange gedauert hat. Rasch sieht er sich um und findet sich zurecht: Vor ihm liegt das Geständnis der Hanna Krell, er kennt die Schrift, es ist die seine, er hat es selbst geschrieben, er muss es nun verlesen. Mit unsicheren Fingern greift er danach, aber genau in dem Moment, als seine Finger das Papier berühren, kommt Wind auf, Doktor Kircher packt zu, zum Glück schnell genug, das Blatt ist fest in seiner Hand. Nicht auszudenken, ihm wäre es weggeflogen, der Satan ist mächtig, die Luft sein Reich, das käme ihm gerade recht, wenn das Gericht sich zum Gespött machte.

Während er Hannas Geständnis vorliest, denkt er wider Willen an die Befragung zurück. An den dunklen Raum hinten im Pfarrhaus, einst die Besenkammer, nun das Verhörzimmer, in dem Meister Tilman und Doktor Tesimond Tag um Tag daran gearbeitet haben, die Wahrheit aus der alten Frau hervorzulocken. Doktor Tesimond hat eine freundliche Seele und wäre der strengen Befragung am liebsten ferngeblieben, aber die Halsgerichtsordnung des Kaisers Karl zwingt einen Richter, bei jeder Folter, die er anordnet, zugegen zu sein. Und sie schreibt auch ein Geständnis vor. Kein Prozess darf ohne Geständnis enden, kein Urteil darf verhängt werden, wenn die Beklagten nicht etwas zugegeben haben. Der Prozess findet zwar in der verschlossenen Kammer statt, aber bei dem Gerichtstag, an dem das Geständnis öffentlich bestätigt und das Urteil gesprochen wird, ist alle Welt zugegen.

Während Doktor Kircher liest, kommen aus der Menge Ausrufe des Schreckens. Menschen ziehen die Luft ein, Menschen tuscheln, Menschen schütteln die Köpfe, Menschen fletschen die Zähne vor Grimm und Ekel. Seine Stimme zittert, während er sich von nächtlichen Flügen und entblößten Leibern sprechen hört, von Reisen auf dem Wind, vom großen Sabbat der Nacht, von Blut in den Kesseln und nackten Körpern, sieh, sie wälzen sich, der riesige Ziegenbock mit nie erlahmender Lust, er nimmt dich von vorn und nimmt dich von hinten, zu Liedern, gesungen in der Sprache des Orkus. Doktor Kircher wendet das Blatt und kommt zu den Verwünschungen: Kälte und Hagel auf die Felder, sodass die Ernte der Frommen verdirbt, und Hunger aufs Haupt der Gottesfürchtigen und Tod und Krankheit den Schwachen und die Pestilenz für die Kinder. Mehrmals will ihm die Stimme versagen, aber er denkt an sein heiliges Amt und ruft sich zur Ordnung, und Gott sei Dank ist er vorbereitet. Nichts von diesen schrecklichen Dingen ist neu für ihn, er kennt jedes Wort, hat es nicht bloß einmal, sondern wieder und wieder geschrieben, draußen vor der Kammer, während drinnen verhört wurde und Meister Tilman alles zutage gefördert hat, was bei einem Hexereiprozess gestanden werden muss: Und bist du nicht auch geflogen, Hanna? Alle Hexen fliegen, willst ausgerechnet du nicht geflogen sein, wirst du es bestreiten? Und der Sabbat? Hast du nicht den Satan geküsst, Hanna? Wenn du sprichst, wird dir vergeben, aber wenn du schweigen willst, dann schau, was Meister Tilman in der Hand hat, er wird es verwenden.

«Das ist geschehen», liest Doktor Kircher die letzten Zeilen vor, «auf solche Art habe ich, Hanna Krell, Tochter von Leopoldina und Franz Krell, dem Herrn widersagt, die Gemeinschaft der Christen verraten, meine Mitbürger mit Schaden belegt und die heilige Kirche und meine Obrigkeit auch. In tiefer Scham gestehe ich und nehme die gerechte Strafe an, so wahr mir Gott helfe.»

Er verstummt. Eine Fliege summt an seinem Ohr vorbei, fliegt einen Bogen, setzt sich auf seine Stirn. Soll er sie verjagen oder tun, als merkte er es nicht? Was ist der Gerichtswürde angemessener, was weniger lächerlich? Er schielt zu seinem Mentor, aber der gibt ihm keinen Hinweis.

Stattdessen beugt Doktor Tesimond sich vor, sieht Hanna Krell an und fragt: «Ist das dein Geständnis?»

Sie nickt. Ihre Ketten klirren.

«Du musst es sagen, Hanna!»

«Das ist mein Geständnis.»

«All das du hast getan?»

«Habe all das getan.»

«Und wer war der Anführer?»

Sie schweigt.

«Hanna! Wer war dein Anführer? Mit wem seid ihr zum Sabbat, wer hat euch fliegen gelehrt?»

Sie schweigt.

«Hanna?»

Sie hebt die Hand und zeigt auf den Müller.

«Du musst es sagen, Hanna.»

«Er.»

«Lauter!»

«Er war's.»

Doktor Tesimond macht eine Handbewegung, der Wächter stößt den Müller nach vorne. Nun beginnt der Hauptteil des Prozesses. Auf die alte Hanna sind sie nur nebenbei gekommen, ein Hexer hat fast immer ein Gefolge; dennoch hat es eine Weile gedauert, bis Ludwig Stellings Frau unter Strafandrohung zugegeben hat, dass ihr Rheuma sie erst plagt, seitdem sie Streit mit Hanna Krell hatte, und wiederum erst nach einer Woche Befragung ist auch Magda Steger und Maria Loserin aufgefallen, dass Unwetter stets dann gekommen sind, wenn Hanna angeblich zu krank für den Kirchgang war. Hanna selbst hat nicht lange geleugnet. Schon als Meister Tilman ihr die Instrumente zeigte, hat sie begonnen, ihre Verbrechen zuzugeben, und als er ernsthaft ans Werk gegangen ist, hat sich sehr schnell deren volles Ausmaß erschlossen.

«Claus Ulenspiegel!» Doktor Tesimond hält drei Blätter in die Luft. «Dein Geständnis!»

Doktor Kircher sieht die Blätter in den Händen seines Mentors, und sofort schmerzt sein Kopf. Jeden Satz darauf kann er auswendig, immer wieder hat er es neu geschrieben, vor der verschlossenen Tür des Befragungszimmers, durch die man alles hören konnte.

«Darf ich was sagen?», fragt der Müller.

Doktor Tesimond sieht ihn missbilligend an.

«Bitte», sagt der Müller. Er reibt den roten Abdruck des Lederbandes auf seiner Stirn. Die Ketten klirren.

«Was denn?», fragt Doktor Tesimond.

So ist es die ganze Zeit gegangen. Ein so schwieriger Fall wie dieser Müller, hat Doktor Tesimond immer wieder gesagt, sei ihm noch nie untergekommen! Und so ist es immer noch, trotz aller Mühen Meister Tilmans – trotz Klinge und Nadel, trotz Salz und Feuer, trotz Lederschlinge, nasser Schuhe, Daumenschraube und stählerner Gräfin –, alles unklar. Ein Scharfrichter weiß Zungen zu lösen, aber was tut er mit einem, der redet und redet und dem es nicht das Geringste ausmacht, sich selbst zu widersprechen, als hätte Aristoteles nichts über Logik verfasst? Zunächst hat Doktor Tesimond es für eine perfide List gehalten, aber dann ist ihm aufgefallen, dass sich in den Konfusionen des Müllers immer auch Bruchstücke von Wahrheiten, ja sogar verwunderliche Einsichten befunden haben.

«Ich hab nachgedacht», sagt Claus. «Ich weiß jetzt Bescheid. Über meine Irrtümer. Ich bitte um Verzeihung. Ich bitte um Gnade.»

«Hast du getan, was diese Frau gesagt hat? Den Hexensabbat angeführt, hast du das?»

«Ich hab mich für klug gehalten», sagt der Müller mit zu Boden gerichtetem Blick. «Ich hab mich überschätzt. Hab dem Kopf zu viel zugemutet, dem blöden Verstand, es tut mir leid. Ich bitte um Gnade.»

«Und der Schadenszauber? Die zu Schanden gewordenen Felder? Die Kälte, der Regen, warst das du?»

«Ich hab den Kranken geholfen nach alter Weise. Manchen hab ich nicht helfen können, die alten Mittel sind nicht so zuverlässig, ich hab immer mein Bestes getan, man hat mich ja nur bezahlt, wenn es geholfen hat. Ich hab die Zukunft derer, die sie kennen wollten, in Wasser und Vogelflug gelesen. Peter Stegers Vetter, nicht der Paul Steger, der andere, der Karl, ich hab ihm gesagt, dass er nicht auf die Buche steigen soll, auch nicht, um Schätze zu finden, tu es nicht, hab ich gesagt, und der Steger-Vetter hat gefragt: Ein Schatz auf meiner Buche? Und ich hab gesagt: Tu es nicht, Steger, und der Karl hat gesagt: Wenn da ein Schatz ist, will ich hinauf, und dann ist er gefallen und hat sich den Kopf zerschlagen. Und ich komme nicht drauf, obwohl ich immer drüber nachdenke, ob eine Weissagung, die nicht in Erfüllung gegangen wäre, hätte ich sie nicht gemacht, eigentlich eine Weissagung ist oder was anderes.»

«Hast du das Geständnis der Hexe gehört? Dass sie dich den Anführer des Sabbats genannt hat, hast du das gehört?»

«Wenn da ein Schatz ist, auf der Buche, dann ist er immer noch dort.»

«Hast du die Hexe gehört?»

«Und die zwei Eichenblätter, die ich gefunden hab.»

«Nicht schon wieder!»

«Die haben ausgesehen wie ein einziges Blatt.»

«Nicht schon wieder die Blätter!»

Claus schwitzt, er atmet schwer. «Die Sache hat mich so verwirrt.» Er denkt nach, schüttelt den Kopf, kratzt sich den geschorenen Kopf, sodass seine Ketten klirren. «Darf ich die Blätter zeigen? Sie müssen noch in der Mühle sein, auf dem Dachboden, wo ich meinen dummen Studien nachgegangen bin.» Er dreht sich um und zeigt mit kettenrasselndem Arm über die Köpfe der Zuschauer. «Mein Sohn kann sie holen!»

«In der Mühle ist kein Zauberzeug mehr», sagt Doktor Tesimond. «Dort ist jetzt ein neuer Müller, und der wird den Krempel nicht aufbewahrt haben.»

«Und die Bücher?», fragt Claus leise.

Beunruhigt sieht Doktor Kircher, dass eine Fliege sich auf dem Papier in seinen Händen niederlässt. Ihre schwarzen Beinchen folgen dem Lauf der Schriftzeichen. Kann es sein, dass sie ihm etwas sagen will? Aber sie bewegt sich so schnell, dass man das, was sie zeichnet, nicht lesen kann, und er darf sich nicht schon wieder ablenken lassen.

«Wo sind meine Bücher?», fragt Claus.

Doktor Tesimond macht seinem Adlatus ein Zeichen, und Doktor Kircher steht auf und verliest das Geständnis des Müllers.

In Gedanken ist er wieder bei den Ermittlungen. Der Knecht Sepp hat bereitwillig erzählt, wie oft er den Müller tagsüber in tiefem Schlaf vorgefunden hat. Ohne dass jemand solche Ohnmachten bezeugt, kann man keinen der Hexerei überführen, da gibt es strenge Regeln. Die Satansknechte lassen ihre Körper zurück und fliegen mit dem Geist hinaus in ferne Länder. Sogar Schütteln und Anschreien und Treten hätten nichts geholfen, so hat es Sepp zu Protokoll gegeben, und auch der Pfarrer hat den Müller schwer belastet: Ich verfluch dich, habe er gerufen, sobald einer im Dorf ihn verärgert habe, ich verbrenn dich, ich mach dir Schmerzen! Vom ganzen Dorf habe er Gehorsam verlangt, jeder habe seinen Zorn gefürchtet. Und die Frau des Bäckers hat einmal die Dämonen gesehen, die er nach Einbruch der Dunkelheit auf dem Steger-Feld beschworen hat: Von Schlünden, Zähnen, Klauen und großen Gemächten hat sie gesprochen, schleimigen Gestalten der Mitternacht, Doktor Kircher hat es kaum über sich gebracht, das aufzuschreiben. Und dann haben vier, fünf, sechs Dorfbewohner, und dann noch drei und dann noch zwei, immer mehr und mehr, ausführlich beschrieben, wie oft er schlechtes Wetter über ihre Felder gebracht habe. Schadenszauber ist noch wichtiger als Ohnmacht – wenn er nicht bezeugt ist, kann man einen Angeklagten nur für Ketzerei verurteilen, aber nicht als Hexer. Um sicherzustellen, dass es keinen Irrtum gibt, hat Doktor Kircher den Zeugen tagelang die Gesten und Worte erklärt, die sie bemerkt haben müssen, ihre Köpfe arbeiten langsam, alles muss man wiederholen, die Bannflüche, die alten Formeln, die Satansbeschwörungen, bevor sie sich erinnern. Tatsächlich hat sich hernach herausgestellt, dass sie alle die richtigen Worte gehört und die richtigen Beschwörungsgesten gesehen haben, nur der Bäcker, der auch befragt wurde, war sich plötzlich nicht mehr sicher, aber dann hat Doktor Tesimond ihn zur Seite genommen und gefragt, ob er wirklich einen Hexer schützen wolle und ob sein Leben so rein sei, dass er eine genaue Untersuchung nicht zu fürchten habe. Da hat sich der Bäcker dann doch erinnert, dass er alles gesehen hat, was die anderen gesehen haben, und dann hat nichts mehr gefehlt, um den Müller im scharfen Verhör zum Geständnis zu führen.

«Den Hagel habe ich auf die Felder geschickt», liest Doktor Kircher vor. «In die Erde habe ich meine Kreise geritzt, die Kräfte drunten und die Dämonen droben und den Herrn der Luft angerufen, Schande auf die Äcker, Eis auf die Erde, Tod dem Korn gebracht. Zudem habe ich mich in den Besitz eines verbotenen Buches gesetzt, in lateinischer Sprache ...»

Da bemerkt er einen Fremden und verstummt. Wo ist er hergekommen? Doktor Kircher hat nicht gesehen, wie er sich genähert hat, aber wäre er vorher schon unter den Zuschauern gewesen, mit seinem breitkrempigen Hut und dem Samtkragen und dem silbernen Stock, so hätte er ihm doch auffallen müssen! Aber da steht er, neben dem Wagen des Moritatensängers. Was, wenn nur er ihn sähe? Sein Herz beginnt zu klopfen. Wenn der Mann nur für ihn da wäre und für die anderen unsichtbar, was dann?

Doch jetzt, da der Fremde mit langsamen Schritten nach vorne geht, treten die Leute zur Seite, um ihn vorbeizulassen. Doktor Kircher seufzt erleichtert. Der Bart des Mannes ist kurz geschnitten, sein Umhang aus Samt, auf dem Filzhut wippt eine Feder. Mit feierlicher Geste nimmt er den Hut ab und verbeugt sich.

«Zum Gruß, Vaclav van Haag.»

Doktor Tesimond steht auf und verbeugt sich ebenfalls. «Eine Ehre», sagte er. «Eine große Freude!»

Auch Doktor Kircher steht auf, verbeugt sich und setzt sich wieder. Es ist also nicht der Teufel, sondern der Autor eines bekannten Werks über die Kristallbildung in Tropfsteinhöhlen – Doktor Kircher hat es irgendwann gelesen und wenig in Erinnerung behalten. Fragend blickt er zur Linde: Das Licht flirrt, als wäre alles ein Trug. Was will denn dieser Fachmann für Kristallbildung hier?

«Ich schreibe eine Abhandlung über die Hexerei», sagt Doktor van Haag, während er sich wieder aufrichtet. «Die Kunde hat sich verbreitet, dass Ihr in diesem

Dorf einen Hexer gestellt habt. Ich bitte um Erlaubnis, ihn verteidigen zu dürfen.»

Ein Murmeln geht durch die Zuschauer. Doktor Tesimond zögert. «Ich bin sicher», sagt er dann, «ein Mann von Eurer Gelehrsamkeit weiß mit seiner Zeit Besseres anzufangen.»

«Schon möglich, aber gleichwohl bin ich hier und bitte Euch um den Gefallen.»

«Die Halsgerichtsordnung schreibt keinen Fürsprecher für den Armesünder vor.»

«Aber sie untersagt Fürsprache auch nicht. Herr Pfleger, wollt Ihr mir erlauben –»

«Sprecht den Richter an, verehrter Kollege, nicht den Pfleger. Der wird das Urteil verkünden, aber richten werde ich.»

Doktor van Haag sieht den Pfleger an. Der ist weiß vor Wut, aber es stimmt, er hat hier nichts zu bestimmen. Van Haag neigt kurz den Kopf und spricht zu Doktor Tesimond: «Es gibt zahlreiche Beispiele. Prozesse mit Fürsprechern werden immer häufiger. Mancher Armesünder spricht nicht so gut für sich selbst, wie er es doch gewiss täte, wenn er nur gut sprechen könnte. Zum Beispiel das verbotene Buch, von dem gerade die Rede war. Hieß es nicht, das sei auf Lateinisch geschrieben?»

«Richtig.»

«Hat der Müller es gelesen?»

«Ja, Herrgott, wie soll er es denn gelesen haben!»

Doktor van Haag lächelt. Er sieht Doktor Tesimond an, dann Doktor Kircher, dann den Müller, dann wieder Doktor Tesimond.

«Ja und?», fragt Doktor Tesimond.

«Wenn das Buch auf Lateinisch geschrieben ist!»

«Ja?»

«Und wenn der Müller nun nicht Lateinisch spricht.»

«Ja?»

Doktor van Haag breitet die Arme aus und lächelt wieder.

«Kann ich was fragen?», sagt der Müller.

«Ein Buch, das man nicht besitzen darf, verehrter Kollege, ist ein Buch, das man nicht besitzen, nicht eines, das man bloß nicht lesen darf. Mit Vorbedacht spricht das Heilige Offizium vom Haben, nicht vom Kennen. Doktor Kircher?»

Doktor Kircher schluckt, räuspert sich, blinzelt. «Ein Buch ist eine Möglichkeit», sagt er. «Es ist immer zu sprechen bereit. Auch einer, der seine Sprache nicht versteht, kann es an andere weitergeben, die es sehr wohl lesen können, auf dass es sein Schandwerk an ihnen verrichte. Oder er könnte die Sprache erlernen, und gibt es keinen, der sie ihm beibringt, so findet er womöglich einen Weg, sie sich selbst beizubringen. Auch das hat man schon gesehen. Man kann es durchs reine Anschauen der Buchstaben erreichen, durchs Zählen ihrer Häufigkeit, durchs Betrachten ihrer Muster, denn der Menschengeist ist mächtig. Auf diesem Weg hat der heilige Zagraphius in der Wüste das Hebräische erlernt, nur aus der starken Sehnsucht heraus, Gottes Wort im Urlaut zu kennen. Und über Taras von Byzanz wird berichtet, dass er die Hieroglyphen Ägyptens allein durch jahrelanges Anschauen begriffen hat. Leider hat er uns keinen Schlüssel hinterlassen, und so müssen wir die Entzifferung von neuem vornehmen, aber die Aufgabe wird gelöst werden, vielleicht schon bald. Und nicht zu vergessen, es gibt immer die Möglichkeit, dass Satan, dessen Vasallen alle Sprachen verstehen, einem seiner Knechte von einem Tag auf den anderen die Fähigkeit schenkt, das Buch zu lesen. Aus diesen Gründen liegt die Einschätzung des Verständnisses bei Gott und nicht bei seinen Knechten. Bei jenem Gott, der am Tag des Gerichts in die Seelen blicken wird. Aufgabe der menschlichen Richter ist es, die simplen Umstände zu klären. Und der einfachste davon ist dieser: Ist ein Buch verboten, so darf man es nicht haben.»

«Außerdem ist es zu spät für eine Verteidigung», sagt Doktor Tesimond. «Der Prozess ist vorbei. Nur das Urteil fehlt noch. Der Angeklagte hat gestanden.»

«Aber offensichtlich unter Folter?»

«Ja natürlich», ruft Doktor Tesimond. «Warum hätte er sonst gestehen sollen! Ohne Folter würde doch nie jemand was gestehen!»

«Während unter der Folter jeder gesteht.»

«Gott sei Dank, ja!»

«Auch ein Unschuldiger.»

«Aber er ist nicht unschuldig. Wir haben die Aussagen der anderen. Wir haben das Buch!»

«Die Aussagen der anderen, die der Folter verfallen wären, wenn sie nicht ausgesagt hätten?»

Doktor Tesimond schweigt einen Moment. «Verehrter Kollege», sagt er leise. «Natürlich muss jemand, der sich weigert, gegen einen Hexer auszusagen, selbst untersucht und angeklagt werden. Wo kommt man hin, wenn man das anders hält?»

«Gut, eine andere Frage: Was hat es eigentlich mit der Ohnmacht der Hexer auf sich? Früher hieß es, die Ohnmächtigen würden im Traum mit dem Teufel verkehren. Der Teufel hat ja keine Macht in Gottes Welt, so steht es sogar bei Institoris, darum muss er den Schlaf nützen, um seinen Verbündeten das Wahnbild einzuflößen, er schenke ihnen wilde Lust. Nun aber verurteilt man die Hexer für genau die Taten, die man früher für vom Teufel eingegebene Trugbilder erklärt hat, den Schlaf aber und die Wahnträume legt man ihnen weiterhin zur Last. Ist die böse Tat nun echt oder Einbildung? Sie kann nicht beides sein. Das ist nicht sinnvoll, verehrter Kollege!»

«Das ist überaus sinnvoll, verehrter Kollege!»

«Dann erklärt es mir.»

«Verehrter Kollege, ich werde nicht zulassen, dass der Gerichtstag durch Gerede und Zweifel entwertet wird.»

«Darf ich etwas fragen?», ruft der Müller.

«Ich auch», sagt Peter Steger und streicht seine Robe zurecht. «Das dauert schon lange, können wir eine Pause machen? Die Kühe haben volle Euter, Ihr hört es ja.»

«Nehmt ihn fest», sagt Doktor Tesimond.

Doktor van Haag tritt einen Schritt zurück. Die Wächter starren ihn an.

«Abführen und binden», sagt Doktor Tesimond. «Es stimmt, dass die Halsgerichtsordnung dem Armesünder einen Fürsprecher erlaubt, aber sie sagt nirgendwo, dass es anständig ist, sich zum Fürsprecher eines Teufelsknechtes aufzuschwingen und den Gerichtstag mit dummen Fragen zu stören. Bei aller Wertschätzung für einen gelehrten Kollegen, das kann ich nicht dulden, und wir werden in scharfer Befragung klären, was einen angesehenen Mann dazu bringt, sich so zu verhalten.»

Keiner rührt sich. Doktor van Haag sieht die Wächter an, die Wächter sehen Doktor Tesimond an.

«Vielleicht ist es die Ruhmsucht», sagt Doktor Tesimond. «Vielleicht Schlimmeres. Es wird sich zeigen.»

Ein Lachen geht durch die Menge. Doktor van Haag tritt einen weiteren Schritt zurück und legt die Hand an den Griff seines Degens. Tatsächlich hätte er davonkommen können, denn die Wächter sind weder schnell noch mutig, aber schon steht Meister Tilman neben ihm und schüttelt den Kopf.

Mehr braucht es nicht. Meister Tilman ist sehr groß und sehr breit, und sein Gesicht sieht auf einmal anders aus als noch gerade eben. Doktor van Haag lässt den Degen los. Einer der Wächter greift ihn am Handgelenk, nimmt den Degen an sich und führt ihn zum Stall mit der eisenverstärkten Tür.

«Ich protestiere!», sagt Doktor van Haag, während er ohne Widerstand mitgeht. «Ein Mann von Stand darf so nicht behandelt werden.»

«Erlaubt mir, verehrter Kollege, Euch zu versprechen, dass Euer Stand nicht vergessen wird.»

Doktor van Haag dreht sich im Gehen noch einmal um. Er öffnet den Mund, aber ihm scheint plötzlich die Kraft zu fehlen, er ist völlig überrumpelt. Schon öffnet sich knarrend die Tür, und er ist mitsamt dem Wächter im Stall verschwunden. Eine kurze Zeit vergeht, dann kommt der Wächter wieder heraus, schließt die Tür und schiebt die beiden Riegel vor.

Doktor Kirchers Herz klopft. Ihm ist schwindlig vor Stolz. Er hat nicht zum ersten Mal mitangesehen, wie jemand die Entschlossenheit seines Mentors unterschätzt. Man ist eben nicht ohne Grund der einzige Überlebende der Pulververschwörung, man wird nicht einfach so zu einem der berühmtesten Glaubenszeugen der Gesellschaft Jesu. Immer wieder gibt es Leute, die nicht wissen, mit wem sie es zu tun haben. Aber unfehlbar finden sie es heraus.

«Das ist der große Gerichtstag», sagt Doktor Tesimond zu Peter Steger. «Das ist nicht die Zeit zum Kuhmelken. Wenn deinem Vieh die Euter weh tun, dann tun sie weh für die Sache Gottes.»

«Ich verstehe», sagt Peter Steger.

«Verstehst du es wirklich?»

«Wirklich. Ja, ja, ich verstehe.»

«Und du, Müller. Wir haben dein Geständnis vorgelesen, wir wollen es nun hören, laut und deutlich: Ist es wahr? Hast du es getan? Bereust du?»

Es wird still. Nur den Wind hört man und das Muhen der Kühe. Eine Wolke ist vor die Sonne gezogen, zu Doktor Kirchers Erleichterung haben die Lichtspiele in der Baumkrone aufgehört. Dafür aber rascheln und wispern und zischeln die Zweige im Wind. Kalt ist es geworden, wahrscheinlich wird es gleich wieder regnen. Auch die Hinrichtung dieses Hexers wird nichts nützen gegen das schlechte Wetter, es gibt zu viele böse Menschen, alle gemeinsam sind sie schuld an der Kälte und den Missernten und der Knappheit von allem in diesen letzten Jahren vor dem Ende der Welt. Aber man tut, was man kann. Auch wenn man auf verlorenem Posten kämpft. Man hält aus, verteidigt die verbliebenen Stellungen und wartet auf den Tag, da Gott wiederkehrt in Herrlichkeit.

«Müller», wiederholt Doktor Tesimond. «Du musst es sagen, vor allen Menschen hier. Ist es wahr? Hast du es getan?»

«Darf ich was fragen?»

«Nein. Du sollst nur antworten. Ist es wahr? Hast du es getan?»

Der Müller blickt um sich wie einer, der nicht genau weiß, wo er sich befindet. Aber auch das ist wohl eine Finte, Doktor Kircher weiß genau, dass man darauf nicht hereinfallen darf, denn hinter diesen scheinbar verlorenen Leuten verbirgt sich der alte Widersacher, bereit zu töten und zu zerstören, wo immer er kann. Wenn nur die Äste aufhören würden mit ihren Geräuschen. Der Raschelwind ist plötzlich noch schlimmer, als es das flimmernde Licht gewesen ist. Und wenn die Kühe doch ruhig wären!

Meister Tilman tritt neben den Müller und legt ihm die Hand auf die Schulter wie einem alten Freund. Der Müller sieht ihn an, er ist kleiner als der Scharfrichter, sein Blick geht empor wie der eines Kindes. Meister Tilman beugt sich hinab und sagt ihm etwas ins Ohr. Der Müller nickt, als verstünde er. Zwischen den beiden herrscht eine Vertrautheit, die Doktor Kircher verwirrt. Wahrscheinlich liegt es daran, dass er nicht achtgibt und in die falsche Richtung blickt, genau in die Augen des Jungen.

Der ist auf den Wagen des Moritatensängers geklettert. Dort steht er, erhöht über allen, steht auf dem Rand des Wagens, und es ist merkwürdig, dass er nicht fällt. Wie hält er da oben das Gleichgewicht? Doktor Kircher kann nicht anders, er lächelt verkrampft. Der Junge lächelt nicht zurück. Unwillkürlich fragt Doktor

Kircher sich, ob das Kind ebenfalls vom Satan berührt ist, doch im Verhör gab es kein Anzeichen dafür, die Frau hat viel geweint, der Junge war in sich gekehrt, aber beide haben alles gesagt, was nötig war. Auf einmal ist Doktor Kircher sich nicht mehr sicher. Ist man zu nachlässig gewesen? Die Finten des Herrn der Luft sind vielfältig. Was, wenn gar nicht der Müller der schlimmste Hexer ist? Doktor Kircher spürt einen Verdacht in sich keimen.

«Hast du es getan?», fragt Doktor Tesimond erneut.

Der Scharfrichter weicht zurück. Alle horchen auf, stellen sich auf die Zehenspitzen, heben die Köpfe. Selbst der Wind lässt für einen Moment nach, als Claus Ulenspiegel Luft holt, um endlich zu antworten.

III

Er hat nicht gewusst, dass es so gutes Essen gibt. Sein Lebtag ist ihm so etwas nicht begegnet: zuerst eine kräftige Hühnersuppe mit frisch gebackenem Weizenbrot, dann eine Hammelkeule, gewürzt mit Salz und sogar Pfeffer, dann die Lende eines fetten Schweins mit Sauce, schließlich süßer Kirschkuchen, noch warm vom Ofen, dazu ein starker, wie Nebel zu Kopf steigender Rotwein. Sie müssen von irgendwo einen Koch hergebracht haben. Während Claus an seinem kleinen Tisch im Kuhstall isst und spürt, wie sein Magen sich mit warmen, feinen Dingen füllt, denkt er, dass so eine Mahlzeit es im Grunde sogar wert ist, dafür zu sterben.

Er hat gemeint, die Henkersmahlzeit käme nur in Redensarten vor, er hat nicht geahnt, dass tatsächlich ein Koch geholt wird, der einem so gutes Essen zubereitet, wie man es sein Lebtag nicht bekommen hat. Mit zusammengeketteten Armen ist es schwer, das Fleisch zu halten, das Eisen scheuert, die Handgelenke sind wund, aber im Moment ist das egal, so gut schmeckt es. Und überhaupt tun seine Hände schon nicht mehr ganz so weh wie noch vor einer Woche. Meister Tilman ist auch ein Meister des Heilens, Claus hat neidlos einräumen müssen, dass der Scharfrichter Kräuter kennt, von denen er nie gehört hat. Doch das Gefühl ist nicht zurückgekehrt in seine gequetschten Finger, und darum fällt das Fleisch immer wieder auf den Boden. Er schließt die Augen. Er hört die Hühner im Stall nebenan scharren, er hört das Schnarchen des Mannes mit der teuren Kleidung, der sein Fürsprecher hat sein wollen und jetzt angekettet im Heu liegt. Während er das herrliche Schweinefleisch kaut, versucht er, sich vorzustellen, dass er nie erfahren wird, wie der Prozess dieses Mannes ausgeht.

Er wird dann nämlich tot sein. Er wird auch nicht erfahren, wie das Wetter übermorgen ist. Er wird dann tot sein. Oder ob es morgen Nacht wieder regnet. Aber das ist ja auch egal, wen interessiert schon der Regen.

Nur seltsam ist es doch: Jetzt sitzt du noch hier und kannst alle Zahlen zwischen eins und tausend herbeten, aber übermorgen wirst du entweder ein Luftwesen sein oder aber eine Seele, die in einem Menschen oder Tier wieder zur Welt kommt und sich an den Müller, der du noch bist, kaum erinnert – aber wenn man so ein Wiesel ist oder ein Huhn oder ein Spatz auf dem Zweig und nicht einmal weiß, dass man einmal ein Müller gewesen ist, der sich mit der Bahn des Mondgestirns beschäftigt hat, ja wenn man so von Ast zu Ast hüpft und nur über Körner und natürlich die Bussarde nachdenkt, denen man entkommen muss, was für eine

Bedeutung hat es dann eigentlich noch, dass man einst ein Müller war, von dem man nichts mehr weiß?

Ihm fällt ein, dass Meister Tilman ihm gesagt hat, dass er jederzeit mehr bekommen kann. Ruf einfach, sag Bescheid, kannst so viel haben, wie du willst, denn danach kommt nichts mehr.

Also versucht es Claus. Er ruft. Kauend ruft er, denn er hat noch Fleisch auf dem Teller, und auch Kuchen ist noch da, aber wenn man mehr haben kann, warum soll man dann warten, bis alles weg ist und bis die Leute draußen es sich womöglich anders überlegen? Er ruft noch einmal, und tatsächlich geht die Tür auf.

«Kann ich mehr haben?»

«Von allem?»

«Bitte von allem.»

Meister Tilman geht schweigend hinaus, und Claus macht sich über den Kuchen her. Und während er die warme, weiche, süße Masse zerkaut, wird ihm plötzlich klar, dass er immer Hunger gehabt hat: Tag und Nacht, abends und morgens. Nur hat er nicht mehr gewusst, dass das Hunger ist – dieses Gefühl des Ungenügens, die Hohlheit in allem, die nie nachlassende Schwäche des Körpers, die die Knie und die Hände schlaff macht und den Kopf verwirrt. Das war nicht nötig, das hätte so nicht sein müssen, das war einfach nur der Hunger!

Die Tür geht knarrend auf, und Meister Tilman trägt ein Brett mit Schüsseln herein. Claus seufzt vor Freude.

Meister Tilman, der das Seufzen missversteht, stellt das Tablett ab und legt ihm eine Hand auf die Schulter.

«Wird schon», sagt er.

«Ich weiß», sagt Claus.

«Geht ganz schnell. Ich kann das. Ich versprech's dir.»

«Danke», sagt Claus.

«Manchmal ärgern mich die Armesünder. Dann geht es nicht schnell. Das kannst du mir glauben. Aber du hast mich nicht geärgert.»

Claus nickt dankbar.

«Sind bessere Zeiten jetzt. Früher hat man euch alle verbrannt. Das dauert, das ist nicht schön. Aber Hängen ist nichts. Das geht schnell. Du steigst aufs Gerüst, kaum versiehst du dich, stehst schon vor dem Schöpfer. Verbrannt wirst du erst danach, aber da bist du schon tot, das stört dich gar nicht, wirst sehen.»

«Gut», sagt Claus.

Die beiden blicken einander an. Meister Tilman scheint nicht gehen zu wollen. Man könnte meinen, dass es ihm im Stall gefällt.

«Bist kein übler Kerl», sagt Meister Tilman.

«Danke.»

«Für einen Teufelsbündler.»

Claus zuckt die Achseln.

Meister Tilman geht hinaus und verschließt umständlich die Tür.

Claus isst weiter. Wieder versucht er, es sich vorzustellen: Die Häuser da draußen, die Vögel am Himmel, die Wolken, der braungrüne Erdboden mit Gras und Feldern und all den Maulwurfshügeln im Frühling, denn die Maulwürfe wirst du nicht los, mit keinem Kraut und keinem Spruch, und der Regen natürlich – all das weiterhin, aber er nicht.

Nur kann er sich das nicht vorstellen.

Denn immer wenn er sich eine Welt ohne Claus Ulenspiegel ausmalt, schmuggelt seine Einbildung genau jenen Claus Ulenspiegel, den sie wegschaffen sollte, wieder hinein – als Unsichtbaren, als Auge ohne Körper, als Gespenst. Wenn er sich aber wirklich ganz und gar wegdenkt, so verschwindet die Welt, die er sich ohne Claus Ulenspiegel vorstellen möchte, mit ihm. So oft er es auch versucht, es ist immer das Gleiche. Darf er daraus schließen, dass er in Sicherheit ist? Dass er gar nicht weg sein kann, weil die Welt ja schließlich nicht verschwinden darf und weil sie aber verschwinden müsste ohne ihn?

Das Schweinefleisch schmeckt immer noch herrlich, aber Kuchen, das fällt ihm jetzt auf, hat Meister Tilman nicht mehr gebracht, und weil der Kuchen das Allerbeste war, versucht es Claus und ruft noch einmal.

Der Scharfrichter kommt herein.

«Kann ich noch Kuchen haben?»

Meister Tilman antwortet nicht und geht hinaus. Claus kaut das Schweinefleisch. Jetzt, wo der Hunger gestillt ist, merkt er erst richtig, wie gut es schmeckt, wie fein und reich, wie warm und salzig und ein bisschen süß. Er betrachtet die Wand des Stalls. Wenn man kurz vor Mitternacht ein Quadrat aufmalt und dazu mit etwas Blut zwei doppelte Kreise auf dem Boden zieht und dreimal den dritten der verborgenen Namen des Allmächtigen anruft, dann erscheint eine Tür, und man kann sich davonmachen. Das Problem wären nur die Ketten, denn um die loszuwerden, bräuchte man den Absud von Zinnkraut; er müsste also mit Ketten fliehen und unterwegs Zinnkraut finden, aber Claus ist müde, und sein Körper schmerzt, und jetzt ist auch nicht die Jahreszeit für Zinnkraut.

Und es ist schwierig, anderswo neu anzufangen. Früher wäre es gegangen, aber jetzt ist er älter und hat nicht mehr die Kraft, wieder ein ehrloser fahrender Geselle zu sein, ein verachteter Taglöhner am Rand irgendeines Dorfes, ein von allen gemiedener Fremder. Man könnte nicht einmal als Heiler arbeiten, weil das auffallen würde.

Nein, gehängt zu werden ist leichter. Und wenn es so sein sollte, dass man sich nach dem Tod an das, was vorher war, erinnert, so könnte einen das im Weltwissen weiter voranbringen als zehn Jahre des Suchens und Forschens. Vielleicht wird er danach die Sache mit der Mondbahn verstehen, vielleicht auch begreifen, bei welchem Korn der Haufen aufhört, ein Haufen zu sein, womöglich sogar sehen, wodurch sich zwei Blätter unterscheiden, zwischen denen es keinen anderen Unterschied gibt als den, dass sie eben zwei sind und nicht eines. Vielleicht liegt es an dem Wein und der warmen Wohligkeit, die Claus zum ersten Mal im Leben erfasst, jedenfalls will er nicht mehr hinaus. Mag die Wand bleiben, wo sie ist.

Der Riegel wird zurückgeschoben, Meister Tilman bringt Kuchen. «Das war's jetzt aber, noch mal komm ich nicht.» Er klopft Claus auf die Schulter, das tut er gern, vermutlich weil er die Menschen draußen nie berühren darf. Dann gähnt er, geht hinaus und schlägt die Tür so laut zu, dass der schlafende Mann erwacht.

Der richtet sich auf, rekelt sich und blickt sich nach allen Seiten um. «Wo ist die alte Frau?»

«Im anderen Stall», sagt Claus. «Das ist ein Glück. Sie jammert dauernd, es ist nicht auszuhalten.»

«Gib mir Wein!»

Claus sieht ihn erschrocken an. Er will antworten, dass das sein Wein ist, ganz allein seiner, dass er ihn redlich verdient hat, weil er dafür sterben muss. Aber dann tut ihm der Mann leid, der es schließlich auch nicht leichthat, also reicht er ihm den Krug. Der Mann nimmt ihn und trinkt mit großen Schlucken. Hör auf, will Claus rufen, ich krieg nicht mehr! Doch er bringt es nicht über sich, denn das ist jemand von Stand, so einem befiehlt man nichts. Der Wein läuft ihm am Kinn herab und macht Flecken auf seinem Samtkragen, aber es scheint ihn nicht zu kümmern, so durstig ist er.

Endlich setzt er den Krug ab und sagt: «Mein Gott, das ist guter Wein!»

«Jaja», sagt Claus, «sehr guter.» Er hofft inständig, dass der Mann den Kuchen nicht auch noch will.

«Jetzt, wo uns keiner hört. Sag mir die Wahrheit. Warst du mit dem Teufel im Bund?»

«Ich weiß nicht, gnädiger Herr.»

«Wie kann man das nicht wissen?»

Claus überlegt. Es ist offensichtlich, dass er etwas falsch gemacht hat in seinem dummen Kopf, sonst wäre er nicht hier. Aber er weiß nicht so recht, was es eigentlich war. So lange ist er befragt worden, immer wieder und wieder, unter so vielen Schmerzen, so oft hat er seine Geschichte neu erzählen müssen, jedes Mal hat noch etwas gefehlt, immer musste er etwas hinzufügen, noch einen Dämon, der beschrieben werden musste, noch eine Beschwörung, noch ein dunkles Buch, noch einen Sabbat, damit Meister Tilman von ihm abließ, und dann musste er auch diese neuen Einzelheiten wieder und wieder erzählen, sodass er nicht mehr so recht weiß, was er hat erfinden müssen und was wirklich passiert ist in seinem kurzen Leben, in dem es ohnehin nicht viel Ordnung gab: Mal ist er hier gewesen, mal dort, dann anderswo, und dann war er plötzlich im Mehlstaub, und die Frau war unzufrieden, und die Knechte hatten keinen Respekt, und jetzt ist er in Ketten, und das ist schon alles gewesen. So, wie der Kuchen gleich aufgegessen sein wird, drei oder vier

Bissen noch, vielleicht fünf, wenn man immer nur ganz wenig nimmt.

«Ich weiß es nicht», sagt er noch einmal.

«Verfluchtes Missgeschick», sagt der Mann und blickt auf den Kuchen.

Erschrocken nimmt Claus alles, was noch da ist, und schluckt es hinunter, ohne zu kauen. Der Kuchen füllt seinen Hals, er schluckt, so fest er kann; weg ist er. Das war es also mit dem Essen. Für immer.

«Gnädiger Herr», sagt Claus, um zu zeigen, dass er weiß, was sich gehört. «Was passiert jetzt noch mit Euch?»

«Schwer vorauszusagen. Ist man drin, kommt man nicht gut raus. Sie werden mich in die Stadt bringen, dann werden sie mich verhören. Ich werde irgendwas zugeben müssen.» Seufzend betrachtet er seine Hände. Offensichtlich denkt er an den Scharfrichter; jeder weiß, dass der stets bei den Fingern beginnt.

«Gnädiger Herr», sagt Claus wieder. «Wenn Ihr Euch einen Haufen Korn vorstellt.»

«Was?»

«Man nimmt immer eines weg und legt es daneben.»

«Was?»

«Immer nur eines. Wann ist das kein Haufen mehr?»

«Nach zwölftausend Körnern.»

Claus reibt sich die Stirn. Seine Ketten klirren. An

der Stirn fühlt er den Abdruck des Lederbandes. Höllisch weh getan hat es, er erinnert sich noch an jede Sekunde, die er geheult und gebettelt hat, aber Meister Tilman hat es erst gelockert, als er noch einen weiteren Hexensabbat erfunden und beschrieben hat. «Genau zwölftausend?»

«Natürlich», sagt der Mann. «Glaubst du, ich kann auch so ein Essen bekommen? Es wird doch wohl noch etwas da sein. Das ist alles eine große Ungerechtigkeit, ich sollte nicht hier sein, ich wollte dich nur verteidigen, um darüber in meinem Buch zu schreiben. Die Kristallkunde habe ich abgeschlossen, jetzt wollte ich mich auf die Rechte verlegen. Aber meine Lage hat nichts mit dir zu tun. Vielleicht bist du mit dem Teufel im Bunde, was weiß ich, vielleicht bist du es ja wirklich! Vielleicht bist du es nicht.» Er schweigt eine kurze Zeit, dann ruft er mit herrischer Stimme nach Meister Tilman.

Das geht nicht gut, denkt Claus, der den Scharfrichter inzwischen leidlich kennt. Er seufzt. Jetzt hätte er gern noch etwas Wein, damit die Traurigkeit nicht zurückkommt, aber ihm wurde klar gesagt, mehr gibt es nicht.

Der Riegel wird zurückgeschoben, Meister Tilman blickt herein.

«Bring mir von diesem Fleisch», sagt der Mann, ohne ihn anzusehen. «Und Wein. Der Krug ist leer.»

«Bist du morgen auch tot?», fragt Meister Tilman.

«Das ist ein Missverständnis», sagt der Mann heiser

und tut so, als spräche er zu Claus, denn eher noch darf man mit einem verurteilten Hexer reden als mit dem Scharfrichter. «Und eine hündische Gemeinheit ist es auch, für die einige noch büßen werden.»

«Wer morgen noch lebt, kriegt auch keine Henkersmahlzeit», sagt Meister Tilman. Er legt Claus eine Hand auf die Schulter. «Hör mal», sagt er leise. «Wenn du morgen unter dem Galgen stehst – vergiss nicht, dass du allen verzeihen musst.»

Claus nickt.

«Den Richtern», sagt Meister Tilman. «Und mir musst du auch verzeihen.»

Claus schließt die Augen. Noch spürt er den Wein – ein warmes, weiches Schwindelgefühl.

«Laut und deutlich», sagt Meister Tilman.

Claus seufzt.

«Das gehört sich», sagt Meister Tilman, «das macht man so, der Armesünder verzeiht seinem Henker laut und deutlich, sodass alle es hören können. Das weißt du?»

Claus muss an seine Frau denken. Vorhin ist Agneta da gewesen und hat durch die Ritzen zwischen den Wandbrettern mit ihm geredet. Wie leid es ihr tue, hat sie geflüstert, und dass sie keine andere Wahl gehabt habe, als zu sagen, was sie von ihr verlangt hätten, und ob er ihr verzeihen könne.

Natürlich, hat er geantwortet, er verzeihe alles. Aber dass ihm nicht so recht klar gewesen ist, wovon sie überhaupt geredet hat, das hat er für sich behalten. Da ist nichts zu machen, seit den Befragungen ist sein Verstand nicht mehr so zuverlässig wie einst.

Dann hat sie wieder geweint und von ihrem schweren Leben gesprochen und auch von dem Jungen, der ihr Sorgen macht, und dass sie nicht weiß, wohin mit ihm.

Claus hat sich gefreut, von dem Jungen zu hören, denn an ihn hat er lange nicht gedacht, und im Grunde hat er ihn doch sehr gern. Aber es ist etwas Sonderbares an ihm, man kann es kaum erklären, der Junge scheint nicht aus dem gleichen Stoff gemacht wie andere Menschen.

«Du hast es leicht», hat sie gesagt. «Du musst dir über nichts mehr den Kopf zerbrechen. Aber ich kann hier im Dorf nicht bleiben. Das erlauben sie nicht. Und ich war doch nie woanders, was soll ich tun?»

«Ja, sicher», hat er geantwortet und dabei noch über den Jungen nachgedacht. «Das ist schon wahr.»

«Zur Schwägerin könnt ich vielleicht, nach Pfünz. Das hat der Onkel gesagt, bevor er gestorben ist, dass er gehört hat, dass die Schwägerin jetzt in Pfünz ist. Vielleicht stimmt es ja.»

«Du hast eine Schwägerin?»

«Die Frau vom Neffen des Onkels. Die Kusine vom Franz Melker. Du hast den Onkel nicht gekannt, er ist gestorben, als ich ein Kind war. Wo soll ich sonst hin?»

«Ich weiß nicht.»

«Aber was ist mit dem Jungen? Mir hilft sie vielleicht, wenn sie sich erinnert, wer weiß. Wenn sie noch lebt. Aber zwei hungrige Leute auf einmal? Das sind zu viele.»

«Ja, das sind zu viele.»

«Vielleicht kann ich den Jungen als Taglöhner unterbringen, er ist klein und arbeitet nicht gut, aber es könnte gehen. Was soll ich sonst tun? Hierbleiben darf ich nicht.»

«Nein, darfst du nicht.»

«Du blödes Vieh, du hast es jetzt leicht. Aber sag mir doch, soll ich die Schwägerin suchen gehen? Vielleicht war es gar nicht Pfünz. Du weißt doch immer alles, sag mir, was tu ich?»

In diesem Moment ist zum Glück die Henkersmahlzeit gekommen, und Agneta hat sich zurückgezogen, damit der Scharfrichter sie nicht sieht, denn keiner darf mit einem Armesünder reden. Und dann sind der Wein und das Essen so gut gewesen, dass ihm das Schluchzen ganz vergangen ist.

«Müller!», ruft Meister Tilman. «Hörst du mir zu?»

«Jaja.»

Meister Tilmans Hand liegt schwer auf seiner Schulter. «Du musst es laut sagen morgen! Dass du mir verzeihst! Hörst du? Vor allen Menschen, hast du gehört? Das wird so gemacht!»

Claus will antworten, aber sein Kopf mag nicht bei der Sache bleiben, zumal er jetzt schon wieder an den Jungen denken muss. Neulich hat er ihn jonglieren sehen. Zwischen zwei Befragungen ist das gewesen, in der leeren Zeit, in der die Welt aus nichts als pochendem Schmerz besteht – da hat er durch die Ritzen geblickt und seinen Sohn gesehen, wie er vorbeigegangen ist und Steine über sich hat wirbeln lassen, als hätten sie kein Gewicht, als geschähe es von selbst. Claus hat seinen Namen gerufen, um ihn zu warnen. Wer so etwas kann, muss aufpassen, auch dafür kann man der Hexerei bezichtigt werden, aber der Junge hat ihn nicht gehört – vielleicht auch deshalb, weil Claus' Stimme zu schwach war. Das ist jetzt immer so, dagegen ist er machtlos, das liegt an der Befragung.

«Hör mal», sagt Meister Tilman. «Du wirst mich nicht ins Tal Josaphat bestellen!»

«Der Fluch eines Sterbenden ist das Mächtigste», sagt der Mann im Stroh. «Der klebt an der Seele, den wirst du nicht mehr los.»

«Das wirst du nicht tun, Müller, den Scharfrichter verfluchen, das tust du mir nicht an, oder?»

«Nein», sagt Claus. «Tu ich nicht.»

«Du denkst vielleicht, dass es egal ist. Du denkst, du hängst ohnehin, aber ich bin es, der mit dir auf der Leiter steht, und ich bin der, der den Knoten anlegt, und ich muss dich an den Beinen ziehen, damit der Nacken bricht, sonst dauert es!»

«Das stimmt», sagt der Mann im Stroh.

«Du bestellt mich nicht ins Tal Josaphat? Du verfluchst mich nicht, du verzeihst dem Henker, wie es sich gehört?»

«Ja, mach ich», sagt Claus.

Meister Tilman nimmt die Hand von seiner Schulter und gibt ihm einen freundschaftlichen Klaps. «Ob du den Richtern verzeihst, ist mir egal. Das ist nicht meine Sorge. Das kannst du halten, wie du magst.»

Plötzlich muss Claus lächeln. Das liegt sicher noch am Wein, aber es liegt auch daran, dass ihm klargeworden ist, dass er nun endlich den großen Schlüssel Salomonis ausprobieren kann. Dafür hat es nie eine Gelegenheit gegeben, er hat die vielen langen Sätze vom alten Hüttner gelernt, damals ist ihm das leichtgefallen, wahrscheinlich könnte er sie noch in seinem Gedächtnis finden. Die werden schauen, wenn er morgen auf der Leiter steht und auf einmal die Ketten reißen, als wären sie aus Papier. Glotzen werden sie, wenn er die Arme ausbreitet und aufsteigt und in der Luft schwebt über ihren dummen Gesichtern – über dem blöden Peter Steger und seiner noch blöderen Frau und seinen Verwandten und Kindern und Großeltern, einer dümmer als der andere, über den Melkers und den Homrichs und den Holtzs und den Tamms und all den anderen. Wie sie glotzen werden, wenn er nicht fällt, sondern steigt und weiter steigt, wie sie die Mäuler aufsperren werden. Für eine kurze Zeit noch sieht er sie kleiner werden, dann sind sie Punkte, und dann ist das Dorf selbst ein Fleck inmitten des dunkelgrünen Waldes, und wenn er den Kopf hebt, wird er den weißen Samt der Wolken sehen und deren Bewohner, einige mit Flügeln, einige aus weißem Feuer, einige mit zwei oder drei Köpfen, und dort ist er, der Fürst der Luft, der König der Geister und Flammen. Hab Erbarmen, mein großer Teufel, nimm mich auf in dein Reich, mach mich frei, und schon hört Claus ihn antworten: Sieh, mein Land. Sieh, wie groß es ist, und sieh, wie weit drunten, flieg mit mir.

Claus lacht auf. Für einen Moment sieht er Mäuse, die um seine Füße wimmeln, einige haben die Schwänze von Schlangen, andere die Fühler von Käfern, und ihm ist, als fühlte er ihre Bisse, aber der Schmerz ist prickelnd und beinahe angenehm, und dann sieht er sich wieder fliegen, so leicht bin ich, wenn mein Herr es erlaubt. Nur an die Worte musst du dich erinnern, keines darf falsch sein, keines fehlen, sonst sperrt Salomons Schlüssel nicht auf, sonst ist es vergeblich. Aber wenn du die Worte findest, wird alles von dir abfallen, die schweren Ketten, die Not, das Müllersdasein aus Kälte und Hunger.

«Das liegt am Wein», sagt Meister Tilman.

«Ich bin nicht lang gefangen», sagt der Mann, ohne ihn anzusehen. «Das tut dem Tesimond noch leid.»

«Er hat gesagt, er wird mir verzeihen», sagt Meister Tilman. «Er hat gesagt, er verflucht mich nicht.»

«Sprich nicht mit mir!»

«Sag, ob du es gehört hast», sagt Meister Tilman. «Oder ich tu dir weh. Hat er's gesagt?»

Beide blicken zum Müller. Der hat die Augen geschlossen und den Kopf an die Wand gelehnt, und er hört nicht auf zu kichern.

«Ja», sagt der Mann. «Das hat er gesagt.»

IV

Nele hat gleich gemerkt, dass er nicht gut ist. Aber erst, als sie Gottfried vor der Menschenmenge auf dem Marktflecken das Lied über den teuflischen Müller vortragen hört, wird ihr klar, dass sie an den schlechtesten Bänkelsänger von allen geraten sind.

Viel zu hoch singt er, und manchmal räuspert er sich mitten in der Zeile. Beim Sprechen klingt seine Stimme ja noch ganz gut, doch wenn er singt, wird sie brüchig und kiekst. Die Stimme allein wäre nicht schlimm, wenn er nur die Töne treffen würde. Und das falsche Singen wäre ebenfalls nicht so schlimm, wenn er wenigstens die Laute spielen könnte – Gottfried vergreift sich immer wieder, und manchmal vergisst er, wie das Lied weitergeht. Aber auch das wäre nicht so unerträglich, wären nur seine Verse besser. Sie erzählen vom gemeinen Müller und dem Dorf, das er unter der Knute gehalten hat, von seinen Hexereien und Schlichen, doch obwohl sie so reich an gräulichen Geschichten und blutigen Details sind, wie die Leute das erwarten, sind sie wirr und kaum zu verstehen, und die Reime sind derart unbeholfen, dass es sogar ein Kind stören muss.

Die Leute hören trotzdem zu. Es kommen nicht oft Bänkelsänger, und Moritaten über Hexenprozesse will man sogar dann hören, wenn sie miserabel sind. Aber nach vier Strophen kann Nele sehen, dass die Mienen sich verändern, und als er bei der zwölften und letzten angelangt ist, sind schon viele weggegangen. Jetzt braucht es dringend etwas, das besser ankommt. Hoffentlich weiß er das, denkt Nele, hoffentlich hat er ein Gespür dafür!

Gottfried beginnt das Lied von vorne.

Er bemerkt die Unruhe in den Gesichtern, und in seiner Verzweiflung singt er lauter, wodurch seine Stimme noch schriller wird. Nele blickt hinüber zu Tyll. Der rollt mit den Augen, dann breitet er in gottergebener Geste die Arme aus. Leichtfüßig springt er neben den Sänger und beginnt, auf dem Wagen zu tanzen.

Sofort wird alles besser. Gottfried singt so schlecht wie zuvor, aber plötzlich ist das nicht mehr wichtig. Tyll tanzt, als hätte er es gelernt, er tanzt, als hätte sein Körper keine Schwere und als gäbe es kein größeres Vergnügen. Er springt und dreht sich und springt wieder, als hätte er nicht gerade erst alles verloren, und es ist so ansteckend, dass ein paar und dann noch ein paar und dann immer mehr von den Zuhörern ebenfalls zu tanzen beginnen. Schon fliegen Münzen herüber. Nele sammelt sie auf.

Auch Gottfried sieht das, und vor Erleichterung gelingt es ihm jetzt besser, den Rhythmus zu halten; so hingebungsvoll tanzt Tyll und mit solch leichter Bestimmtheit, dass Nele beim Zuschauen fast vergessen könnte, dass es in dem Lied um seinen Vater geht, *Müller* reimt sich auf *Schüler*, *Teufel* auf *Läufel*, *Feuer* auf *Feier* und *Nacht* auf *Nacht*, denn dieses Wort kommt immer wieder: Dunkelnacht, schwarze Nacht, Hexennacht. Von der fünften Strophe an geht es um die Gerichtsverhandlung – die strengen und tugendhaften Richter, die Gnade Gottes, die Strafe, die jeden Bösewicht am Ende ereilt, während der Satan heult, sodass sein Fleisch verfäult, und den Galgen, an dem der böse Müller am Ende sein schlechtes Leben aushauchen muss, während der Teufel verfauchen muss. Tyll hört nicht zu tanzen auf bei alldem, denn sie brauchen die Münzen, sie müssen essen.

Es kommt ihr noch immer wie ein Traum vor. Dass dieses Dorf nicht ihr Dorf ist, dass hier Menschen leben, deren Gesichter sie nicht kennt, und Häuser stehen, in denen sie nie gewesen ist. Es ist ihr nicht an der Wiege gesungen worden, dass sie ihr Zuhause je verlassen würde, es war nicht vorgesehen, und halb rechnet sie damit, dass sie gleich daheim aufwachen wird, neben dem großen Ofen, aus dem in Schwaden die Brotwärme wabert. Mädchen gehen nicht anderswohin. Sie bleiben, wo sie geboren sind, so war es immer: Du bist klein, du hilfst im Haus, du wirst größer, du hilfst den Mägden, du wirst erwachsen und heiratest einen Steger-Sohn, wenn du hübsch bist, oder aber einen Verwandten des

Schmieds oder, wenn es schlecht läuft, einen Heinerling. Dann bekommst du ein Kind und noch ein Kind und weitere Kinder, von denen die meisten sterben, und weiterhin hilfst du den Mägden und sitzt in der Kirche etwas weiter vorne, neben deinem Mann und hinter der Schwiegermutter, und dann, wenn du vierzig bist und deine Knochen schmerzen und deine Zähne dahin sind, sitzt du auf dem Platz der Schwiegermutter.

Weil sie das nicht wollte, ist sie mit Tyll gegangen.

Wie viele Tage ist das jetzt her? Sie könnte es nicht sagen, im Wald ist die Zeit in Unordnung. Aber sie erinnert sich gut daran, wie Tyll vor ihr gestanden hat, am Abend nach dem Gerichtstag, dünn und etwas schief, im wogenden Korn der Steger-Wiese.

«Was geschieht jetzt mit euch?», hat sie gefragt.

«Meine Mutter sagt, ich muss Taglöhner werden. Sie sagt, es wird schwer, weil ich zu klein und schwach bin, um gut zu arbeiten.»

«Und das machst du?»

«Nein, ich gehe.»

«Wohin?»

«Weit weg.»

«Wann?»

«Jetzt. Der eine von den Jesuiten, der jüngere, hat mich so angesehen.»

«Aber du kannst nicht einfach weggehen!»

«Doch.»

«Und wenn sie dich einfangen? Du bist allein, und sie sind viele.»

«Aber ich hab zwei Füße, und ein Richter mit Robe oder ein Wächter mit Hellebarden, die haben auch nur zwei. Jeder von ihnen hat so viele Füße wie ich. Keiner hat mehr. Die können zusammen nicht schneller laufen als wir.»

Da hat sie plötzlich eine wundersame Aufregung gefühlt, und ihre Kehle war wie zusammengeschnürt, und ihr Herz hat geklopft. «Warum sagst du *wir*?»

«Weil du mitkommst.»

«Mit dir?»

«Deshalb hab ich doch auf dich gewartet.»

Sie weiß, dass sie nicht nachdenken darf, sonst verliert sie den Mut, sonst bleibt sie hier, wie es vorgesehen ist; aber er hat recht, man kann tatsächlich gehen. Dort, wo alle denken, dass man bleiben muss, hält einen in Wahrheit nichts.

«Jetzt geh nach Hause», sagt er, «und hol so viel Brot, wie du tragen kannst.»

«Nein!»

«Du gehst nicht mit?»

«Doch, ich gehe mit, aber ich gehe vorher nicht mehr heim.»

«Aber das Brot!»

«Wenn ich meinen Vater sehe und Mama und den Ofen und die Schwester, dann gehe ich nicht mehr fort, dann bleibe ich!»

«Wir brauchen Brot.»

Sie schüttelt den Kopf. Und wirklich, denkt sie jetzt, während sie auf dem Marktplatz eines fremden Dorfes Münzen einsammelt – wäre sie noch einmal in die Bäckerei gegangen, so wäre sie geblieben und hätte bald den Steger-Sohn geheiratet, den älteren, dem vorne zwei Zähne fehlen. Es gibt nur wenige Augenblicke, in denen zweierlei möglich ist, ein Weg so gut wie ein anderer. Nur wenige Augenblicke, in denen man entscheiden kann.

«Ohne Brot können wir nicht gehen», sagt er. «Wir sollten auch warten, bis es Morgen ist. Der Wald in der Nacht, du kennst ihn nicht. Du hast das nie erlebt.»

«Hast du Angst vor der Kalten?»

Da weiß sie, dass sie gewonnen hat.

«Ich hab keine Angst», sagt er.

«Na dann los!»

Ihr Leben lang wird sie nicht diese Nacht vergessen, ihr Leben lang nicht die kichernden Irrlichter, die Stimmen aus der Schwärze, ihr Leben lang nicht die Tierlaute und auch nicht das funkelnde Gesicht, das für einen Moment vor ihr aufgetaucht ist, um sofort wieder zu verschwinden, noch bevor sie sich sicher war, dass sie es überhaupt gesehen hat. Ihr Leben lang wird sie an die Angst denken, das bis in den Hals hinauf pochende Herz, das Klopfen des Blutes in den Ohren und das wimmernde Gemurmel des Jungen vor ihr, der entweder mit sich selbst oder mit den Wesen des Waldes gesprochen hat. Als der Morgen kommt, finden sie sich zitternd vor Kälte am Rand einer lehmigen Lichtung wieder. Der Frühtau tropft von den Bäumen, sie haben Hunger.

«Du hättest doch besser Brot holen sollen.»

«Ich kann dich aufs Gesicht hauen.»

Als sie weitergehen, in der klammen, feuchten Morgenluft, weint Tyll ein wenig, und auch Nele ist zum Schluchzen zumute. Ihre Beine sind schwer, der Hunger ist kaum auszuhalten, und Tyll hat recht gehabt, ohne Brot muss man sterben. Zwar gibt es Beeren und Wurzeln, und auch das Gras sollte essbar sein, aber das reicht nicht, man wird davon nicht satt. Im Sommer könnte es vielleicht genügen, aber in dieser Kälte nicht.

Und da hören sie hinter sich das Rumpeln und Quietschen eines Fuhrwerks. Sie verstecken sich im Gebüsch, bis sie sehen, dass es nur der Wagen des Bänkelsängers ist. Tyll springt hervor und stellt sich mitten auf den Weg.

«Ach», sagt der Sänger. «Der Müllerssohn!»

«Nimmst uns mit?»

«Warum?»

«Einmal, weil wir sonst verrecken. Aber auch, weil wir dir helfen. Willst du keine Gesellschaft haben?»

«Wahrscheinlich suchen sie dich schon», sagt der Sänger.

«Ein Grund mehr. Oder willst du vielleicht, dass sie mich kriegen?»

«Steigt auf.»

Gottfried erklärt ihnen das Wichtigste: Wer mit einem Bänkelsänger reist, gehört zum fahrenden Volk, den schützt keine Gilde, und den beschirmt keine Obrigkeit. Bist du in einer Stadt und es brennt, musst du dich davonmachen, denn man wird denken, du hättest Feuer gelegt. Bist du in einem Dorf und etwas wird gestohlen, mach dich ebenfalls davon. Überfallen dich die Räuber, so gib ihnen alles. Meistens nehmen sie aber nichts, sondern verlangen ein Lied, dann sing für sie, so gut du kannst, denn Räuber tanzen oft besser als die stumpfen Leute in den Dörfern. Halte immer die Ohren offen, damit du weißt, wo gerade Markttag ist, denn ist kein Markttag, lassen sie dich nicht in die Dörfer. Auf einem Markt kommen die Leute zusammen, da wollen sie tanzen, da wollen sie Lieder hören, da sitzt ihr Geld locker.

«Ist mein Vater tot?»

«Ja, der ist tot.»

«Hast du es gesehen?»

«Natürlich hab ich es gesehen, deshalb bin ich ja dort gewesen. Erst hat er den Richtern vergeben, wie es sich gehört, dann dem Henker, dann ist er auf die Leiter gestiegen, dann hat er die Schlinge um den Hals bekommen, und dann hat er zu murmeln angefangen, aber ich stand zu weit hinten, ich hab ihn nicht verstanden.»

«Und dann?»

«Ist es gegangen, wie es eben geht.»

«Also ist er tot?»

«Junge, wenn einer am Galgen hängt, was soll denn sonst sein? Natürlich ist er tot! Was glaubst denn du?»

«Ging es schnell?»

Gottfried schweigt eine Weile, bevor er antwortet: «Ja, sehr schnell.»

Eine Zeitlang fahren sie, ohne zu reden. Die Bäume stehen nicht mehr so dicht beieinander, Lichtstrahlen fallen durchs Blätterdach. Aus dem Gras der Lichtungen hebt sich feiner Dunst, die Luft füllt sich mit Insekten und Vögeln.

«Wie wird man Sänger?», fragt Nele schließlich.

«Das lernt man. Ich hatte einen Meister. Er hat mir alles beigebracht. Ihr habt schon von ihm gehört, es ist der Gerhard Vogtland.»

«Nein.»

«Der aus Trier!»

Der Junge zuckt die Schultern.

«Die Großlitanei zum Feldzug des Herzogs Ernst gegen den tückischen Sultan.»

«Was?»

«Das ist sein berühmtestes Lied. Die Großlitanei zum Feldzug des Herzogs Ernst gegen den tückischen Sultan. Kennt ihr wirklich nicht? Soll ich singen?»

Nele nickt, und so machen sie zum ersten Mal Bekanntschaft mit Gottfrieds kümmerlicher Begabung.

Die Großlitanei zum Feldzug des Herzogs Ernst gegen den tückischen Sultan hat dreiunddreißig Strophen, und obwohl Gottfried sonst wenig kann, hat er doch ein hervorragendes Gedächtnis und keine einzige vergessen.

So fahren sie eine lange Zeit. Der Sänger singt, der Esel grunzt von Zeit zu Zeit, und die Räder rumpeln und quietschen, als führten sie ein Gespräch miteinander. Nele sieht aus dem Augenwinkel, dass dem Jungen die Tränen übers Gesicht laufen. Er hat den Kopf abgewendet, damit keiner es bemerkt.

Als Gottfried mit seinem Lied fertig ist, beginnt er von vorne. Danach singt er ihnen eine Moritat über den schönen Kurfürsten Friedrich und die böhmischen Stände, danach singt er über den bösen Drachen Kufer und den Ritter Robert, danach über den gemeinen König in Frankreich und den großen König in Spanien, dessen Feind. Dann erzählt er aus seinem Leben. Sein Vater ist Scharfrichter gewesen, also hätte er auch Scharfrichter werden müssen. Aber er ist davongelaufen.

«So wie wir», sagt Nele.

«Viele tun das, mehr, als ihr denkt! Zum rechtschaffenen Leben gehört es, am Ort zu bleiben, aber das Land ist voll von Menschen, die es nicht am Ort gehalten hat. Sie haben keinen Schutz, aber sie sind frei. Sie müssen keine Leute aufknüpfen. Sie müssen niemanden töten.»

«Müssen nicht den Steger-Sohn heiraten», sagt Nele.

«Müssen nicht Taglöhner sein», sagt der Junge.

Sie erfahren, wie es Gottfried einst mit seinem Meister ergangen ist. Viel geschlagen habe ihn der Vogtland und oft getreten und einmal sogar ins Ohr gebissen, weil er die Töne nicht getroffen habe und mit seinen dicken Fingern auch die Laute kaum habe spielen können. Armer Dummkopf, habe der Vogtland gerufen, wolltest kein Henker sein, jetzt quälst du die Menschen zehnfach mit deiner Musik! Aber davongejagt habe der Vogtland ihn dann doch nicht, und so habe er es besser und besser gelernt, sagt Gottfried stolz, bis er schließlich selbst ein Meister geworden sei. Allerdings habe er entdeckt, dass die Leute von Hinrichtungen hören wollten, überall, jederzeit. Hinrichtungen seien niemandem gleichgültig.

«Bei Hinrichtungen kenn ich mich aus. Wie man das Schwert hält, wie man den Knoten setzt, wie man einen Scheiterhaufen schichtet und wo man am besten die heiße Zange ansetzt, darüber weiß ich alles. Andere Sänger haben vielleicht rundere Reime, aber ich kann sehen, welcher Henker sein Geschäft versteht und welcher nicht, und meine Moritaten sind die akkuratesten.»

Als es dunkel wird, entzünden sie ein Feuer. Gottfried teilt seinen Proviant mit ihnen: trockene Brotfladen, von denen Nele sofort erkennt, dass ihr Vater sie gemacht hat. Kurz kommen auch ihr die Tränen, denn ihr ist beim Anblick dieser Brote mit dem in die Mitte eingedrückten Kreuz und den zerkrümelnden Rändern klargeworden, dass sie in der gleichen Lage ist wie der Junge. Er wird seinen Vater nie wiedersehen, weil er tot ist, sie ihren aber auch nicht, weil sie nicht zurückkann, beide sind sie jetzt Waisenkinder. Aber der Moment vergeht, sie blickt ins Feuer und fühlt sich auf einmal so frei, als könnte sie fliegen.

Die zweite Nacht im Wald ist nicht mehr so schlimm wie die erste. Sie sind nun an die Geräusche gewöhnt, außerdem geht Wärme von der Glutasche aus, und der Sänger hat ihnen eine dicke Decke gegeben. Beim Einschlafen merkt sie, dass Tyll neben ihr noch munter ist. So wach ist er, so aufmerksam, so hingebungsvoll denkt er nach, dass sie es spüren kann. Sie wagt nicht, den Kopf in seine Richtung zu drehen.

«Einer, der Feuer trägt», sagt er leise.

Sie weiß nicht, ob er zu ihr gesprochen hat. «Bist du krank?»

Er scheint Fieber zu haben. Sie schmiegt sich an ihn, Wärme strahlt in Wellen von ihm ab, und das ist angenehm und lässt sie nicht so frieren. So schläft sie nach kurzem ein und träumt von einem Schlachtfeld und Tausenden Menschen, die über eine hügelige Landschaft ziehen, und da beginnen die Kanonen zu hämmern. Sie wacht auf, es ist Morgen, es regnet wieder.

Der Sänger sitzt gekrümmt unter seiner Decke, einen kleinen Schreibkalender in der einen und den Griffel in der anderen Hand. Er schreibt mit winzigen Zeichen, unlesbar fast, denn er hat nur diesen Kalender, und Papier ist teuer.

«Dichten ist das Schwerste», sagt er. «Wisst ihr ein Wort, das sich auf *Schurke* reimt?»

Aber schließlich ist er doch fertig geworden mit dem Lied vom bösen Müller, und nun sind sie auf dem Marktflecken, während Gottfried singt und Tyll dazu tanzt, so leicht und elegant, dass es selbst Nele überrascht.

Es stehen noch andere Wagen hier. Auf der gegenüberliegenden Seite des Platzes ist der Wagen eines Tuchhändlers, daneben gibt es zwei Scherenschleifer, daneben einen Obsthändler, einen Kesselflicker, noch einen Scherenschleifer, einen Heiler, der im Besitz von Theriak ist, das jede Krankheit heilen kann, einen Obsthändler, einen Gewürzhändler, einen zweiten Heiler, der leider kein Theriak und daher das Nachsehen hat, einen vierten Scherenschleifer und einen Bartscherer. All diese Leute gehören zum fahrenden Handwerk. Wer sie beraubt oder umbringt, wird nicht verfolgt. Das ist der Preis der Freiheit.

Am Rand des Platzes gibt es noch ein paar zwielichtige Gestalten. Das sind die unehrlichen Leute, Musikanten etwa mit Pfeife, Dudelsack und Geige. Sie stehen weit weg, doch Nele will es scheinen, als grinsten sie herüber und flüsterten einander Scherze über Gottfried zu. Neben ihnen sitzt ein Erzähler. Man erkennt ihn am gelben Hut und am blauen Wams und daran, dass er ein Schild um den Hals hat, auf dem in großen Buchstaben etwas steht, was wohl *Erzähler* heißt, denn nur Erzähler haben Schilder – eigentlich unsinnig, da sein Publikum aus Leuten besteht, die nicht lesen können. Musiker erkennt man an ihren Instrumenten und Händler an ihrer Ware, aber um einen Erzähler zu erkennen, braucht es nun mal ein Schild. Und dann ist da noch ein kleingewachsener Mann in der weithin erkennbaren Kleidung der Gaukler: buntes Wams, geplusterte Hosen, Kragen aus Fell. Mit dünnem Lächeln sieht auch er herüber, etwas Schlimmeres als Spott ist darin, und als er bemerkt, dass Nele ihn anblickt, zieht er eine Augenbraue hoch, zeigt seine Zunge im Mundwinkel und zwinkert.

Gottfried hat zum zweiten Mal die zwölfte Strophe erreicht, zum zweiten Mal beendet er seine Ballade, überlegt einen Moment und beginnt wieder von vorn. Tyll macht Nele ein Zeichen. Sie steht auf. Natürlich hat sie schon getanzt – auf den Dorffesten, wenn Musikanten gekommen und die jungen Leute übers Feuer gesprungen sind, und oft hat sie auch mit den Mägden getanzt, einfach so, ohne Musik, in den Arbeitspausen. Aber noch nie hat sie es vor Zuschauern getan.

Doch während sie sich erst in die eine und dann in die andere Richtung dreht, stellt sie fest, dass es keinen Unterschied macht. Sie muss sich nur an Tyll halten. Jedes Mal, wenn der Junge in die Hände klatscht, klatscht auch sie, wenn er den rechten Fuß hebt, hebt sie ihren rechten, und den linken, wenn er den linken hebt, zunächst mit einer kleinen Verzögerung, doch dann schon zugleich, als wüsste sie vorher, was er tun wird, als wären sie nicht zwei Personen, sondern beim Tanzen zu einer geworden – und jetzt auf einmal kippt er nach vorne und tanzt auf seinen Händen, und sie dreht sich um ihn, wieder und wieder und wieder, sodass der Dorfplatz zu einem Geschmier von Farben wird. Schwindelgefühl steigt in ihr auf, aber sie kämpft dagegen an und hält den Blick ins Leere gerichtet, schon wird es besser, und sie kann das Gleichgewicht halten, ohne zu schwanken, während sie sich dreht.

Für einen Augenblick ist sie verwirrt, als die Musik anschwillt und die Töne reicher werden, aber dann begreift sie, dass die Musiker eingefallen sind. Ihre Instrumente spielend, kommen sie heran, und Gottfried, der ihren Rhythmus nicht halten kann, lässt ratlos die Laute sinken, sodass nun endlich alles richtig klingt. Die Menschen applaudieren, Münzen springen über das Holz des Wagens. Tyll steht wieder auf den Füßen, Nele hört auf, sich zu drehen, zwingt ihr Schwindelgefühl nieder und sieht zu, wie er ein Seil – wo hat er es so schnell hergenommen? – am Wagen festknotet und dann von sich wirft, sodass es sich entrollt. Irgendwer fängt es, sie kann es nicht erkennen, weil alles noch schwankt, irgendwer hat es festgeknotet, schon steht

Tyll auf dem Seil und springt vor und zurück und verbeugt sich, und mehr Münzen fliegen, und Gottfried kommt kaum nach mit dem Aufheben. Am Ende springt der Junge herunter und nimmt ihre Hand, die Musiker spielen einen Tusch, sie beide verbeugen sich, und die Leute klatschen und grölen, und der Obsthändler wirft ihnen Äpfel zu – sie fängt einen und beißt hinein, seit einer Ewigkeit hat sie keinen Apfel gegessen. Tyll neben ihr fängt auch einen und noch einen und noch einen und dann noch einen und jongliert mit ihnen. Wieder geht ein Jauchzen durch die Menge.

Als es Abend wird, sitzen sie auf dem Boden und hören dem Erzähler zu. Er spricht vom armen König Friedrich zu Prag, dessen Herrschaft nur einen Winter gedauert hat, bis ihn des Kaisers mächtiges Heer vertrieben hat, nun liegt sie darnieder, die stolze Stadt, und wird sich nie erholen. Er spricht in langen Sätzen in einer wiegend schönen Melodie, ohne seine Hände zu bewegen; mit der Stimme allein schafft er es, dass man nicht anderswo hinschauen mag. Das alles sei wahr, sagt er, sogar das Erfundene sei wahr. Und Nele, ohne dass sie verstünde, was das heißen soll, klatscht.

Gottfried kritzelt in seinen Kalender. Er habe nicht gewusst, murmelt er, dass Friedrich schon wieder abgesetzt sei, nun müsse er sein Lied über ihn umschreiben.

Rechts neben Nele stimmt der Geiger mit vor Aufmerksamkeit geschlossenen Augen sein Instrument.

Jetzt gehören wir dazu, denkt sie. Jetzt sind wir bei den fahrenden Leuten.

Jemand tippt ihr auf die Schulter, sie fährt herum.

Hinter ihr kauert der Gaukler. Er ist nicht mehr ganz jung, und sein Gesicht ist sehr rot. Ein so rotes Gesicht hat Heinrich Tamm gehabt, kurz bevor er gestorben ist. Sogar seine Augen sind rötlich durchzogen. Sie sind aber auch scharf und wach und klug und unfreundlich.

«Ihr zwei», sagt er leise.

Nun dreht auch der Junge sich um.

«Wollt ihr mit mir gehen?»

«Ja», sagt der Junge, ohne zu zögern.

Nele starrt ihn verständnislos an. Wollten sie nicht mit Gottfried ziehen, der gut zu ihnen ist, ihnen Essen gibt, sie aus dem Wald geführt hat? Gottfried, der sie beide gut brauchen könnte?

«Zwei wie euch kann ich gut brauchen», sagt der Gaukler. «Einen wie mich könnt ihr brauchen. Ich bring euch alles bei.»

«Aber wir sind mit ihm unterwegs.» Nele zeigt auf Gottfried, dessen Lippen sich bewegen, während er in sein Büchlein schreibt. Der Stift in seiner Hand bricht, er flucht leise, kritzelt weiter.

«Da bringt ihr's nicht weit», sagt der Gaukler.

«Wir kennen dich nicht», sagt Nele.

«Ich bin Pirmin», sagt der Gaukler. «Jetzt kennt ihr mich.»

«Ich heiße Tyll. Das ist die Nele.»

«Ich frag nicht noch mal. Wenn ihr euch nicht sicher seid, lassen wir es. Dann bin ich weg. Dann könnt ihr mit dem weiter.»

«Wir kommen mit dir», sagt der Junge.

Pirmin streckt die Hand aus, Tyll ergreift sie. Pirmin kichert leise, seine Lippen verziehen sich, in seinem Mundwinkel wird wieder die dicke feuchte Zunge sichtbar. Nele möchte nicht mit ihm reisen.

Da streckt er ihr seine Hand entgegen.

Sie rührt sich nicht. Hinter ihr spricht der Erzähler von der Flucht des Winterkönigs aus der brennenden Stadt – nun fällt er Europas protestantischen Fürsten zur Last, zieht mit seinem albernen Hofstaat durchs Land, trägt noch Purpur, als wäre er einer der Großen, aber die Kinder lachen über ihn, und die weisen Männer vergießen Tränen, weil sie in ihm die Hinfälligkeit aller Größe sehen.

Jetzt hat auch Gottfried es bemerkt. Mit gerunzelter Stirn sieht er auf die ausgestreckte Hand des Narren.

«Komm», sagt der Junge. «Schlag ein.»

Aber warum soll sie tun, was Tyll sagt? Ist sie weggelaufen, um statt ihrem Vater nun ihm zu gehorchen? Was schuldet sie ihm, weshalb soll er bestimmen?

«Was ist?», fragt Gottfried. «Was geht da vor, was soll das?»

Pirmins Hand ist immer noch ausgestreckt. Auch sein Grinsen verändert sich nicht, als hätte ihr Zögern nichts zu bedeuten, als wüsste er längst, wie sie entscheiden wird.

«Ja, was soll denn das?», fragt Gottfried wieder.

Fleischig und weich ist diese Hand, Nele möchte sie nicht anfassen. Es stimmt natürlich, dass Gottfried nicht viel kann. Aber er ist gut zu ihnen gewesen. Und sie mag diesen Kerl nicht, etwas ist nicht richtig mit ihm. Andererseits stimmt es natürlich: Gottfried wird ihnen nichts beibringen können.

Einerseits, andererseits. Pirmin zwinkert, als läse er ihre Gedanken.

Tyll zuckt ungeduldig mit dem Kopf. «Komm, Nele!»

Sie müsste nur den Arm ausstrecken.

ZUSMARSHAUSEN

Er habe ja nicht wissen können, schrieb der dicke Graf in seiner in den frühen Jahren des achtzehnten Jahrhunderts verfassten Lebensbeschreibung, als er schon ein sehr alter Mann war, geplagt von Gicht, Syphilis sowie der Quecksilbervergiftung, die ihm die Behandlung der Syphilis eingetragen hatte, er habe ja nicht wissen können, was ihn erwarte, als Seine Majestät ihn im letzten Jahr des Krieges ausgeschickt habe, den berühmten Spaßmacher zu finden.

Damals war Martin von Wolkenstein noch nicht fünfundzwanzig und doch schon korpulent. Als Nachfahre des Minnesängers Oswald war er aufgewachsen am Wiener Hof, sein Vater war einst Oberkämmerer unter Kaiser Matthias gewesen, sein Großvater zweiter Schlüsselbewahrer des verrückt gewordenen Rudolf. Wer Martin von Wolkenstein kannte, mochte ihn; es war etwas Helles um ihn, eine Zuversicht und eine Freundlichkeit, die vor keiner Unbill versagten. Der Kaiser selbst hatte ihm mehrmals seine Gunst bezeigt, und als Gunstbezeugung hatte er es auch verstanden, als Graf Trauttmansdorff, der Präsident des Geheimen Rates, ihn zu sich bestellt und ihm mitgeteilt hatte, dass dem Kaiser zu Ohren gekommen sei, der berühmteste Spaßmacher des Reichs habe im halbzerstörten Kloster Andechs Zuflucht gefunden. So vieles habe man verfallen sehen, so viel Zerstörung zulassen müssen, Unschätzbares sei untergegangen, aber dass einer wie Tyll Ulenspiegel einfach verderben solle, ob Protestant oder Katholik – denn was er eigentlich sei, scheine keiner zu wissen –, das komme nicht in Frage.

«Ich gratuliere, junger Mann», sagte Trauttmansdorff. «Nützt die Occasion, wer weiß, was daraus noch werden kann.»

Dann, so beschrieb es der dicke Graf mehr als fünfzig Jahre später, habe er ihm seine behandschuhte Hand für den damals noch vom Hofzeremoniell vorgeschriebenen Handkuss gereicht – und genau so war es gewesen, nichts davon hatte er erfunden, obwohl er gerne erfand, wenn seine Erinnerung Lücken hatte, und deren gab es viele, denn all das war, als er davon schrieb, bereits ein Menschenalter her.

Gleich am nächsten Tag ritten wir los, schrieb er. Guten Mutes war ich, voll der Hoffnung, doch auch nicht frei von schwerem Mut, denn die Reise wollte mir so recht, ich kann selbst nicht sagen, weshalb, als Begegnung mit meinem Fatum erscheinen. Und doch war ich voll Neugier darauf, dem roten Gott Mars endlich unverstellt ins Antlitz zu sehen.

Das mit der Eile stimmte nicht, in Wahrheit war mehr als eine Woche vergangen. Er musste schließlich noch Briefe schreiben, in denen er berichtete, was er vorhatte, musste Abschiede vollziehen, die Eltern besuchen, sich vom Bischof segnen lassen; er musste noch einmal mit den Freunden trinken, musste seine Liebste unter den Hofdirnen noch einmal aufsuchen, die zierliche Aglaia, an die er sich noch Jahrzehnte später mit einer Reue erinnerte, deren Seelengrund ihm selbst nicht offenbar war, und natürlich musste er die richtigen Begleiter auswählen. Er entschied sich für drei kampferprobte Männer aus dem Lobkowitz'schen Dragonerregiment sowie für einen Reichshofratssecretarius namens Karl von Doder, der den berühmten Spaßmacher zwanzig Jahre zuvor auf einem Markt bei Neulengbach gesehen hatte, wo der, wie es seine Art war, einer Frau im Publikum sehr übel mitgespielt und danach eine schlimme Messerstecherei ausgelöst hatte, natürlich zur Freude der davon nicht Betroffenen, denn so war es immer, wenn er auftrat: Einigen ging es schlecht, aber die, die davonkamen, hatten großen Spaß gehabt. Zunächst wollte der Secretarius nicht mitkommen, er argumentierte und bat und bettelte und berief sich auf eine unüberwindliche Abscheu vor Gewalt und schlechtem Wetter, aber nichts verschlug, Befehl war Befehl, er musste sich fügen. Etwas über eine Woche nach Erteilung des Auftrags also brach der dicke Graf mit seinen Dragonern sowie dem Secretarius aus der Haupt- und Residenzstadt Wien gen Westen auf.

In seinem Lebensbericht, dessen Stil noch dem Modeton seiner Jugendtage, das heißt der gelehrten Arabeske und der blumigen Ausschmückung, verpflichtet war, schilderte der dicke Graf in Sätzen, die gerade ihrer exemplarischen Gewundenheit wegen den Weg in manches Schullesebuch gefunden haben, den gemächlichen Ritt durchs Wienerwaldgrün: Bei Melk erreichten wir das breite Blau der Donau, im herrlichen Stift kehrten wir ein, um eine Nacht lang unsere müden Häupter auf Kissen zu betten.

Das stimmte wieder nicht ganz, in Wirklichkeit blieben sie einen Monat. Sein Onkel war der Prior, und so aßen sie vortrefflich und schliefen gut. Karl von Doder, der sich immer schon für Alchimie interessiert hatte, verbrachte viele Tage in der Bibliothek, versunken in ein Buch des Weltweisen Athanasius Kircher, die Dragoner spielten Karten mit den Laienbrüdern, und der dicke Graf brachte mit seinem Onkel einige Schachpartien von solch sublimer Perfektion zustande, wie er sie nie wieder erreichen sollte; fast schien es ihm später, als hätten die Erlebnisse danach seine Begabung fürs Schachspiel erstickt. Erst in der vierten Woche ihres Aufenthaltes holte ihn ein Brief von Graf Trauttmansdorff ein, der ihn schon am Ziel wähnte und fragte, ob sie den Ulenspiegel denn in Andechs vorgefunden hätten und wann mit ihrer Rückkehr zu rechnen sei.

Sein Onkel segnete ihn zum Abschied, der Abt schenkte ihm eine Phiole geweihten Öls. Sie folgten dem Donaustrom bis Pöchlarn, um sich sodann südwestlich zu wenden.

Zu Beginn ihrer Reise war ihnen noch ein steter Strom von Händlern, Vaganten, Mönchen und Reisenden aller Art entgegengekommen. Nun aber schien das Land leer. Auch die Witterung war nicht mehr freundlich. Immer öfter wehte kalter Wind, Bäume spreizten kahle Äste, fast alle Felder lagen brach. Die wenigen Menschen, die sie sahen, waren alt: gebeugte Frauen an Brunnen, Greise, die hager vor Hütten hockten, hohlwangige Gesichter am Rand des Wegs. Nichts ließ erkennen, ob diese Leute nur rasteten oder vielmehr am Straßenrand auf ihr Ende warteten.

Als der dicke Graf Karl von Doder darauf ansprach, wollte der nur von dem Buch sprechen, das er in der Klosterbibliothek studiert hatte, *Ars magna lucis et umbrae*, ganz schwindlig werde einem, man blicke gleichsam in einen Abgrund der Gelehrsamkeit; und nein, er habe auch keine Ahnung, wo die jüngeren Menschen seien, aber wenn er eine Vermutung wagen dürfe, dann seien längst alle, die noch hätten rennen können, fortgerannt. In jenem Buch aber sei ständig von Linsen die Rede und davon, wie man die Dinge vergrößern könne, und dann gehe es um Engel, ihre Form, ihre Farbe, und um Musik und die Sphärenharmonien, und um Ägypten gehe es auch, es sei bei Gott ein sehr eigentümliches Werk.

Diesen Satz verwendete der dicke Graf wortwörtlich in seinem Bericht. Aber weil sich ihm die Dinge verwirrten, behauptete er dort, dass er selbst es gewesen sei, der die *Ars magna* gelesen habe, und zwar auf ihrer Reise. Er beschrieb, wie er das Werk in der Satteltasche mit sich getragen habe, was allerdings, wie die Fußnotenschreiber später mit spöttischer Sachlichkeit anmerkten, klar verriet, dass er dieses riesenhafte Buch nie in Händen gehalten hatte. Der dicke Graf aber beschrieb arglos, wie er an wechselnden Abenden vor notdürftigen Lagerfeuern Kirchers denkwürdige Beschreibungen von Licht, Linsen und Engeln studiert habe, wobei ihm die subtilen Überlegungen des großen Gelehrten als der eigenartigste Kontrast zu ihrem Vorrücken in das immer stärker verwüstete Land erschienen sei.

Bei Altheim wurde der Wind so scharf, dass sie die gefütterten Mäntel anziehen und die Kapuzen tief in die Stirnen ziehen mussten. Bei Ranshofen klarte das Wetter noch einmal auf. In einem leer stehenden Bauernhaus sahen sie der Sonne beim Untergehen zu. Keine Menschen weit und breit, nur eine Gans, die wohl irgendwem davongelaufen war, stand zerrupft neben einem Brunnen.

Der dicke Graf streckte sich und gähnte. Das Land war hügelig, aber es war kein Baum mehr zu sehen, alles war abgeholzt. Man hörte ein fernes Grollen.

«Oje», sagte der dicke Graf, «auch das noch, ein Gewitter.»

Die Dragoner lachten.

Der dicke Graf begriff. Er habe das schon erkannt, sagte er verlegen, wodurch es natürlich erst richtig peinlich wurde. Er habe nur einen Scherz gemacht.

Die Gans betrachtete sie aus verständnislosen Gänseaugen. Sie öffnete und schloss den Schnabel. Der Dragoner Franz Kärrnbauer legte mit dem Karabiner an und schoss. Und obgleich der dicke Graf bald darauf noch viel mitansehen würde, sollte er sein Lebtag nicht vergessen, welch ein Schrecken ihn bis ins Innerste durchfuhr, als der Kopf des Vogels platzte. Etwas daran war fast unbegreiflich – wie schnell das ging, wie sich von einem Moment zum nächsten ein fester kleiner Kopf in ein Aufspritzen und in nichts verwandelte und wie das Tier noch ein paar Watschelschritte machte und dann zu einem weißen Gebilde zusammensank, in einer wachsenden Pfütze Blut. Während er sich die Augen rieb und versuchte, ruhig zu atmen, um nicht ohnmächtig zu werden, beschloss er, dass er es unbedingt vergessen musste. Aber natürlich vergaß er nicht, und als er sich ein halbes Jahrhundert später bei der Abfassung seines Lebensberichtes an diese Reise erinnerte, war es das Bild des zerplatzenden Gänsekopfs, das an Deutlichkeit alles andere überstrahlte. In einem ganz und gar ehrlichen Buch hätte er davon erzählen müssen, aber er brachte es nicht über sich und nahm es mit ins Grab, und keiner erfuhr, mit welch unaussprechlichem Ekel er mitangesehen hatte, wie die Dragoner den Vogel fürs Abendessen zugerichtet hatten: Fröhlich schabten sie Federn ab, schnitten und rissen, nahmen den Körper aus und brieten das Fleisch über dem Feuer.

In dieser Nacht schlief der dicke Graf schlecht. Der Wind heulte durch die Fensterhöhlen. Er schlotterte vor Kälte, der Dragoner Kärrnbauer schnarchte laut. Ein anderer Dragoner namens Stefan Purner, oder vielleicht war es auch Konrad Purner – die beiden waren Brüder, und der dicke Graf verwechselte sie so häufig, dass sie ihm später im Buch zu einer einzigen Gestalt zusammenflossen –, gab ihm einen Stoß, aber er schnarchte nur noch lauter.

Am Morgen ritten sie weiter. Das Dorf Markl war völlig zerstört: durchlöcherte Mauern, geborstene Balken, Schutt und Steine auf dem Weg, neben dem verdreckten Brunnen ein paar alte Leute, die um Essen bettelten. Der Feind sei hier gewesen und habe alles genommen, und das Wenige, das man habe verstecken können, habe danach der Freund genommen, die Soldaten des Kurfürsten nämlich, und kaum seien die abgezogen, sei das, was man vor ihnen noch habe verbergen können, wiederum von den Feinden genommen worden.

«Welchen Feinden denn?», fragte der dicke Graf besorgt. «Schweden oder Franzosen?»

Das sei ihnen gleich, sagten sie. Sie hätten solchen Hunger.

Der dicke Graf zögerte einen Moment, dann gab er den Befehl zum Weiterreiten.

Ihnen nichts dazulassen sei schon richtig gewesen, sagte Karl von Doder. Man habe nicht genug Proviant und müsse einen Auftrag von höchster Stelle ausführen, man könne nun mal nicht jedermann helfen, das vermöge nur Gott, der sich dieser Christenmenschen bestimmt in seiner unendlichen Barmherzigkeit annehmen werde.

Alle Felder lagen brach, einige waren aschgrau, von großen Feuern. Die Hügel duckten sich unter einem bleischweren Himmel. In der Ferne standen Rauchsäulen vor dem Horizont.

Am besten, sagte Karl von Doder, ziehe man an Altötting, Polling und Tüssling südlich vorbei, fernab der Landstraße, im freien Feld. Wer jetzt noch nicht aus den Dörfern geflohen sei, sei bewaffnet und misstrauisch. Eine Gruppe von Reitern, die auf ein Dorf zuhalte, könne ohne weiteres aus der Deckung beschossen werden.

«Ja, gut», sagte der dicke Graf, der nicht begriff, wieso ein Reichshofratssecretarius plötzlich derart genaue Vorstellungen davon hatte, wie man sich im Kriegsgebiet verhalten musste. «Einverstanden!»

«Wenn wir Glück haben und keinen Soldaten begegnen», sagte Karl von Doder, «dann schaffen wir es in zwei Tagen bis nach Andechs.»

Der dicke Graf nickte und versuchte, sich vorzustellen, dass jemand ernstlich auf ihn schießen könnte, gezielt über Kimme und Korn. Auf ihn, Martin von Wolkenstein, der noch keinem Übles getan hatte, mit einer echten Kugel. Er sah an sich herab. Sein Rücken tat weh, sein Gesäß war wund von den Tagen im Sattel. Er strich über seinen Bauch und stellte sich eine Kugel vor, er dachte an den geplatzten Gänsekopf, und er dachte auch an den Metallzauber, über den Athanasius Kircher in seinem Buch über die Magneten geschrieben hatte: Wenn man einen Magnetstein von ausreichender Stärke in seiner Tasche trage, so könne der die Kugeln ablenken und einen Mann unverwundbar machen. Das hatte der legendäre Gelehrte selbst ausprobiert. Leider waren derart starke Magneten sehr selten und teuer.

Als er ein halbes Jahrhundert später ihre Reise zu rekonstruieren versuchte, kam ihm seines Alters wegen der Zeitlauf durcheinander. Um seine Unsicherheit zu kaschieren, findet sich an dieser Stelle des Lebensberichts eine blumige Abschweifung, siebzehneinhalb Seiten lang, über die Kameradschaft der Männer, die einer Gefahr entgegengehen im Wissen, dass ebendiese Gefahr sie entweder töten oder fürs Leben in Freundschaft verbinden wird. Die Passage wurde berühmt, unerachtet des Umstands, dass sie erlogen war, denn in Wahrheit war keiner der Männer sein Freund geworden. Die eine oder andere Unterhaltung mit dem Reichshofratssecretarius stand ihm beim Schreiben noch in Bruchstücken im Gedächtnis, aber was die Dragoner anging, so erinnerte er sich kaum an ihre Namen und schon gar nicht an ihre Gesichter. Nur dass einer von ihnen einen breitkrempigen Hut aufgehabt hatte mit einem grauroten Federbusch, das wusste er noch. Vor allem sah er lehmige Feldwege vor sich und spürte, als wäre es gestern gewesen, das Klopfen des Regens auf seiner Kapuze. Sein Mantel war schwer von Wasser gewesen. Damals hatte er begriffen, dass nichts je so nass war, dass es nicht noch nässer werden konnte.

Vor einiger Zeit waren hier Wälder gewesen. Aber als er beim Reiten, mit schmerzendem Rücken und wundem Gesäß, darüber nachdachte, bemerkte er, dass dieses Wissen ihm nichts bedeutete. Der Krieg kam ihm nicht wie etwas von Menschen Gemachtes vor, sondern wie Wind und Regen, wie das Meer, wie die hohen Klippen von Sizilien, die er als Kind gesehen hatte. Dieser Krieg war älter als er. Er war manchmal gewachsen und manchmal geschrumpft, er war hierhin und dorthin gekrochen, hatte den Norden verwüstet, sich nach Westen gewendet, hatte einen Arm nach Osten und einen in den Süden ausgestreckt, dann sein volles Gewicht in den Süden gewälzt, nur um sich sodann wieder für eine Weile im Norden niederzulassen. Natürlich kannte der dicke Graf Menschen, die sich noch an die Zeit davor erinnerten, allen voran seinen Vater, der im Tiroler Familienlandsitz Rodenegg hustend und gut gelaunt den Tod erwartete, wie ihn der dicke Graf selbst fast sechzig Jahre später hustend und schreibend erwarten sollte, am selben Ort und an demselben steinernen Tisch. Sein Vater hatte einmal mit Albrecht von Wallenstein gesprochen; der große und dunkle Mann hatte sich über das feuchte Wetter in Wien beklagt, sein Vater hatte geantwortet, dass man sich daran gewöhne, worauf Wallenstein erwidert hatte, er wolle und werde sich nicht an solches Dreckswetter gewöhnen, worauf sein Vater mit einer besonders geistreichen Bemerkung hatte parieren wollen, aber Wallenstein hatte sich schon brüsk abgewendet. Kaum ein Monat verging, in dem sein Vater nicht einen Anlass fand, davon zu sprechen, ebenso wie er nie zu erwähnen vergaß, dass er einige Jahre zuvor auch dem unglücklichen Kurfürsten Friedrich begegnet war, der kurz danach die böhmische Krone angenommen und den großen Krieg vom Zaun gebrochen hatte, nur um nach einem einzigen Winter schimpflich verjagt zu werden und schließlich irgendwo am Wegrand zu verrecken, nicht einmal ein Grab hatte er.

In dieser Nacht fanden sie keinen Unterstand. Sie rollten sich auf einem kahlen Feld zusammen und hüllten sich in ihre nassen Mäntel. Der Regen war zu stark, um Feuer zu machen. Nie hatte der dicke Graf sich so elend gefühlt. Der nasse Mantel, der immer nässer wurde, der inzwischen schon unbeschreiblich vollgesogene Mantel und der weiche Lehm, in dem sein Körper allmählich tiefer sank – konnte der Morast einen

Menschen einfach schlucken? Er versuchte, sich aufzusetzen, aber es gelang ihm nicht, der Lehm schien ihn festzuhalten.

Irgendwann hörte der Regen auf. Franz Kärrnbauer schichtete hustend ein paar Zweige und schlug die Feuersteine gegeneinander, wieder und wieder, bis endlich Funken flogen, und dann fuhrwerkte er noch eine halbe Ewigkeit und blies auf das Holz und murmelte Zauberformeln, bis kleine Flammen in die Dunkelheit zuckten. Zitternd hielten sie die Hände in die Wärme.

Die Pferde scheuten und wieherten. Einer der Dragoner stand auf, der dicke Graf konnte nicht erkennen, welcher, aber dass er den Karabiner im Anschlag hielt, sah er. Das Feuer ließ ihre Schatten tanzen.

«Wölfe», flüsterte Karl von Doder.

Sie starrten in die Nacht. Mit einem Mal erfüllte den dicken Grafen das Gefühl, dass dies alles ein Traum sein musste, mit solcher Stärke, dass es ihm in der Erinnerung scheinen sollte, als wäre es auch einer gewesen und als wäre er gleich darauf aufgewacht, am hellen Morgen, trocken und ausgeschlafen. Es konnte sich so nicht abgespielt haben, aber statt sich mit dem Erinnern abzumühen, schob er zwölf Seiten kunstvoll verschachtelter Sätze über seine Mutter ein. Das meiste war reine Erfindung, denn er verschmolz seine ferne und kaltherzige Mutter mit der Figur seiner Lieblingsgouvernante, die sanfter zu ihm gewesen war als irgendein anderer Mensch, außer vielleicht die schmale und schöne Dirne Aglaia. Als sein Bericht nach dieser langen und erlogenen Erinnerung zur Reise zurückfand, waren sie bereits an Haar und Baierbronn vorbei, und hinter ihm führten die Dragoner ein Gespräch über Zauberformeln, die einen vor irrenden Kugeln schützten.

«Gegen eine gut gezielte kannst nichts machen», sagte Franz Kärrnbauer.

«Außer man hat einen wirklich starken Spruch», sagte Konrad Purner. «Einen von den ganz geheimen. Die können sogar was gegen Kanonenkugeln ausrichten, ich hab das selbst gesehen, bei Augsburg. Einer neben mir hat so einen verwendet, ich dachte, der ist tot, aber dann ist er wieder aufgestanden, als wäre nichts geschehen. Den Spruch habe ich nicht richtig gehört, es ist ein Jammer.»

«Ja, mit so einem Spruch geht es schon», sagte Franz Kärrnbauer. «Einem wirklich teuren. Aber die einfachen Sprüche, die man auf dem Markt kauft, die können nichts.»

«Ich hab einen gekannt», sagte Stefan Purner, «der hat für die Schweden gekämpft, und er hat ein Amulett gehabt, mit dem hat er erst Magdeburg überlebt, dann Lützen. Dann hat er sich totgetrunken.»

«Aber das Amulett», fragte Franz Kärrnbauer. «Wer hat das gekriegt, wo ist es?»

«Ja, wenn man's wüsste.» Stefan Purner seufzte. «Wenn man das hätte. Dann wäre alles anders.»

«Ja», sagte Franz Kärrnbauer andächtig. «Wenn man das hätte!»

Bei Haar fanden sie den ersten Toten. Er musste schon eine Weile da gelegen haben, denn seine Kleider waren mit einer Erdschicht überzogen, und seine Haare schienen verflochten mit den Grashalmen. Er lag mit dem Gesicht zum Boden, die Beine gespreizt, mit nackten Füßen.

«Das ist normal», sagte Konrad Purner, «niemand lässt einer Leiche die Stiefel. Wenn man Pech hat, wird man allein wegen seiner Schuhe umgebracht.»

Der Wind trug kleine, kalte Regentropfen mit sich. Um sie herum waren Baumstümpfe, Hunderte davon, hier war ein ganzer Wald abgeholzt worden. Sie kamen durch ein bis auf die Grundmauern niedergebranntes Dorf, und da sahen sie einen Leichenhaufen. Der dicke Graf wandte den Blick ab und sah dann doch hin. Er sah geschwärzte Gesichter, einen Rumpf mit nur einem Arm, eine zur Klaue gekrampfte Hand, zwei leere Augenhöhlen über einem offenen Mund und dort etwas, das wie ein Sack aussah, aber der Überrest eines Leibes war. Ein beißender Geruch hing in der Luft.

Am späten Nachmittag kamen sie zu einem Dorf, in dem noch Menschen waren. Ja, der Ulenspiegel sei im Kloster, sagte eine alte Frau, der lebe noch. Und als ihnen kurz vor Sonnenuntergang ein verwildert aussehender Mann und ein kleiner Junge begegneten, die gemeinsam einen Karren zogen, bekamen sie die gleiche Auskunft. Der sei im Kloster, sagte der Mann und stierte am Pferd des dicken Grafen empor. Immer nach Westen, am See vorbei, dann könnten sie es nicht verfehlen. Ob die Herren Essen hätten für ihn und seinen Sohn?

Der dicke Graf griff in die Satteltasche und gab ihm eine Wurst. Es war seine letzte, und er wusste, dass es ein Fehler war, aber er konnte nicht anders, das Kind tat ihm so leid. Benommen fragte er, warum sie den Wagen zögen.

«Er ist alles, was wir haben.»

«Aber er ist leer», sagte der dicke Graf.

«Aber er ist alles, was wir haben.»

Wieder schliefen sie im freien Feld, zur Sicherheit zündeten sie kein Feuer an. Der dicke Graf fror, aber wenigstens regnete es nicht, und der Boden war fest. Kurz nach Mitternacht hörten sie in der Nähe zwei Schüsse. Sie lauschten. Im ersten Morgenlicht schwor Karl von Doder, er habe einen Wolf gesehen, der sie aus nicht zu großer Entfernung beobachtet habe. Hastig saßen sie auf und ritten weiter.

Sie begegneten einer Frau. Es war nicht zu erkennen, ob sie alt war oder ob ihr das Leben nur übel mitgespielt hatte, so zerfurcht war ihr Gesicht, so gebeugt ging sie. Ja, im Kloster, dort sei er noch. Kaum sprach sie von dem berühmten Spaßmacher, musste sie lächeln. Und so war es immer, schrieb der dicke Graf fünfzig Jahre später, alle schienen Bescheid zu wissen; jeder, dem wir seinen Namen nannten, wies Richtung und Weg, im verödeten Land hatte die Kunde, wo er sich aufhielt, Eingang in jede verbliebene Seele gefunden.

Gegen Mittag kamen ihnen Soldaten entgegen. Zuerst eine Gruppe Pikeniere: verwilderte Menschen mit struppigen Bärten. Einige hatten offene Wunden, andere schleppten Säcke voll Beute. Ein Geruch von Schweiß, Krankheit und Blut hing über ihnen, und sie blickten aus kleinen, feindseligen Augen. Ihnen folgten Planwagen, auf denen ihre Frauen und Kinder hockten. Ein paar der Frauen hielten Säuglinge fest. Wir sahen nur die Verheerung der Leiber, schrieb der dicke Graf später, aber ob Freund oder Feind, war nicht zu erkennen, denn sie trugen keine Feldzeichen.

Nach den Pikenieren kam ein gutes Dutzend Reiter.

«Meinen Dienst», sagte einer, der offenbar ihr Anführer war, «wohin des Wegs?»

«Zum Kloster», sagte der dicke Graf.

«Dort kommen wir gerade her. Gibt dort nichts zu essen.»

«Wir suchen nicht nach Essen, wir suchen nach Tyll Ulenspiegel.»

«Ja, der ist dort. Wir haben ihn gesehen, aber wir haben das Weite suchen müssen, als die Kaiserlichen gekommen sind.»

Der dicke Graf wurde bleich.

«Keine Angst, ich tu euch nichts. Ich bin der Hans

Kloppmess aus Hamburg. Ich war auch mal kaiserlich. Und vielleicht werde ich es wieder, wer weiß? Ein Söldner hat einen Beruf, nicht anders als ein Tischler und Bäcker. Die Armee ist meine Innung, dort im Wagen hab ich Frau und Kinder, die muss ich ernähren. Im Augenblick zahlen die Franzosen nichts, aber wenn sie doch zahlen, dann wird es mehr sein, als man beim Kaiser kriegt. In Westfalen verhandeln die großen Herren über den Frieden. Wenn der Krieg aufhört, bekommen alle den ausstehenden Sold, drauf kann man sich verlassen, denn ohne den Sold würden wir uns weigern, nach Hause zu gehen, davor haben die Herren Angst. Schöne Pferde habt ihr!»

«Danke», sagte der dicke Graf.

«Könnt ich gut brauchen», sagte Hans Kloppmess.

Besorgt drehte sich der dicke Graf nach seinen Dragonern um.

«Wo kommt ihr her?», fragte Hans Kloppmess.

«Wien», sagte der dicke Graf mit belegter Stimme.

«Ich war einmal fast in Wien», sagte der Reiter neben Hans Kloppmess.

«Was, wirklich?», fragte Hans Kloppmess. «Du in Wien?»

«Nur fast. Bin nicht hingekommen.»

«Was ist passiert?»

«Passiert ist nichts, ich bin nicht nach Wien gekommen.»

«Haltet euch von Starnberg fern», sagte Hans Kloppmess. «Am besten wandert ihr südlich an Gauting vorbei, dann Richtung Herrsching, dann von dort zum Kloster, der Weg ist noch für Wanderer frei. Aber beeilt euch, Turenne und Wrangel sind schon über die Donau. Bald geht es heiß her.»

«Wir sind keine Wanderer», sagte Karl von Doder.

«Wartet's ab.»

Kein Kommando war nötig, keine Absprache. Alle gaben sie den Pferden die Sporen. Der dicke Graf beugte sich über den Hals des Tieres und hielt sich fest, halb an den Zügeln und halb an der Mähne. Er sah die Erde unter den Hufen spritzen, er hörte Rufe hinter sich, er hörte den Knall eines Schusses, er widerstand der Versuchung, sich umzusehen.

Sie ritten und ritten, und sie ritten und ritten immer noch, sein Rücken schmerzte unerträglich, er hatte keine Kraft mehr in den Beinen, und er wagte nicht, den Kopf zu drehen. Neben ihm ritt Franz Kärrnbauer, vor ihm ritten Konrad Purner und Karl von Doder, Stefan Purner ritt hinter ihm.

Endlich hielten sie an. Die Pferde dampften vor Schweiß. Dem dicken Grafen war schwarz vor Augen, er rutschte aus dem Sattel, Franz Kärrnbauer stützte ihn und half ihm beim Absteigen. Die Soldaten waren ihnen nicht gefolgt. Es hatte zu schneien begonnen. Weißgraue Flocken trieben in der Luft. Als er eine davon auf den Finger nahm, erkannte er, dass es Asche war.

Karl von Doder tätschelte den Hals seines Pferdes. «Südlich vorbei an Gauting, hat er gesagt, dann Richtung Herrsching. Die Pferde haben Durst, sie brauchen Wasser.»

Sie stiegen wieder auf. Stumm ritten sie durch die fallende Asche. Sie begegneten keinem Menschen mehr, und am späten Nachmittag sahen sie über sich den Turm des Klosters.

Hier macht Martin von Wolkensteins Lebensbericht einen Sprung: Kein Wort verliert er über den steilen Anstieg hinter Herrsching, der den Pferden nicht leichtgefallen sein kann, auch gibt es nichts über die halbzerstörten Klostergebäude und keine Schilderung der Mönche. Natürlich lag das an seinem Gedächtnis, noch mehr aber lag es wohl daran, dass ihn beim Schreiben nervöse Ungeduld befiel. Und so finden die Leser ihn schon zwei konfuse Zeilen später dem Abt gegenüber, in den frühen Morgenstunden des nächsten Tages.

Sie saßen auf zwei Hockern in einem leeren Saal. Die Möbel waren gestohlen, zerstört oder verheizt worden. Auch Wandteppiche habe es gegeben, sagte der Abt, silberne Kerzenhalter und ein großes Kreuz aus Gold über dem Türbogen dort. Nun kam das Licht von einem einzigen Kienspan. Pater Friesenegger erzählte sachlich und knapp, dennoch fielen dem dicken Grafen einige Male die Augen zu. Immer wieder schreckte er auf, nur um festzustellen, dass der hagere Mann unterdessen weitergesprochen hatte. Der dicke Graf hätte sich gerne ausgeruht, aber der Abt wollte von den letzten Jahren erzählen, er wollte, dass der Bote des Kaisers genau wusste, was das Kloster mitgemacht hatte. Als der dicke Graf, dem mittlerweile ständig Dinge, Leute und Jahre durcheinandergerieten, in den Tagen Leopolds I. seinen Lebensbericht schrieb, sollte er sich neidvoll an Pater Frieseneggers fehlerloses Gedächtnis erinnern.

Die schweren Jahre hätten dem Geist des Abtes nichts anhaben können, schrieb er. Seine Augen seien scharf und aufmerksam gewesen, seine Worte gut gewählt, die Sätze lang und wohlgebildet, doch Wahrhaftigkeit sei nicht alles: Die Unmenge von Ereignissen hätte sich ihm nicht zu Geschichten geformt, und so sei es schwierig gewesen, ihm zu folgen. Immer wieder waren in den Jahren Soldaten ins Kloster eingefallen: Die kaiserlichen Truppen hatten genommen, was sie brauchten, dann waren die protestantischen Truppen gekommen und hatten genommen, was sie brauchten. Dann hatten die Protestanten sich zurückgezogen, und die Kaiserlichen waren wiedergekommen und hatten genommen, was sie brauchten: Tiere und Holz und Stiefel. Dann waren die Kaiserlichen abgezogen, aber sie hatten eine Schutzgarde dagelassen, und dann waren marodierende Soldaten gekommen, die zu keiner Armee gehörten, und die Schutzgarde hatte sie vertrieben, oder sie hatten die Schutzgarde vertrieben, entweder das eine oder das andere oder vielleicht auch das eine zuerst und das andere später, der dicke Graf war sich nicht sicher, und es war ja auch egal, denn die Schutzgarde war wieder abgezogen, und entweder die Kaiserlichen oder die Schweden waren gekommen, um zu nehmen, was sie brauchten: Tiere und Holz und Kleider und vor allem natürlich Stiefel, wenn es denn noch Stiefel gegeben hätte, auch das Holz war schon dahin. Im nächsten Winter hatten die Bauern der umliegenden Dörfer sich ins Kloster geflüchtet, in allen Sälen hatten Menschen gelegen, in allen Kammern, in jedem kleinsten Korridor. Der Hunger, die verunreinigten Brunnen, die Kälte, die Wölfe!

«Wölfe?»

In die Häuser seien sie eingedrungen, erzählte der Abt, zunächst nur nachts, aber bald auch tagsüber. Die Menschen seien in die Wälder geflohen und hätten dort die kleinen Tiere erlegt und gegessen und dann die Bäume abgeholzt, um nicht zu erfrieren – dadurch hätten die Wölfe vor Hunger alle Furcht und Scheu verloren. Wie lebendig gewordene Albträume seien sie über die Dörfer gekommen, wie Schreckgestalten aus alten Märchen. Mit hungrigen Augen seien sie in Stuben und Ställen erschienen, ohne die geringste Angst vor Messern oder Mistgabeln. In den schlimmsten Wintertagen hätten sie sogar den Weg ins Kloster gefunden, eines der Tiere habe eine Frau mit einem Säugling angefallen und ihr das Kind aus der Hand gerissen.

Nein, genau das war nun wieder nicht passiert, nur von der Angst um die kleinen Kinder hatte der Abt gesprochen. Aber aus irgendeinem Grund hatte die Vorstellung, ein Säugling könnte vor den Augen der Mutter von einem Wolf verzehrt worden sein, den dicken Grafen, der zu diesem Zeitpunkt schon fünf Enkel und drei Urenkel hatte, so sehr in Bann geschlagen, dass er meinte, der Abt habe ihm wohl auch dies erzählt, weshalb er unter eloquenten Entschuldigungen dafür, dass er dem Leser das Folgende nicht zu ersparen das Recht habe, eine zutiefst grausame Beschreibung von Schmerzensschreien, Entsetzen, Wolfsknurren, scharfen Zähnen und Blut einfügte.

Und so, sagte der Abt mit seiner ruhigen Stimme, sei es weiter- und weitergegangen, Tag um Tag, Jahr um Jahr. So viel Hunger. So viel Krankheit. Der Wechsel der Armeen und Marodeure. Das Land habe sich entvölkert. Die Wälder seien verschwunden, die Dörfer abgebrannt, die Menschen geflohen, weiß Gott, wohin. Im letzten Jahr hätten sich selbst die Wölfe davongemacht. Er beugte sich vor, legte dem dicken Grafen eine Hand auf die Schulter und fragte, ob er sich das auch alles merken könne.

«Alles», sagte der dicke Graf.

Es sei wichtig, dass der Hof davon erfahre, sagte der Abt. Der bayerische Kurfürst als Oberbefehlshaber der Kaiserlichen interessiere sich in seiner Weisheit nur fürs große Bild, nicht für die Einzelheiten. Oft habe man ihn um Hilfe angerufen, aber die Wahrheit sei, dass seine Truppen schlimmer gewütet hätten als die Schweden. Nur wenn man sich daran erinnere, habe all das Leiden einen Sinn gehabt.

Der dicke Graf nickte.

Der Abt sah ihm aufmerksam ins Gesicht.

Haltung, sagte er, als hätte er die Gedanken seines Gegenübers gelesen. Zucht und inneres Wollen. Das Wohl des Klosters ruhe auf seinen Schultern, das Überleben der Mitbrüder.

Er bekreuzigte sich, der dicke Graf tat es ihm nach.

Das hier helfe sehr. Der Abt griff in den Aufschlag seiner Kutte, und mit einem Entsetzen, wie er es nur aus Fieberphantasien kannte, sah der dicke Graf ein Jutegeflecht, darin Dornen aus Metall sowie Glasscherben mit eingetrocknetem Blut.

Man gewöhne sich daran, sagte der Abt. Die ersten Jahre seien die schlimmsten gewesen, da habe er das Büßerhemd manchmal ausgezogen und den eiternden Oberkörper mit Wasser gekühlt. Aber dann habe er sich seiner Schwäche geschämt, und Gott habe ihm Mal für Mal die Kraft geschenkt, es wieder anzuziehen. Es habe Augenblicke gegeben, da der Schmerz so wild geworden sei, so teufelsgewaltig spitz und flammend, dass er gemeint habe, er verliere den Verstand. Aber das Beten habe geholfen. Gewohnheit habe geholfen. Und seine Haut sei dicker geworden. Ab dem vierten Jahr habe sich der ständige Schmerz in einen Freund verwandelt.

In diesem Moment, so schrieb der dicke Graf später, musste ihn der Schlaf übermannt haben, denn als er gähnte und sich die Augen rieb und einige Momente brauchte, um sich zu erinnern, wo er war, saß ihm ein anderer gegenüber.

Es war ein dürrer Mann mit hohlen Wangen und einer Narbe, die vom Haaransatz bis hinunter zur Nasenwurzel lief. Er trug eine Kutte, und doch ließ sich deutlich erkennen – auch wenn man nicht hätte sagen können, woran –, dass er kein Mönch war. Noch nie hatte der dicke Graf solche Augen gesehen. Als er es später beschrieb, wusste er nicht mehr recht, ob dieses Gespräch wirklich so stattgefunden hatte, wie er es über die Jahre hinweg Freunden, Bekannten und Fremden berichtet hatte. Aber er entschied sich, bei der Version zu bleiben, die nun schon zu viele Leute gehört hatten, als dass er davon noch hätte abgehen können.

«Da bist du endlich», habe der Mann gesagt. «Ich hab lang gewartet.»

«Bist du Tyll Ulenspiegel?»

«Einer von uns ist es. Bist hier, mich zu holen?»

«Im Auftrag des Kaisers.»

«Welcher Kaiser? Gibt viele.»

«Nein, gibt es nicht! Worüber lachst du?»

«Ich lach nicht über den Kaiser, ich lach über dich. Wieso bist du so fett? Es gibt doch nichts zu fressen, wie machst du das?»

«Halt deinen Mund», sagte der dicke Graf und

wurde sofort wütend darüber, dass ihm nichts Geistreicheres eingefallen war. Und obwohl er sein Lebtag über eine bessere Antwort nachdachte und auch eine ganze Reihe davon fand, wich er in keinem Bericht von diesem blamablen Satz ab. Denn gerade er schien die Wahrheit seiner Erinnerung zu besiegeln. Würde man etwas erfinden, das einen so schlecht dastehen ließ?

«Schlägst du mich sonst? Aber das tust du nicht. Du bist weich. Sanft und weich und lieb. Das hier ist nichts für dich.»

«Krieg ist nichts für mich?»

«Nein, ist nichts für dich.»

«Aber für dich schon?»

«Ja, für mich schon.»

«Kommst du freiwillig mit, oder müssen wir dich zwingen?»

«Natürlich komm ich. Hier gibt es nichts mehr zu essen, hier fällt alles auseinander, der Abt macht's auch nicht mehr lang, drum habe ich nach dir geschickt.»

«Du hast nicht nach mir geschickt.»

«Ich hab nach dir geschickt, du fetter Knödel.»

«Seine Majestät hat gehört –»

«Na, warum hat die Majestät das denn gehört, du Riesenwanstling? Von mir gehört hat die kleine Majestät, die saublöde Majestät mit der goldenen Krone auf dem goldenen Thron, weil ich nach euch geschickt hab. Und hau mich nicht, ich darf das sagen, du kennst doch die Narrenfreiheit. Wenn ich die Majestät nicht saublöd nenne, wer soll das sonst tun? Einer muss es doch. Und du darfst nicht.»

Ulenspiegel grinste. Es war ein fürchterliches Grinsen, böse und spöttisch, und da der dicke Graf nicht mehr wusste, wie ihr Gespräch weitergegangen war, verwandte er ein halbes Dutzend Sätze darauf, dieses Grinsen zu beschreiben, um dann eine Seite lang über den tiefen, satten und erquickenden Schlaf zu schwärmen, den er auf dem Boden einer Klosterzelle bis zur Mittagsstunde des nächsten Tages gefunden hatte: Morpheus, freundlicher Gott der Ruhe, Friedenschenker, Freudenstifter, seliger Hüter des nächtlichen Vergessens, in dieser Nacht, da ich dich nötiger brauchte denn je, warst du für mich da, bis ich erwachte – verjüngt, glücklich, beinahe gesegnet.

Diese letzte Formulierung spiegelt weniger die Gefühle des jungen Mannes als die Glaubenszweifel des alten wider, über die er sich an anderer Stelle in bewegenden Worten ausließ. Aus Scham hingegen verschwieg er ein Detail, das ihm noch aus einem Zeitabstand von fünfzig Jahren die Röte ins Gesicht trieb. Als sie nämlich gegen Mittag auf dem Hof zusammenkamen, um sich vom Abt und drei ausgemergelten Mönchen zu verabschieden, die mehr wie Gespenster aussahen als wie echte Menschen, fiel ihnen auf, dass sie vergessen hatten, für Ulenspiegel ein Pferd mitzubringen.

Tatsächlich hatte keiner von ihnen darüber nachgedacht, worauf der Mann, den sie nach Wien bringen sollten, eigentlich reiten würde. Denn natürlich gab es hier keine Pferde zu kaufen oder zu leihen, es gab nicht einmal Esel. Alle Tiere waren gegessen worden oder davongelaufen.

«Na, dann sitzt er halt hinter mir auf», sagte Franz Kärrnbauer.

«Das taugt mir nicht», sagte Ulenspiegel. Bei Tageslicht sah er in seiner Mönchskutte noch dünner aus. Er stand vornübergebeugt, seine Wangen waren hohl, seine Augen lagen tief in den Höhlen. «Der Kaiser ist mein Freund. Ich will ein Pferd für mich.»

«Ich schlag dir die Zähne aus», sagte Franz Kärrnbauer ruhig, «und ich brech dir die Nase. Ich tu das. Schau mich an. Du weißt, dass ich's tue.»

Ulenspiegel sah einen Moment nachdenklich zu ihm auf, dann stieg er hinter Franz Kärrnbauer in den Sattel.

Karl von Doder legte dem dicken Grafen eine Hand auf die Schulter und flüsterte: «Das ist er nicht.»

«Wie bitte?»

«Das ist er nicht!»

«Wer ist was nicht?»

«Ich glaube, das ist nicht der, den ich gesehen habe.»

«Was?»

«Damals auf dem Jahrmarkt. Ich kann's nicht ändern. Ich glaube, er ist es nicht.»

Der dicke Graf sah den Secretarius einen langen Moment an. «Seid Ihr Euch sicher?»

«Nicht ganz sicher. Es ist Jahre her, und er war über mir auf einem Seil. Wie kann man sich da sicher sein!»

«Reden wir nicht mehr davon», sagte der dicke Graf.

Der Abt segnete sie mit zittrigen Händen und riet ihnen, die Städte zu meiden. Die Residenzstadt München habe wegen des Ansturms der Hilfesuchenden die Tore geschlossen, niemand dürfe mehr hinein, die Straßen quöllen über vor Hungrigen, die Brunnen seien verdreckt. Ähnlich stehe es um Nürnberg, wo die Protestanten lagerten. Es werde behauptet, dass Wrangel und Turenne mit Verbänden aus Nordwesten kämen, daher sei es am besten, in weiter Schleife nordöstlich auszuweichen, zwischen Augsburg und Ingolstadt hindurch. Bei Rottenburg könne man geradewegs nach Osten, von dort stehe der Weg nach Niederösterreich offen. Der Abt schwieg und kratzte sich an der Brust – eine gewöhnliche Bewegung scheinbar, aber jetzt, wo der dicke Graf von dem Büßerhemd wusste, konnte er sie kaum mitansehen. Es gebe Gerüchte, dass beide Seiten es auf eine Feldschlacht anlegten, bevor in Westfalen der Waffenstillstand ausgerufen werde. Jede Seite wolle vorher noch ihre Lage verbessern.

«Vielen Dank», sagte der dicke Graf, der kaum etwas mitbekommen hatte. Geographie war nie seine Sache gewesen. In der Bibliothek seines Vaters standen mehrere Bände von Matthäus Merians *Topographia Germaniae*, einige Male hatte er mit Schaudern darin geblättert. Wozu sollte man sich all das merken? Wozu all diese Orte aufsuchen, wenn man doch auch in der Mitte bleiben konnte, im Zentrum der Welt, in Wien?

«Geh mit Gott», sagte der Abt zu Ulenspiegel.

«Bleib mit Gott», antwortete der Narr vom Pferd herab. Er hatte seine Arme um Franz Kärrnbauer gelegt und sah so schmal und schwach aus, dass man sich kaum vorstellen konnte, wie er sich auf dem Pferd halten sollte.

«Eines Tages bist du vor unseren Toren gestanden», sagte der Abt. «Wir haben dich aufgenommen, haben nicht gefragt, welches dein Bekenntnis ist. Über ein Jahr warst du hier, jetzt gehst du wieder.»

«Schöne Rede», sagte Ulenspiegel.

Der Abt schlug das Kreuz. Der Gaukler wollte es ihm nachtun, kam aber offenbar durcheinander – seine Arme verhakten sich, seine Hände fanden nicht dorthin, wohin sie sollten. Der Abt wandte sich ab, der dicke Graf musste das Lachen unterdrücken. Zwei Mönche öffneten das Tor.

Sie kamen nicht weit. Schon nach wenigen Stunden gerieten sie in einen Wolkenbruch, wie der dicke Graf noch keinen erlebt hatte. Eilig saßen sie ab und hockten sich unter die Pferde. Der Regen strömte, prasselte, brauste um sie, als löste der Himmel sich auf.

«Wenn es aber nicht der Ulenspiegel ist?», flüsterte Karl von Doder.

Zwei Dinge, die sich nicht unterscheiden ließen, seien dasselbe Ding, sagte der dicke Graf. Entweder sei dieser Mann Ulenspiegel, der im Kloster Andechs Zuflucht gesucht habe, oder es handle sich um einen Mann, der im Kloster Zuflucht gesucht habe und sich Ulenspiegel nenne. Gott wisse es, aber solange der sich nicht einmische, gebe es keinen Unterschied.

Da hörten sie Schüsse aus der Nähe. Hastig saßen sie auf, gaben den Pferden die Sporen und sprengten übers freie Feld. Der Atem des dicken Grafen ging pfeifend und schwer, sein Rücken schmerzte. Regentropfen schlugen ihm ins Gesicht. Es schien ihm eine Ewigkeit, bis die Dragoner ihre Pferde zügelten.

Mit unsicheren Beinen stieg er ab und tätschelte seinem Pferd den Hals. Das Tier schürzte die Lippen und schnaubte. Zu ihrer Linken war ein kleiner Fluss, auf der anderen Seite stieg der Hang zu einem Wald an, wie der dicke Graf seit Melk keinen mehr gesehen hatte.

«Das muss der Streitheimer Forst sein», sagte Karl von Doder.

«Dann sind wir zu weit im Norden», sagte Franz Kärrnbauer.

«Nie im Leben ist das der Streitheimer Forst», sagte Stefan Purner.

«Na sicher ist er das», sagte Karl von Doder.

«Nie», sagte Stefan Purner.

Da hörten sie Musik. Sie hielten den Atem an und horchten: Trompeten und Trommeln, eine fröhliche Marschmusik, die in die Beine ging. Der dicke Graf bemerkte, dass seine Schultern im Takt zuckten.

«Weg hier», sagte Konrad Purner.

«Nicht auf die Pferde», zischte Karl von Doder. «In den Wald!»

«Vorsicht», sagte der dicke Graf, um wenigstens den Anschein zu wahren, dass er es war, der hier befahl. «Der Ulenspiegel muss beschützt werden.»

«Ihr armen Deppen», sagte der dürre Mann sanft. «Ihr Rinder. Ich bin es, der euch schützen muss.»

Schon schlossen sich die Wipfel über ihnen. Der dicke Graf sah das Widerstreben seines Pferdes, aber er hielt die Zügel fest und tätschelte die feuchten Nüstern, und das Tier fügte sich. Bald war das Unterholz so dicht, dass die Dragoner die Säbel zogen, um einen Weg freizuschlagen.

Sie horchten wieder. Ein dunkles Brummen war zu hören, wo kam das her, was war das? Allmählich begriff der dicke Graf, dass es unzählige Stimmen waren, ein Ineinander von Gesang und Rufen und Gerede aus vielen Kehlen. Er spürte die Angst seines Pferdes, er streichelte die Mähne, das Tier schnaufte.

Später konnte er nicht mehr sagen, wie lange sie so gegangen waren, also behauptete er, dass es zwei Stunden gewesen seien. Die Stimmen hinter uns erstarben, schrieb er, die laute Stille des Waldes umschloss uns, Vögel schrien, Äste brachen, und der Wind wisperte zu uns aus den Kronen.

«Wir müssen nach Osten», sagte Karl von Doder, «nach Augsburg.»

«Der Abt hat gesagt, die Städte lassen keinen mehr ein», sagte der dicke Graf.

«Aber wir sind Boten des Kaisers», sagte Karl von Doder.

Dem dicken Grafen fiel auf, dass er kein Papier mitführte, das es bewies; keinen Ausweis, keinen Freibrief, keinerlei Urkunde. Er hatte nicht danach gefragt, und offenbar hatte sich in der Verwaltung der Hofburg niemand dafür zuständig gefühlt, so etwas auszustellen.

«Wo ist Osten?», fragte Franz Kärrnbauer.

Stefan Purner zeigte irgendwohin.

«Das ist Süden», sagte sein Bruder.

«Ihr seid ja Deppen», sagte Ulenspiegel fröhlich. «Scheißzwerge seid ihr und könnt gar nichts! Westen ist, wo wir sind, also ist Osten überall.»

Franz Kärrnbauer holte aus, aber Ulenspiegel duckte sich mit einer Schnelligkeit, die man ihm nicht zugetraut hätte, und sprang hinter einen Baumstamm. Der Dragoner folgte ihm, doch Ulenspiegel glitt wie ein Schatten um den Stamm und verschwand hinter einem anderen und war nicht mehr zu sehen.

«Kriegst mich nicht», hörten sie ihn kichernd sagen,

«ich kenn den Wald. Ich bin Waldgeist geworden, als ich ein kleiner Junge war.»

«Ein Waldgeist?», fragte der dicke Graf beunruhigt.

«Ein weißer Waldgeist.» Ulenspiegel trat lachend aus dem Gebüsch. «Für den großen Teufel.»

Sie machten Rast. Ihre Vorräte waren fast aufgebraucht. Die Pferde knabberten an Baumstämmen. Sie ließen die Flasche mit dem Dünnbier herumgehen, jeder nahm einen Schluck. Als sie beim dicken Grafen ankam, war nichts mehr drin.

Müde gingen sie weiter. Der Wald lichtete sich, die Bäume standen in breiteren Abständen, das Unterholz war nicht mehr dicht, die Pferde konnten gehen, ohne dass man ihnen den Weg freischneiden musste. Dem dicken Grafen fiel auf, dass keine Vögel mehr zu hören waren: kein Spatz, keine Amsel, keine Krähe. Sie stiegen auf und ritten aus dem Wald.

«Mein Gott», sagte Karl von Doder.

«Barmherziger Herr», sagte Stefan Purner.

«Heilige Jungfrau», sagte Franz Kärrnbauer.

Als er später zu schildern versuchte, was sie gesehen hatten, musste der dicke Graf feststellen, dass er das nicht konnte. Es überstieg seine Fähigkeiten als Schriftsteller. Es überstieg auch seine Fähigkeiten als vernünftiger Mensch: Noch aus der Distanz eines halben Jahrhunderts sah er sich nicht imstande, es in Sätze zu fassen, die wirklich etwas bedeuteten. Natürlich beschrieb er den Anblick dennoch. Es war einer der wichtigsten Momente seines Lebens, und der Umstand, dass er Zeuge der letzten Feldschlacht des Dreißigjährigen Krieges geworden war, bestimmte von nun an, wer er war und was die Menschen von ihm dachten – der Herr Oberhofmeister habe die Schlacht von Zusmarshausen miterlebt, hieß es seitdem, wenn er jemandem vorgestellt wurde, worauf er mit routinierter Bescheidenheit abwehrte: «Lassen wir das, man kann es nicht gut erzählen.»

Was wie ein Gemeinplatz klang, war die Wahrheit. Man konnte es nicht gut erzählen. Er jedenfalls konnte es nicht. Schon als er auf der Anhöhe aus dem Wald ritt und jenseits des im Tal liegenden Flusses das sich bis zum Horizont erstreckende Heer des Kaisers mit seinen ausgebauten Kanonenstellungen, eingegrabenen Musketieren und den in geordneten Hundertschaften stehenden Pikenieren sah, deren Piken ihm vorkamen wie ein zweiter Wald, war es ihm, als ob er etwas erlebte, das nicht in die Wirklichkeit gehörte. Dass so viele Menschen zusammenkommen und sich formieren konnten, schien so schwer zu wiegen, dass alles aus dem Gleichgewicht geriet. Der dicke Graf musste die Mähne des Pferdes packen, um nicht herunterzurutschen.

Dann erst wurde ihm klar, dass er nicht nur die kaiserliche Armee vor Augen hatte. Zu ihrer Rechten fiel der Hang steil ab, drunten war eine breite Straße, auf der, schweigend und ohne Musik, sodass man nur die

Hufe auf dem Stein hörte, die Reiterei der vereinten Kronen Frankreichs und Schwedens heranzog: eine Reihe hinter der anderen, auf eine einzige kleine Brücke zu.

Und da geschah es, dass ebendiese Brücke, die doch eben noch so solide dagestanden hatte, sich in ein Wölkchen auflöste. Der dicke Graf musste fast lächeln ob dieses Zaubertricks. Heller Rauch stieg auf, die Brücke war weg, und jetzt erst, da der Rauch schon im Wind davontrieb, erreichte sie der Knall. Wie schön, dachte der dicke Graf und schämte sich sofort und dachte gleich darauf noch einmal, wie zum Trotz: Doch, das war schön.

«Weg hier», schrie Karl von Doder.

Zu spät. Die Zeit riss sie mit wie eine Stromschnelle. Drüben, auf der anderen Seite des Flusses, stiegen Wölkchen auf, ein paar Dutzend waren es, weiß und schillernd. Unsere Kanonen, dachte der dicke Graf, das ist sie, die Artillerie unseres Kaisers, doch noch bevor er mit dem Gedanken zu Ende war, stiegen von dort, wo die Musketiere standen, mehr Wolken auf, winzige, aber unzählige, für einen Moment noch scharf voneinander getrennt, dann schon vermischt zu einer einzigen Wolke, und da rollte auch der Lärm heran, und der dicke Graf hörte die Schüsse peitschen, deren Dampf er soeben gesehen hatte, und als Nächstes sah er, wie die Reiter des Feindes, die noch immer auf den Fluss zuhielten, das merkwürdigste Kunststück vollführten. In ihren Reihen waren mit einem Mal Schneisen, eine hier, eine gleich daneben, eine in einigem Abstand. Während er noch seine Augen anstrengte, um zu begreifen, was er sah, hörte er ein Geräusch, wie er es noch nie vernommen hatte, ein Schreien aus der Luft. Franz Kärrnbauer warf sich vom Pferd, überrascht schaute der dicke Graf zu, wie er durchs Gras rollte, und fragte sich, ob er nicht das Gleiche tun sollte, aber das Pferd war hoch und der Boden voll harter Steine. Da kam Karl von Doder ihm zuvor. Er sprang aber nicht in eine Richtung, sondern in zwei, so als hätte er sich nicht entscheiden können und von zwei Möglichkeiten beide ergriffen.

Zunächst dachte der dicke Graf, dass er wohl träumen müsse, doch dann sah er, dass Karl von Doder tatsächlich an zwei Orten lag: der eine Teil rechts, der andere links vom Pferd, und der auf der rechten bewegte sich noch. Den dicken Grafen erfasste ein Abscheu von ungeheurem Ausmaß, und da fiel ihm zu allem Überfluss die Gans ein, die Franz Kärrnbauer vor Tagen erschossen hatte; er dachte daran, wie er ihren Kopf hatte explodieren sehen, und begriff, dass er deshalb so erschrocken gewesen war, weil jenes Ereignis dieses angekündigt hatte, gegen die Stromrichtung der Zeit. Inzwischen hatte sich die Frage, ob er vom Pferd sollte oder nicht, schon erübrigt; sein Pferd hatte sich hingelegt, einfach so, und als er seitlich auf dem Boden aufschlug, bemerkte er, dass es wieder angefangen hatte zu regnen, aber es war nicht der übliche Regen, nicht Wasser war es, das die Erde spritzen machte, sondern unsichtbare Dreschflegel bearbeiteten den Boden. Er sah Franz Kärrnbauer robben, er sah einen Pferdehuf im Gras liegen, an dem kein Pferd war, er sah Konrad Purner den Hang hinabreiten, er sah, dass sich der Rauch nun auch um die Reihen der kaiserlichen Soldaten jenseits des Flusses schlang, die er eben noch deutlich hatte erkennen können, weg waren sie, bloß an einer Stelle riss der Wind den Qualm fort und gab den Blick frei auf die zwischen ihren Piken kauernden Männer, die jetzt aufstanden, alle im gleichen Moment, und mit aufgerichteten Waffen rückwärts gingen wie ein einziger Mann, wie schafften sie es, dass ihre Bewegungen so übereinstimmten? Offenbar wichen sie vor der Reiterei zurück, die jetzt doch durchs Wasser kam. Der Fluss schien zu kochen, Pferde bäumten sich auf, Reiter fielen, aber andere Reiter erreichten das Ufer, das Wasser hatte sich rot gefärbt, und die rückwärts gehenden Lanzenträger verschwanden im Qualm.

Er sah sich um. Das Gras stand ruhig. Der dicke Graf rappelte sich auf. Seine Beine gehorchten ihm, nur seine rechte Hand spürte er nicht. Als er sie vor die Augen hielt, merkte er, dass ein Finger fehlte. Er zählte nach. Tatsächlich, vier Finger, etwas stimmte nicht, einer fehlte, es sollten fünf sein, es waren vier. Er spuckte Blut auf den Boden. Er musste wieder in den Wald. Nur im Wald war Deckung, nur im –

Formen setzten sich zusammen, farbige Flächen entstanden, und während dem dicken Grafen klarwurde, dass er wohl ohnmächtig gewesen war und gerade wieder zu sich kam, erfasste ihn eine schmerzhafte Erinnerung, aufgestiegen wie aus dem Nichts. Er dachte an ein Mädchen, das er mit neunzehn geliebt hatte; sie hatte ihn damals ausgelacht, doch hier war sie wieder, und das Wissen, dass sie nie zusammenfinden würden, erfüllte jede Faser seines Wesens mit Traurigkeit. Über sich sah er den Himmel. Fern und voller zerfaserter Wölkchen. Einer beugte sich über ihn. Er kannte ihn nicht, er kannte ihn doch, jetzt erkannte er ihn.

«Steh auf!»

Der dicke Graf blinzelte.

Ulenspiegel holte aus und schlug ihm ins Gesicht.

Der dicke Graf stand auf. Seine Wange schmerzte. Seine Hand schmerzte noch mehr. Am meisten schmerzte der Finger, der fehlte. Dort drüben lag das, was von Karl von Doder übrig war, daneben lagen zwei Pferde, und da war der tote Konrad Purner. In der Weite hing Nebel, darin zuckten Blitze. Immer noch trabten Reiter heran, eine Schneise öffnete und schloss sich wieder, das musste das Werk der Zwölfpfünder sein. Am Fluss schwärmten Reiter und behinderten einander und schwangen Peitschen, Pferde platschten ins Wasser, Männer brüllten – aber er sah es nur daran, dass ihre Münder sich bewegten, hören konnte er sie nicht. Der Fluss war voller Pferde und Menschen, mehr und mehr schafften es ans Ufer und verschwanden im Qualm.

Ulenspiegel setzte sich in Bewegung, der dicke Graf folgte ihm. Der Wald war nur ein paar Schritte entfernt. Ulenspiegel begann zu rennen. Der dicke Graf rannte hinterher.

Neben ihm spritzte Gras. Wieder hörte er den Schrei von vorhin, gellend aus der Luft, gellend neben ihm, etwas schlug auf und rollte brüllend auf den Fluss zu. Wie lebt man, dachte er, wie hält man es aus, wenn die Luft voll Metall ist? In diesem Moment warf Ulenspiegel die Arme nach außen und schleuderte sich mit der Brust voran auf die Wiese.

Der dicke Graf beugte sich über ihn. Ulenspiegel lag reglos. Seine Kutte war am Rücken gerissen, Blut lief heraus, schon lag er in einer Pfütze. Der dicke Graf wich zurück und rannte los, aber er stolperte und schlug hin. Er raffte sich hoch, rannte weiter, jemand rannte neben ihm, wieder spritzte das Gras von Kugeln, warum schossen sie hierhin, warum nicht auf den Feind, warum so weit daneben, und wer lief hier an seiner Seite? Der dicke Graf drehte den Kopf, es war Ulenspiegel.

«Bleib nicht stehen», zischte der.

Sie liefen in den Wald, die Bäume erstickten den Donner. Der dicke Graf wollte stehen bleiben, er hatte Herzstechen, aber Ulenspiegel fasste ihn und zog ihn tiefer ins Unterholz. Dort hockten sie sich hin. Eine

Weile horchten sie auf die Kanonen. Ulenspiegel zog vorsichtig die zerrissene Kutte aus. Der dicke Graf sah ihm auf den Rücken, das Hemd war mit Blut beschmiert, aber keine Wunde war zu sehen.

«Das verstehe ich nicht», sagte der dicke Graf.

«Du musst dir die Hand abbinden.» Ulenspiegel riss einen Streifen von der Kutte und wand ihn dem dicken Grafen um den Arm.

Schon damals ahnte er, dass das alles in seinem Buch einst anders berichtet werden müsste. Keine Beschreibung würde ihm gelingen, denn alles würde sich entziehen, und die Sätze, die er formen konnte, würden nicht zu den Bildern in seinem Gedächtnis passen.

Und wirklich: Das, was passiert war, tauchte nicht einmal in seinen Träumen auf. Nur manchmal erkannte er da in scheinbar ganz anderen Ereignissen ein fernes Echo jener Momente, als er am Waldrand des Streitheimer Forsts in der Nähe von Zusmarshausen ins Feuer geraten war.

Jahre später befragte er den unglücklichen Grafen Gronsfeld, den der bayerische Kurfürst nach der Niederlage kurzerhand hatte verhaften lassen. Zahnlos, müde und hustend nannte der einstige Befehlshaber der bayerischen Truppen ihm die Namen und Orte, er beschrieb die Stärke der verschiedenen Einheiten und zeichnete Aufmarschpläne, sodass es dem dicken Grafen einigermaßen gelang, sich Rechenschaft abzulegen, wo ungefähr er gewesen und was ihm und seinen Gefährten widerfahren war. Doch die Sätze wollten sich nicht fügen. Und so stahl er andere.

In einem beliebten Roman fand er eine Beschreibung, die ihm gefiel, und wenn Menschen ihn drängten, die letzte Feldschlacht des großen deutschen Krieges zu schildern, so sagte er ihnen das, was er in Grimmelshausens *Simplicissimus* gelesen hatte. Es passte nicht recht, weil es sich dort um die Schlacht von Wittstock handelte, aber das störte keinen, nie fragte jemand nach. Was der dicke Graf nicht wissen konnte, war aber, dass Grimmelshausen die Schlacht von Wittstock zwar selbst erlebt, aber ebenfalls nicht hatte beschreiben können und stattdessen die Sätze eines von Martin Opitz übersetzten englischen Romans gestohlen hatte, dessen Autor nie im Leben bei einer Schlacht dabei gewesen war.

In seinem Buch berichtete der dicke Graf dann auch knapp von der Nacht im Wald, in der ihm der mit einem Mal gesprächig gewordene Narr von seiner Zeit am Hof des Winterkönigs in Den Haag erzählt hatte und davon, wie er drei Jahre zuvor bei der Belagerung von Brünn verschüttet worden war. Zuerst habe er es sich mit dem Stadtkommandanten verscherzt, wegen einer Bemerkung über dessen Gesicht, sodass der ihn zu den Mineuren gesteckt habe, und dann sei der Schacht über seiner Einheit eingestürzt, hier, die Narbe an der Stirn, die habe er davongetragen. Eingesperrt in der Finsternis sei er gewesen, tief drunten, kein Ausweg, keine

Luft, doch dann die wundersame Rettung. Es sei eine unglaubliche und wilde Geschichte gewesen, schrieb der dicke Graf, und der Umstand, dass er danach abrupt das Thema wechselte und nicht darauf einging, wie die Wunderrettung unter Brünn denn eigentlich vonstattengegangen war, sollte später die Ratlosigkeit und Wut so mancher Leser wecken.

Ulenspiegel jedenfalls war ein guter Erzähler, besser als der Abt und besser auch als der dicke Graf, den die Geschichten von den pochenden Schmerzen in seiner Hand ablenkten. Keine Sorge, sagte der Narr, in dieser Nacht würden die Wölfe genug zu fressen finden.

Im ersten Morgenlicht brachen sie auf. Sie umgingen das Schlachtfeld, von dem ein Geruch zu ihnen wehte, den der dicke Graf sich nie hätte vorstellen können, dann wanderten sie über Schlipsheim, Hainhofen und Ottmarshausen. Ulenspiegel kannte sich aus, und er war ruhig und besonnen und beleidigte den dicken Grafen kein einziges Mal mehr.

Die leere Landschaft hatte sich mit Menschen gefüllt. Bauern zogen ihre Habe in Leiterwagen, versprengte Soldaten suchten nach ihrer Einheit und Familie, Verletzte hockten am Wegrand, notdürftig verbunden, reglos vor sich hin starrend. Die beiden ließen das brennende Oberhausen westlich liegen und kamen nach Augsburg, wo die verbliebene Armee des Kaisers sich gesammelt hatte. Sie war nach der Niederlage nicht mehr groß.

Das Heerlager vor der Stadt stank noch schlimmer als das Schlachtfeld. Wie Höllenvisionen brannten sich die verformten Leiber, die schwärenden Gesichter, die offenen Wunden, die Kothaufen ins Gedächtnis des dicken Grafen ein. Ich werde nie mehr derselbe sein, dachte er, während sie sich den Weg zum Stadttor bahnten, und: Es sind doch nur Bilder, sie können mir nichts tun, sie fassen mich nicht an, nur Bilder. Und er malte sich aus, er wäre ein anderer, der unsichtbar neben ihnen ging und nicht sehen musste, was er sah.

Am Nachmittag erreichten sie die Tore der Stadt. Besorgt gab sich der dicke Graf den Wächtern zu erkennen, und es überraschte ihn selbst, als sie ihm alles glaubten und sie ohne Zögern einließen.

KÖNIGE IM WINTER

I

Es war November. Die Weinvorräte waren erschöpft, und weil der Brunnen im Garten verdreckt war, tranken sie nur noch Milch. Da sie sich keine Kerzen mehr leisten konnten, ging der ganze Hofstaat abends mit der Sonne schlafen. Die Dinge standen nicht gut, doch immerhin gab es noch Prinzen, die für Liz sterben wollten. Vor kurzem war einer hier in Den Haag gewesen, Christian von Braunschweig, und hatte ihr versprochen, *pour Dieu et pour elle* auf seine Feldzeichen sticken zu lassen, und danach, das hatte er mit Inbrunst geschworen, wollte er für sie siegen oder sterben. Er war ein aufgeregter Held, die Ergriffenheit über sich selbst trieb ihm Tränen in die Augen. Friedrich hatte ihm beruhigend auf die Schulter geklopft, und sie hatte ihm ihr Taschentuch gegeben, aber da war er von neuem in Tränen ausgebrochen, so sehr hatte der Gedanke, ein Tuch von ihr zu besitzen, ihn überwältigt. Sie hatte ihn mit königlichem Segen bedacht, und er war aufgewühlt seiner Wege gezogen.

Natürlich würde er es nicht zustande bringen, nicht für Gott und auch nicht für sie. Dieser Prinz hatte wenige Soldaten und kein Geld, und er war auch nicht besonders klug. Es brauchte andere Kaliber, um Wallenstein zu besiegen, etwa jemanden wie den Schwedenkönig, der vor kurzem wie ein Gewitter über das Reich gekommen war und bisher alle Schlachten gewonnen hatte. Ihn hätte sie einst heiraten sollen, nach Papas Plänen, aber er hatte sie nicht gewollt.

Fast zwanzig Jahre war es her, dass sie stattdessen ihren armen Friedrich geheiratet hatte. Zwanzig deutsche Jahre, ein Wirbel von Ereignissen und Gesichtern und Lärm und schlechtem Wetter und noch schlechterem Essen und ganz miserablem Theater.

Das gute Theater hatte ihr am meisten gefehlt, von Anfang an, mehr noch als das genießbare Essen. In deutschen Landen kannte man kein richtiges Theater, da zogen armselige Komödianten durch den Regen und schrien und hüpften und furzten und prügelten einander. Wahrscheinlich lag es an der klobigen Sprache; das war keine Sprache fürs Theater, ein Gebräu von Stöhnlauten und harten Grunzern war das, es war eine Sprache, die klang, als kämpfte einer gegen das Würgen, als hätte ein Rind einen Hustenanfall, als käme jemandem sein Bier aus der Nase. Was hätte ein Dichter mit dieser Sprache anfangen sollen? Sie hatte es ja versucht mit der deutschen Literatur, einmal mit diesem Opitz und dann noch mit einem anderen, aber sie hatte den Namen vergessen; sie konnte sich diese Leute nicht merken, die immer Krautbacher oder Engelkrämer oder Kargholzsteingrömpl hießen, und wenn man mit Chaucer aufgewachsen war und John Donne einem Verse gewidmet hatte – *«fair phoenix bride»*, hatte er sie genannt, *«and from thine eye all lesser birds will take their jollity»* –, dann konnte man sich bei aller Höflichkeit nicht dazu überwinden, so zu tun, als wäre das deutsche Blöken etwas wert.

Sie dachte oft ans Hoftheater in Whitehall zurück. An die kleinen Gesten der Schauspieler dachte sie, an die langen Sätze, deren Rhythmus ständig wechselte wie Musik, mal schnell und klappernd, mal lang ausschwingend, mal fragend, mal scharf befehlend. Wann immer sie an den Hof gekommen war, um die Eltern zu besuchen, hatten dort Theatervorstellungen stattgefunden. Leute standen auf der Bühne und verstellten sich, aber sie hatte sofort begriffen, dass das gar nicht stimmte und dass auch die Verstellung bloß eine Maske war, denn falsch war nicht das Theater, nein, alles andere war Getue, Verkleidung und Firlefanz, alles, was *nicht* Theater war, war falsch. Auf der Bühne waren die Menschen sie selbst, ganz wahr, völlig durchsichtig.

Im wirklichen Leben sprach keiner Monologe. Da behielt jeder seine Gedanken für sich, da konnte man nicht in Gesichtern lesen, da schleppte jeder das tote Gewicht seiner Geheimnisse. Niemand stand allein in seinem Zimmer und redete laut darüber, was er wollte und fürchtete, aber wenn Burbage das auf der Bühne tat, mit seiner knarrenden Stimme, die sehr dünnen Finger auf Augenhöhe, kam es einem unnatürlich vor, dass alle immerzu versteckten, was in ihnen vorging. Und was für Wörter er gebrauchte! Reiche Wörter, seltene, die schimmerten wie wertvolle Stoffe – Sätze, so perfekt gefügt, wie man es selbst nie fertig gebracht hätte. So sollte es sein, sagte einem das Theater, so solltest du reden, so dich halten, so fühlen, so wäre es, ein wahrer Mensch zu sein.

Wenn die Vorstellung vorbei war und der Applaus verklungen, kehrten die Schauspieler in den Stand der Armseligkeit zurück. In der Verbeugung standen sie wie verloschene Kerzen. Dann kamen sie tief gebückt heran, Alleyn und Kemp und der große Burbage selbst, um Papas Hand zu küssen, und fragte Papa etwas, so antworteten sie wie Leute, denen die Sprache widerstand und keine klaren Sätze einfielen. Burbages Gesicht war wächsern und müde, und an seinen nun eher hässlichen Händen war nichts Besonderes mehr. Kaum zu glauben, wie schnell der Geist der Leichtigkeit ihn verlassen hatte.

Jener Geist war selbst in einem der Stücke vorgekommen, zu Allerheiligen hatten sie es gespielt. Es ging um einen alten Herzog auf einer Zauberinsel, er fing seine Feinde ein, nur um sie dann plötzlich zu verschonen. Damals hatte sie nicht verstehen können, warum er Milde walten ließ, und wenn sie heute darüber nachdachte, verstand sie es immer noch nicht. Würde sie Wallenstein oder den Kaiser in ihre Gewalt bekommen, sie würde das anders halten! Am Schluss des Stücks hatte der Herzog seinen dienstbaren Geist einfach entlassen, auf dass er in die Wolken, die Luft, das Sonnenlicht und die Meeresbläue eingehen konnte, und war zurückgeblieben wie ein alter Mehlsack, ein runzeliger Schauspieler, der sich noch kurz dafür entschuldigte, dass er keinen Text mehr hatte. Der Prinzipal der *King's Men* hatte die Rolle damals selbst übernommen. Er war keiner der großen Darsteller, kein Kemp und schon gar kein Burbage, man merkte ihm sogar an, dass es ihm nicht leichtfiel, sich den Text zu merken, den kein anderer als er geschrieben hatte. Nach der Vorstellung hatte er ihr mit weichen Lippen die Hand geküsst, und weil man ihr eingeschärft hatte, dass sie in solchen Momenten immer irgendeine Frage stellen müsse, hatte sie sich erkundigt, ob er Kinder habe.

«Zwei Töchter. Und einen Sohn. Aber der ist gestorben.»

Sie wartete, denn jetzt wäre es an Papa gewesen, etwas zu sagen. Aber Papa schwieg. Der Prinzipal sah sie an, sie sah ihn an, ihr Herz begann zu klopfen. Alle Menschen im Raum warteten, all die Herren mit ihren Seidenkragen, all die Frauen mit Diademen und Fächern, sie blickten zu ihr. Und sie begriff, dass sie weitersprechen musste. So war Papa eben. Wenn man auf ihn rechnete, ließ er einen allein. Sie räusperte sich, um Zeit zu gewinnen. Aber man gewinnt nur wenig Zeit, indem man sich räuspert. Man kann sich nicht sehr lange räuspern, es hilft kaum weiter.

Also sagte sie, dass es ihr sehr leidtue, vom Tod seines Sohnes zu hören. Gott nehme so unversehens, wie er gebe, seine Prüfungen seien rätselhaft, doch weise, und hätten wir sie würdig überstanden, machten sie uns stärker.

Für die Dauer eines Wimpernschlags war sie stolz auf sich gewesen. So etwas musste man erst einmal zustande bringen vor dem gesamten Hofstaat, da musste man gut erzogen sein und auch schnell im Kopf.

Der Prinzipal hatte gelächelt und das Haupt geneigt, und plötzlich hatte sie das Gefühl, dass sie sich auf eine schwer zu beschreibende Weise blamiert hatte. Sie spürte, dass sie rot wurde, und weil sie sich auch dafür schämte, wurde sie noch röter. Sie räusperte sich erneut und fragte ihn nach dem Namen seines Sohnes. Nicht, dass es sie interessiert hätte. Aber ihr fiel sonst nichts ein.

Mit leiser Stimme antwortete er.

«Wirklich?», fragte sie überrascht. «Hamlet?»

«Hamnet.» Er holte Luft, dann sagte er nachdenklich und wie zu sich selbst, dass er zwar nicht wisse, ob er diese Prüfung Gottes so würdig überstanden habe, wie sie es ihm zugutehalte, dass er sich aber in einem Augenblick wie diesem, da er das Glück genieße, der Zukunft ins mädchenhafte Antlitz zu blicken, ganz sicher sei, dass ein Dasein, dessen Strom ihn zur Mündung eines solchen Meeres geführt habe, das schlechteste nicht gewesen sein könne, weshalb er, bestärkt von diesem Moment der Gnade, gesonnen sei, alle Qual und Lebensmüh, die hinter ihm und wohl auch noch vor ihm lägen, mit Dank hinzunehmen.

Da war ihr erst einmal nichts mehr eingefallen.

Schön und gut, sagte Papa endlich. Auf der Zukunft lägen Schatten. Es gebe mehr Hexen denn je. Der Franzose sei tückisch. Die junge Einheit Englands und Schottlands sei noch unerprobt, Verhängnis lauere überall. Aber am schlimmsten seien die Hexen.

Verhängnis lauere immer, antwortete der Prinzipal, das sei das Wesen des Verhängnisses, doch die Hand eines großen Herrschers halte es zurück, wie die Luft die Schwere der Wolken halte, bevor diese sich in sanften Regen wandle.

Jetzt fiel wiederum Papa nichts ein. Das war lustig, weil das nicht oft passierte. Papa sah den Prinzipal an, alle sahen Papa an, keiner sagte etwas, und die Stille dauerte schon zu lange.

Schließlich wandte Papa sich ab – einfach so, ohne ein Wort. So machte er es oft, das war einer seiner Tricks, um Leute zu verunsichern. Normalerweise überlegten sie danach wochenlang, was sie falsch gemacht hatten und ob sie in Ungnade gefallen waren. Aber der Prinzipal schien es zu durchschauen. Gebeugt rückwärts gehend, entfernte er sich, auf dem Gesicht ein feines Lächeln.

«Glaubst du, du bist was Besseres, Liz?», hatte ihr Narr sie vor kurzem gefragt, als sie davon erzählt hatte.

«Hast mehr gesehen, weißt mehr, kommst aus einem bessren Land als wir?»

«Ja», hatte sie gesagt. «Das glaube ich.»

«Und glaubst du, dein Vater wird dich retten? An der Spitze eines Heeres, glaubst du das?»

«Nein, das glaube ich nicht mehr.»

«Doch, das glaubst du. Du meinst immer noch, dass er eines Tages auftauchen wird und dich wieder zur Königin macht.»

«Ich *bin* eine Königin.»

Da lachte er hämisch, und sie musste schlucken und die Tränen zurückdrängen und sich daran erinnern, dass genau das seine Aufgabe war – ihr zu sagen, was kein anderer zu sagen wagte. Deshalb hatte man Narren, und selbst wenn man keinen Narren wollte, musste man einen zulassen, denn ohne Hofnarr war ein Hof kein Hof, und da sie und Friedrich kein Land mehr hatten, musste zumindest ihr Hof in Ordnung sein.

Es hatte eine seltsame Bewandtnis mit diesem Narren. Das hatte sie sofort gespürt, damals, als er aufgetaucht war, letzten Winter, als die Tage besonders kalt gewesen waren und das Leben noch ärmlicher als sonst. Da waren die beiden mit einem Mal vor ihrer Tür gestanden, der dürre junge Mann im bunten Wams und die großgewachsene Frau.

Erschöpft und mitgenommen hatten sie ausgesehen, krank vom Reisen und von den Fährnissen der Wildnis. Aber als sie ihr vorgetanzt hatten, war da eine

Harmonie gewesen, ein Gleichklang der Stimmen und der Leiber, wie sie es nie erlebt hatte, seit sie nicht mehr in England war. Dann hatte er jongliert, und sie hatte die Flöte hervorgeholt, und dann hatten die beiden ein Stück über einen Vormund und sein Mündel gespielt, und sie hatte ihren Tod vorgetäuscht, und er hatte sie leblos vorgefunden, und vor Gram hatte er sich getötet, worauf sie erwacht war und mit vor Entsetzen verzerrtem Gesicht sein Messer gepackt hatte, um sich nun auch das Leben zu nehmen. Liz kannte die Geschichte, sie war aus einem Stück der *King's Men*. Gerührt von der Erinnerung an etwas, was einst groß gewesen war in ihrem Leben, hatte sie die beiden gefragt, ob sie nicht bleiben wollten. «Wir haben noch keinen Hofnarren.»

Zum Einstand hatte er ihr ein Bild geschenkt. Nein, ein Bild war es nicht, es war eine weiße Leinwand mit nichts darauf. «Lass es rahmen, kleine Liz, häng es auf. Zeig es den anderen!» Nichts gab ihm das Recht, sie so anzureden, aber wenigstens sprach er ihren Namen richtig aus, mitsamt dem englischen Z, er machte es so gut, als wäre er drüben gewesen. «Zeig es auch deinem Mann, das schöne Bild, lass es den armen König sehen! Und alle anderen!»

Das hatte sie getan. Sie hatte ein grünes Landschaftsbild, das sie ohnehin nicht mochte, aus seinem Rahmen nehmen und durch die weiße Leinwand ersetzen lassen, und dann hatte der Narr das Bild im großen

Raum, den sie und Friedrich ihren Thronsaal nannten, aufgehängt.

«Es ist magisch, kleine Liz. Wer unehelich geboren ist, kann es nicht sehen. Wer dumm ist, sieht es nicht. Wer Geld gestohlen hat, sieht es nicht. Wer Übles im Schild führt, wer ein Kerl ist, dem man nicht trauen kann, wer ein Galgenvogel ist oder ein Stehlvieh oder ein Arsch mit Ohren, der sieht es nicht, für den ist da kein Bild!»

Da hatte sie lachen müssen.

«Nein, wirklich, kleine Liz, sag's den Leuten! Unehelich Geborene und Dumme und Diebe und Galgenvögel mit bösen Absichten, die alle sehen nichts, weder den Blauhimmel noch das Schloss, noch die wundervolle Frau auf dem Balkon, die ihr Goldhaar runterlässt, und auch nicht den Engel hinter ihr. Sag es ihnen, schau, was passiert!»

Was passiert war, erstaunte sie immer noch, jeden einzelnen Tag, und es würde nie aufhören, sie zu erstaunen. Ratlos standen die Besucher vor dem weißen Bild und wussten nicht, was sie sagen sollten. Denn es war ja kompliziert. Natürlich verstanden sie, dass da nichts war, aber sie waren sich nicht sicher, ob Liz es auch verstand, und somit war es doch denkbar, dass sie jemanden, der ihr sagte, dass da nichts war, für unehelich, dumm oder diebisch halten würde. Sie waren alle so verwirrt, zermarterten sich die Köpfe. War das Bild verzaubert, oder hatte einer Liz hereingelegt, oder hielt sie jedermann zum Besten? Der Umstand, dass inzwischen fast jeder, der an den Hof der Winterkönige kam, entweder unehelich oder dumm oder ein Dieb oder ein Mensch mit bösen Absichten war, machte die Sache nicht leichter.

Viele Besucher kamen ohnehin nicht mehr. Früher waren Leute gekommen, um Liz und Friedrich mit eigenen Augen zu sehen, und manche waren auch gekommen, um Versprechungen zu machen, denn wenn auch kaum jemand glaubte, dass Friedrich wieder über Böhmen herrschen würde, so war es doch auch nicht ganz unmöglich. Etwas zu versprechen kostete wenig; solange einer entmachtet war, musste man es nicht einlösen, stieg er aber wieder auf, so würde er sich an jene erinnern, die in dunklen Zeiten zu ihm gehalten hatten. Aber Versprechungen waren inzwischen das Einzige, was sie bekamen, keiner brachte mehr Geschenke, die wertvoll genug waren, um sie zu Geld zu machen.

Auch Christian von Braunschweig hatte sie mit unbewegtem Gesicht die weiße Leinwand gezeigt. Dumme, Hinterhältige und Uneheliche, hatte sie erklärt, könnten das herrliche Gemälde nicht sehen, und dann hatte sie mit schwer beschreibbarem Vergnügen mitverfolgt, wie ihr in Tränen aufgelöster Verehrer immer wieder ratlos hinüber zur Wand geblickt hatte, wo das Bild spöttisch und leer seinem Pathos widerstand.

«Das ist das beste Geschenk, das mir je einer gemacht hat», sagte sie zu ihrem Narren.

«Das würde nicht viel heißen, kleine Liz.»

«John Donne hat mir eine Ode geschenkt. *Fair phoenix bride* hat er mich –»

«Kleine Liz, er wurde bezahlt, er hätte dich auch einen stinkenden Fisch genannt, wenn man ihm dafür Geld gegeben hätte. Was glaubst du, wie ich dich nennen würde, wenn du mich besser bezahlst!»

«Und vom Kaiser habe ich eine Rubinkette bekommen, vom König von Frankreich ein Diadem.»

«Kann ich's sehen?»

Sie schwieg.

«Hast du's verkaufen müssen?»

Sie schwieg.

«Und wer ist überhaupt Schonn Tonn? Was ist das für einer, und was ist ein Verwöhnix?»

Sie schwieg.

«Hast es dem Pfandleiher geben müssen, dein Diadem? Und die Kette vom Kaiser, kleine Liz, wer trägt die jetzt?»

Auch ihr armer König hatte nicht gewagt, etwas über das Bild zu sagen. Und als sie ihn kichernd darüber aufgeklärt hatte, dass es nur ein Scherz und die Leinwand nicht verzaubert war, da hatte er bloß genickt und sie verunsichert betrachtet.

Sie hatte immer gewusst, dass er nicht der Klügste war. Von Anfang an war das offensichtlich gewesen, aber bei einem Mann seines Ranges war es nicht wichtig. Ein Fürst tat nichts, und wäre er ungewöhnlich klug, so wäre das nahezu ehrenrührig. Klug hatten Untergebene zu sein. Er war er selbst, das reichte, mehr war nicht nötig.

So war die Welt eingerichtet. Es gab ein paar wirkliche Menschen, und es gab den Rest: eine schattenhafte Armee, das Heer von Gestalten im Hintergrund, ein Volk von Ameisen, die über die Erde wimmelten und miteinander gemeinsam hatten, dass ihnen etwas fehlte. Sie wurden geboren und starben, waren wie die Flecken flatternden Lebens, aus denen ein Vogelschwarm bestand – verschwand einer, bemerkte man es kaum. Die Menschen, auf die es ankam, waren wenige.

Dass ihr armer Friedrich nicht der Klügste war und außerdem etwas kränklich, mit einer Neigung zu Magenweh und Ohrenschmerzen, hatte sich schon gezeigt, als er mit sechzehn nach London gekommen war, in weißem Hermelin, mit einem Hofstaat von vierhundert Leuten. Er war gekommen, weil die anderen Freier sich davongestohlen oder im entscheidenden Moment kein Angebot gemacht hatten; zuerst hatte der junge König von Schweden abgelehnt, dann Moritz von Oranien, dann Otto von Hessen. Dann hatte es für eine Weile den geradezu tollkühnen Plan gegeben, sie mit dem Prinzen von Piemont zu verheiraten, der zwar kein Geld hatte, aber der Neffe des spanischen Königs war –

Papas alter Traum von einer Versöhnung mit Spanien, aber die Spanier waren skeptisch geblieben, und auf einmal war nur mehr der deutsche Kurprinz Friedrich mit der großen Zukunft übrig gewesen. Monatelang war der pfälzische Kanzler zum Verhandeln in London gewesen, bis sie sich geeinigt hatten: vierzigtausend Pfund Mitgift von Papa nach Deutschland, dafür zehntausend Pfund jedes Jahr aus der Pfalz nach London.

Nach der Vertragsunterzeichnung war Friedrich selbst angereist, ganz starr vor Unsicherheit. Er hatte sich bei seiner Begrüßungsrede sofort verhaspelt; man merkte, wie erbärmlich sein Französisch war, und bevor die Peinlichkeit noch größer werden konnte, war Papa kurzerhand auf ihn zugetreten und hatte ihn umarmt. Dann hatte der arme Kerl ihr mit spitzen, trockenen Lippen den vom Protokoll vorgeschriebenen Begrüßungskuss gegeben.

Am nächsten Tag hatten sie eine Bootsfahrt mit der größten Barke des Hofes gemacht, nur Mama hatte nicht mitkommen wollen, weil sie einen pfälzischen Prinzen nicht standesgemäß fand. Zwar hatte der pfälzische Kanzler mit Hilfe läppischer Gutachten seiner Hofjuristen behauptet, dass ein Kurfürst im Rang eines Königs stand, aber jeder wusste, dass das blanker Unsinn war. Nur ein König war ein König.

Auf der Bootsfahrt hatte Friedrich an der Reling gelehnt und versucht, sich die Seekrankheit nicht anmerken zu lassen. Ganz kindliche Augen hatte er gehabt, aber er hatte so aufrecht gestanden, wie nur die besten Hofmeister es einem beibringen können. Du bist sicher ein guter Fechter, hatte sie gedacht, und: Du bist nicht hässlich. Mach dir keine Sorgen, hätte sie ihm am liebsten zugeflüstert, ich bin jetzt bei dir.

Und jetzt, so viele Jahre später, konnte er noch immer perfekt dastehen. Was auch geschehen war, wie sehr man ihn erniedrigt und zum Gespött Europas gemacht hatte – aufrecht zu stehen, das vermochte er noch wie zuvor, den Kopf leicht in den Nacken gelegt, das Kinn erhoben, die Arme auf dem Rücken verschränkt, und auch seine schönen Kälberaugen hatte er noch.

Sie mochte ihren armen König gern. Sie konnte gar nicht anders. All die Jahre hatte sie mit ihm verbracht, ihm mehr Kinder geboren, als sie zählen konnte. Ihn nannte man den Winterkönig, sie die Winterkönigin, ihrer beider Schicksale waren unauflöslich verbunden. Damals auf der Themse hatte sie davon nichts geahnt, da hatte sie bloß gedacht, dass sie dem armen Jungen ein paar Dinge beibringen müsse, denn wenn man miteinander vermählt war, musste man auch miteinander sprechen. Mit dem da konnte das schwierig werden, der hatte von gar nichts eine Ahnung.

Ganz überwältigt musste er gewesen sein, so weit weg von seinem Heidelberger Schloss, fern von den Kühen der Heimat, von den spitzen Häusern und deutschen Leutchen, zum ersten Mal in einer Stadt. Und da stand er gleich vor all den schlauen, furchteinflößenden Herren und Damen und zu allem Überfluss vor Papa, der ohnehin jedem Angst machte.

Am Abend nach der Bootsfahrt hatten Papa und sie die längste Unterredung ihres Lebens gehabt. Sie kannte ihren Vater kaum. Sie war nicht bei ihm, sondern bei Lord Harington auf Combe Abbey aufgewachsen, Familien von Rang erzogen ihre Kinder nicht selbst. Ihr Vater war ein Schatten in ihren Träumen gewesen, eine Gestalt auf Gemälden, eine Figur, die in Märchen vorkam – der Herr der zwei Königreiche England und Schottland, der Verfolger der gottlosen Hexer, der Schrecken Spaniens, der protestantische Sohn der hingerichteten katholischen Königin. Wenn man ihn traf, war man jedes Mal überrascht davon, dass er eine so lange Nase hatte und so geschwollene Tränensäcke. Seine Augen sahen immer aus, als blickte er nach innen und dächte nach, stets gab er einem das Gefühl, etwas Falsches gesagt zu haben. Aber das machte er absichtlich, das hatte er sich angewöhnt.

Es war ihr erstes richtiges Gespräch gewesen. Wie geht es dir, liebe Tochter? So war es sonst gegangen, wenn sie nach Whitehall gekommen war. Danke, mir geht es vortrefflich, lieber Vater. Deine Mutter und ich freuen uns, dich wohl zu sehen. Schwerlich so sehr, wie es mich freut, Euch, Vater, gesund zu sehen. Im Geist nannte sie ihn Papa, aber ihn so anzusprechen hätte sie sich nie getraut.

An diesem Abend waren sie zum ersten Mal miteinander allein gewesen. Papa stand am Fenster, die Arme auf dem Rücken. Eine ganze Weile sagte er kein Wort. Und weil sie nicht wusste, was sie sagen sollte, schwieg auch sie.

«Der Tölpel hat eine große Zukunft», sagte er schließlich.

Wieder schwieg er. Er nahm irgendein Marmording vom Regal, betrachtete es und stellte es zurück.

«Drei protestantische Kurfürsten gibt es», sagte er so leise, dass sie sich vorbeugen musste, «und der pfälzische, also deiner, ist der höchste im Rang, das Haupt der Protestantischen Union im Reich. Der Kaiser ist krank, bald gibt es in Frankfurt eine neue Kaiserwahl. Wenn unsere Seite bis dahin noch stärker wird ...» Er musterte sie. Seine Augen waren so klein und lagen so tief in ihren Höhlen, dass es einem vorkam, als blickte er einen gar nicht an.

«Ein calvinistischer Kaiser?», fragte sie.

«Nie. Undenkbar. Aber ein ehemals calvinistischer Kurfürst, der zum katholischen Glauben gefunden hat. So wie Frankreichs Heinrich einst katholisch geworden ist oder» – er tippte sich mit sanfter Geste an die Brust – «wie wir zu Protestanten. Das Haus Habsburg verliert an Einfluss. Spanien hat Holland fast schon eingebüßt, der böhmische Adel hat dem Kaiser die Religionstoleranz abgepresst.» Er schwieg erneut, dann fragte er: «Gefällt er dir denn?»

Die Frage kam so überraschend, dass sie nicht wusste, was sie sagen sollte. Mit feinem Lächeln neigte sie den Kopf. Diese Geste funktionierte meist, die Leute waren dann zufrieden, ohne dass man sich auf etwas hätte festlegen müssen. Aber bei Papa verfing das nicht.

«Es ist ein Risiko», sagte er. «Du hast sie nicht gekannt, meine Tante, die Jungfrau, den alten Lindwurm. Als ich jung war, dachte niemand, dass ich ihr Nachfolger werden würde. Meine Mutter hatte sie köpfen lassen, und mich mochte sie nicht sehr. Man dachte, dass sie auch mich umbringen lassen würde, aber es ist nicht passiert. Sie war deine Taufpatin, du trägst ihren Namen, aber zur Taufe ist sie nicht gekommen, ein Zeichen ihrer Abneigung gegen uns. Und trotzdem kam ich nach ihr in der Thronfolge. Niemand dachte, dass sie einen Stuart-König zulassen würde. Auch ich habe es nicht gedacht. Ich sterbe, bevor das Jahr vorbei ist, das dachte ich jedes Jahr, aber dann, am Ende jedes Jahres, war ich noch am Leben. Und hier bin ich, und sie fault im Grab. Also, scheu nicht das Risiko, Liz. Und vergiss nie, dass der arme Kerl tun wird, was du ihm sagst. Er ist dir nicht gewachsen.» Er überlegte, dann fügte er wie aus dem Nichts hinzu: «Das Schießpulver unterm Parlament, Liz. Wir könnten alle tot sein. Aber wir sind noch hier.»

Das war die längste Rede, die sie ihn je hatte halten hören. Sie wartete, doch anstatt weiterzusprechen, verschränkte er die Hände wieder auf dem Rücken und verließ ohne ein weiteres Wort den Raum.

Und sie blieb allein zurück. Sie blickte aus dem Fenster, aus dem eben noch er geblickt hatte, als könnte sie ihren Vater auf diese Art besser verstehen, und dachte ans Schießpulver. Es war erst acht Jahre her, dass die Meuchelmörder versucht hatten, Papa und Mama zu töten und das Land wieder katholisch zu machen. Tief in der Nacht hatte Lord Harington sie wach gerüttelt und gerufen: «Sie kommen!»

Sie hatte erst nicht gewusst, wo sie war und wovon er sprach, und als ihr Bewusstsein sich langsam aus den Nebeln des Schlafs gelöst hatte, fiel ihr nur ein, wie ungehörig es war, dass dieser erwachsene Mann in ihrem Schlafzimmer stand. So etwas war noch nie passiert.

«Wollen sie mich töten?»

«Schlimmer. Erst müsst Ihr konvertieren, und dann setzen sie Euch auf den Thron.»

Dann waren sie gereist, eine Nacht, einen Tag, noch eine Nacht. Liz hatte neben ihrer Zofe in einer Kutsche gesessen, die so geruckelt hatte, dass sie sich mehrmals aus dem Fenster übergeben musste. Hinter der Kutsche ritt ein halbes Dutzend bewaffneter Männer, Lord Harington ritt vorneweg. Als sie in den frühen Morgenstunden rasteten, erklärte er ihr flüsternd, dass er selbst fast nichts wisse. Ein Bote sei gekommen und habe berichtet, dass eine Mörderbande, die ein Jesuit befehlige, nach Maria Stuarts Enkelin suche. Man wolle sie entführen und zur Königin machen. Ihr Vater sei wahrscheinlich tot, ihre Mutter ebenso.

«Es gibt doch keine Jesuiten in England. Meine Großtante hat sie fortgejagt!»

«Ein paar gibt es noch. Sie verstecken sich. Einer der schlimmsten heißt Tesimond, wir suchen ihn schon lange, aber immer ist er entkommen, und jetzt sucht er Euch.» Lord Harington stand stöhnend auf. Er war nicht mehr der Jüngste, und es fiel ihm schwer, stundenlang zu reiten. «Wir müssen weiter!»

Dann hatten sie sich in einem kleinen Haus bei Coventry versteckt, und Liz hatte das Zimmer nicht verlassen dürfen. Sie hatte nur eine Puppe dabeigehabt, keine Bücher, und vom zweiten Tag an war die Langeweile so quälend gewesen, dass sie sogar den Jesuiten Tesimond der Ödnis des Zimmers vorgezogen hätte: Immer dieselbe Kommode, dieselben Bodenfliesen, die sie so oft schon durchgezählt hatte, die dritte in der zweiten Reihe, vom Fenster aus gezählt, war gesprungen, ebenso wie die siebte in der sechsten Reihe, und dann das Bett und der Nachttopf, den zweimal täglich einer der Männer draußen leerte, und die Kerze, die sie nicht anzünden durfte, damit man das Licht nicht durchs Fenster sah, und auf einem Stuhl neben dem Bett die Zofe, die ihr schon dreimal ihr ganzes Leben erzählt hatte, in dem aber nie etwas Interessantes geschehen war. So schlimm konnte der Jesuit nicht sein.

Er wollte ihr doch nichts antun, er wollte sie zur Königin machen!

«Eure Königliche Hoheit verstehen das falsch», sagte Harington. «Ihr wärt nicht frei. Ihr müsstet tun, was der Papst sagt.»

«Und jetzt muss ich tun, was Ihr sagt.»

«Richtig, und später werdet Ihr dankbar sein.»

Zu diesem Zeitpunkt hatte schon keine Gefahr mehr bestanden. Aber das hatte keiner von ihnen gewusst. Das Pulver unter dem Parlament war gefunden worden, bevor die Verschwörer es hatten anzünden können, ihre Eltern hatten unverletzt überlebt, die Katholiken waren gefangen, und die glücklosen Entführer waren nun selbst Gejagte und versteckten sich in den Wäldern. Aber weil sie das nicht wussten, blieb Liz noch sieben unendliche Tage in dem Raum mit den zwei gesprungenen Kacheln, sieben Tage neben der Zofe, die von ihrem uninteressanten Leben erzählte, sieben Tage ohne Bücher, sieben Tage mit nur einer Puppe, die sie schon ab dem dritten Tag mehr hasste, als sie je den Jesuiten hätte hassen können.

Sie hatte nicht gewusst, dass Papa sich unterdessen der Verschwörer annahm. Er ließ nicht nur die besten Folterer seiner zwei Königreiche kommen, sondern auch drei Schmerzexperten aus Persien und den versiertesten Quäler des Kaisers von China. Alle Arten von Pein, von denen bekannt war, dass ein Mensch sie anderen Menschen antun kann, befahl er den Gefangenen anzutun, und dazu ließ er Torturen erfinden, die man bisher nicht erahnt hatte. An alle Fachleute erging die Aufforderung, Foltern zu ersinnen, feiner und fürchterlicher, als die größten Maler des Infernos sie erträumt hatten, Bedingung war bloß, dass das Seelenlicht dabei nicht erlöschen und dass man davon nicht verrückt werden durfte: Die Täter mussten schließlich noch ihre Mitwisser nennen, und sie sollten Zeit haben, Gott um Vergebung zu bitten und zu bereuen. Denn Papa war ein guter Christ.

Inzwischen hatte der Hof eine Hundertschaft Soldaten geschickt, um Liz zu beschützen. Aber ihr Versteck war so gut, dass die Soldaten es ebenso wenig finden konnten, wie die Verschwörer es gefunden hätten. So vergingen die Tage. Und noch mehr Tage vergingen und dann noch mehr, und mit einem Mal hatte die Langeweile nachgelassen, und Liz in ihrem Zimmer kam es vor, als ob sie nun etwas vom Wesen der Zeit verstehen würde, das sie zuvor nicht begriffen hatte: Es verging ja nichts. Alles war. Alles blieb. Und selbst wenn die Dinge sich änderten, so geschah es immer in dem einen, gleichen, sich nie verändernden Jetzt.

Auf den Fluchten, die später kamen, dachte sie oft an diese erste Flucht zurück. Nach der Niederlage am Weißen Berg schien es ihr, als hätte sie sich früh darauf vorbereitet und als wäre ihr das Fliehen von alters her vertraut. «Faltet die Seide», rief sie, «lasst das Geschirr liegen, nehmt lieber das Leinen, das ist unterwegs mehr wert. Und was die Bilder angeht, so nehmt die spanischen und lasst die böhmischen da, die Spanier malen besser!» Und zu ihrem armen Friedrich sagte sie: «Mach dir nichts draus. Man läuft weg, man hockt eine Weile im Versteck, und dann kommt man zurück.»

Denn damals in Coventry war es ja so gewesen. Sie hatten irgendwann erfahren, dass die Gefahr gebannt war, und waren gerade rechtzeitig zum großen Dankgottesdienst zurück nach London gekommen. Die Straßen zwischen Westminster und Whitehall waren gefüllt mit Jubelnden. Dann führten die *King's Men* ein Theaterstück auf, das der Prinzipal eigens für den Anlass geschrieben hatte. Es handelte von einem Schottenkönig, den ein Schurke tötet, ein Mann mit schwarzer Seele, angetrieben von Hexen, die lügen, indem sie die Wahrheit sagen. Ein schwarzes Stück war es, voller Feuer und Blut und Teufelskraft, und als es zu Ende war, wusste sie, dass sie es nie wieder sehen wollte, obgleich es vielleicht das beste Stück ihres Lebens gewesen war.

Aber ihr armer dummer Mann wollte ihr nicht zuhören, damals auf der Flucht aus Prag. Er war zu entsetzt über den Verlust seiner Armee und seines Thrones und murmelte nur wieder und wieder, dass es ein Fehler gewesen sei, die böhmische Krone anzunehmen. Alle, auf die es ankam, hätten ihm gesagt, dass es ein Fehler sei, alle und immer wieder, aber in seiner Dummheit habe er auf die Falschen gehört.

Damit meinte er natürlich sie.

«Ich habe auf die Falschen gehört!», sagte er wieder, gerade laut genug, dass sie es verstehen konnte, während die Kutsche – die unauffälligste, die sie hatten – die Hauptstadt verließ.

Da begriff sie, dass er ihr das nicht verzeihen würde. Aber er würde sie trotzdem lieben, wie sie ihn ja auch liebte. Das Wesen der Ehe bestand nicht nur darin, dass man Kinder hatte, es bestand auch aus all den Verwundungen, die man einander zugefügt, all den Fehlern, die man miteinander gemacht hatte, all den Dingen, die man einander für immer übel nahm. Er würde ihr nicht verzeihen, dass sie ihn dazu gebracht hatte, die Krone anzunehmen, wie sie ihm nicht verzeihen würde, dass er von Anfang an zu dumm für sie gewesen war. Alles wäre einfacher gewesen, wäre er nur etwas schneller im Kopf gewesen. Am Anfang hatte sie gedacht, sie würde es ändern können, aber dann hatte sie eingesehen, dass da nichts zu machen war. Der Schmerz darüber war nie ganz abgeklungen, und wann immer er mit seinen wohlgelernt festen Schritten einen Raum betrat oder wenn sie in sein schönes Gesicht blickte, spürte sie zugleich mit der Liebe einen kleinen Stich.

Sie lüftete den Vorhang und sah aus dem Kutschenfenster. Prag: die zweite Hauptstadt der Welt, das Zentrum der Gelehrsamkeit, der alte Kaisersitz, das östliche Venedig. Trotz der Dunkelheit erkannte man die

Umrisse des Hradschin, erhellt vom Abglanz unzähliger Feuerzungen.

«Wir werden zurückkommen», sagte sie, obwohl sie es schon jetzt nicht mehr glaubte. Aber sie wusste, dass man eine Flucht nur ertragen konnte, wenn man sich an einem Versprechen festhielt. «Du bist der König von Böhmen, Gott will es so. Du kommst zurück.»

Und so schlimm es auch war, so gab es doch etwas an diesem Moment, das ihr gefiel. Er erinnerte sie ans Theater: Staatsaktionen, eine Krone, die von einem Haupt zum anderen wechselte, eine große verlorene Schlacht. Was fehlte, war ein Monolog.

Denn auch da hatte Friedrich versagt. Als er sich hastig von den vor Sorge bleichen Gefolgsleuten verabschiedet hatte, wäre der Augenblick für eine Ansprache gewesen, da hätte er auf einen Tisch steigen und reden müssen. Irgendwer hätte es sich gemerkt, irgendwer es mitgeschrieben und weitererzählt. Eine große Rede hätte ihn unsterblich gemacht. Aber natürlich war ihm nichts eingefallen, er hatte etwas Unverständliches gemurmelt, und schon waren er und sie zur Tür hinaus, auf dem Weg ins Exil. Und all die edlen böhmischen Herren, deren Namen sie nie hatte aussprechen können, all die Wrschwitschky, Prtschkatrt und Tschrrkattrr, die ihr der für die tschechische Sprache zuständige Hofmeister bei jedem Empfang ins Ohr geflüstert hatte, ohne dass sie sie je hätte wiederholen können, würden

den Anbruch des neuen Jahres nicht mehr erleben. Der Kaiser verstand keinen Spaß.

«Ist schon gut», flüsterte sie in der Kutsche, ohne es zu meinen, denn es war nicht gut. «Ist schon gut, ist gut, es ist schon gut!»

«Ich hätte die verfluchte Krone nicht annehmen dürfen!»

«Ist schon gut.»

«Auf die Falschen hab ich gehört.»

«Es ist schon gut!»

«Kann man noch zurück?», flüsterte er. «Es irgendwie ändern, kann man das? Ein Astrologe? Es müsste doch gehen, mit Hilfe der Sterne, was denkst du?»

«Ja, vielleicht», antwortete sie, ohne zu wissen, was er sagen wollte. Und als sie ihm übers tränennasse Gesicht strich, fiel ihr seltsamerweise ihre Hochzeitsnacht ein. Nichts hatte sie gewusst, niemand hatte es für nötig erachtet, einer Prinzessin so etwas zu erklären, während ihm offenbar irgendwer gesagt hatte, dass es doch ganz einfach sei, man müsse die Frau nur nehmen, sie werde erst scheu sein, aber dann begreife sie; mit Kraft und Bestimmtheit müsse man ihr kommen wie dem Gegner in der Schlacht. An diesen Rat hatte er sich wohl halten wollen. Aber als er sie plötzlich packte, dachte sie, er wäre verrückt geworden, und da er einen Kopf kleiner war als sie, schüttelte sie ihn ab und sagte: «Lass den Unsinn!» Er versuchte es wieder, und sie stieß ihn so heftig weg, dass er gegen die Anrichte taumelte:

Eine Karaffe zerbrach, und zeit ihres Lebens erinnerte sie sich an die Pfütze auf den steinernen Intarsien, auf der drei Rosenblätter schwammen wie kleine Schiffchen. Es waren drei gewesen, das wusste sie noch genau.

Er richtete sich auf und versuchte es wieder.

Und da sie gemerkt hatte, dass sie stärker war, rief sie nicht um Hilfe, sondern hielt nur seine Handgelenke fest. Er konnte sich nicht befreien. Keuchend zerrte er, keuchend hielt sie ihn, mit vor Schreck geweiteten Augen starrten sie einander an.

«Lass es», sagte sie.

Er begann zu weinen.

Und wie später in der Kutsche flüsterte sie: «Ist schon gut, ist gut, es ist schon gut!», und setzte sich auf den Bettrand und strich ihm über den Kopf.

Er fasste sich, probierte es ein letztes Mal und griff an ihre Brust. Sie gab ihm eine Ohrfeige, fast erleichtert ließ er ab. Sie gab ihm einen Kuss auf die Wange. Er seufzte. Dann rollte er sich zusammen, schlüpfte so tief unter die Decke, dass auch sein Kopf nicht mehr zu sehen war, und schlief sofort ein.

Nur ein paar Wochen später zeugten sie ihren ersten Sohn.

Er war ein freundliches Kind, wach und wie durchstrahlt, er hatte helle Augen und eine klare Stimme, und er war schön wie sein Vater und klug wie Liz, und sie erinnerte sich deutlich an sein Schaukelpferd und an ein kleines Schloss, das er aus hölzernen Klötzchen errichtet hatte, und daran, wie er mit hoher fester Stimme englische Lieder sang, angeleitet von ihr. Mit fünfzehn Jahren ertrank er unter einem gekenterten Fährschiff. Ihr waren schon vorher Kinder gestorben, aber noch keines so spät. Wenn sie klein waren, erwartete man es fast täglich, aber an dieses hatte sie sich fünfzehn Jahre lang gewöhnt, er war vor ihren Augen herangewachsen, und dann, auf einmal, war er dahin. Immer musste sie an ihn denken, immer an die Momente, in denen er unter dem umgedrehten Kahn gefangen gewesen war, doch wenn sie es fertigbrachte, eine kurze Weile nicht an ihn zu denken, dann träumte sie nur umso deutlicher von ihm.

Aber davon wusste sie noch nichts in der Hochzeitsnacht, und sie wusste es auch nicht später in der Kutsche, als sie aus Prag flohen; erst jetzt wusste sie es, in dem Haus bei Den Haag, das sie ihre Residenz nannten, obwohl es nur eine Villa mit zwei Stockwerken war: unten das Wohnzimmer, das sie den Empfangs- und manchmal auch Thronsaal nannten, und eine Küche, die sie den Gesindetrakt nannten, und den kleinen Anbau, den sie die Stallungen nannten, und ihr Schlafzimmer im ersten Stock, das sie die Wohnräume nannten. Davor war ein Garten, den sie den Park nannten, umgeben von einer zu selten geschnittenen Hecke.

Sie hatte nie den Überblick, wie viele Leute gerade bei ihnen wohnten. Es gab Zofen, es gab einen Koch, es gab den Grafen Hudenitz – ein alter Dummkopf, der mit ihnen aus Prag geflohen war und den Friedrich kurzerhand zum Kanzler ernannt hatte –, es gab einen Gärtner, der auch Stallmeister war, was nicht viel hieß, da sie im Stall kaum Tiere hatten, und es gab einen Lakaien, der mit lauter Stimme die Gäste ankündigte und danach das Essen servierte. Eines Tages fiel ihr auf, dass der Lakai und der Koch einander nicht etwa ähnelten, wie sie bisher gedacht hatte, sondern ein und derselbe waren, wieso hatte sie das nicht vorher bemerkt? Das Gesinde lebte im Gesindetrakt, außer dem Koch, der in der Halle schlief, und dem Gärtner, der mit seiner Frau im Thronsaal übernachtete, wenn es denn seine Frau war, Liz war sich nicht sicher, es war unter der Würde einer Königin, sich mit derlei Dingen zu befassen, aber die Frau war rundlich und liebenswürdig und eine zuverlässige Aufpasserin für die Kinder. Nele und der Narr wiederum schliefen oben im Korridor, oder vielleicht schliefen sie auch gar nicht, schlafen sah Liz sie nie. Haushaltsführung war nicht ihre Stärke, das überließ sie dem Haushofmeister, der übrigens auch kochte.

«Kann ich den Narren mit nach Mainz nehmen?», fragte Friedrich.

«Was willst du mit dem Narren?»

Er müsse dort wie ein Herrscher auftreten, erklärte er in seiner umständlichen Art. Zu einem Hofstaat gehöre nun mal ein Narr.

«Na, wenn du glaubst, dass das hilft.»

Und so reisten sie ab, ihr Mann und der Narr und Graf Hudenitz und dann auch noch, damit das Gefolge nicht zu klein aussah, der Koch. Sie sah sie davonziehen vor dem grauen Novemberhimmel. Vom Fenster aus sah sie ihnen nach, bis sie außer Sicht waren. Einige Zeit verging, die Bäume bewegten sich kaum merklich im Wind. Sonst rührte sich nichts.

Sie setzte sich auf ihren alten Lieblingsplatz, den Stuhl zwischen Fenster und Kamin, in dem es schon lang kein Feuer mehr gegeben hatte. Gern hätte sie die Zofe um noch eine Decke gebeten, aber leider war die Zofe vorgestern fortgelaufen. Es würde sich eine neue finden. Immer gab es irgendwelche Bürgerlichen, die wollten, dass ihre Tochter einer Königin diente – sogar wenn es eine Spottkönigin war, von der lustige Bildchen kursierten. In katholischen Landen behauptete man, dass sie mit jedem Edelmann von Prag geschlafen hatte, das wusste sie schon lange, und sie konnte nichts anderes dagegen tun, als besonders würdig und freundlich und königlich zu sein. Sie und Friedrich waren mit der Reichsacht belegt worden, und wer sie töten wollte, durfte das, ohne dass irgendein Priester ihm dafür Segen und Seligkeit versagt hätte.

Es begann zu schneien. Sie schloss die Augen und pfiff leise vor sich hin. Die Leute nannten ihren armen Friedrich den Winterkönig, aber wenn es kalt wurde, fror er ganz fürchterlich. Bald würde der Schnee im

Garten kniehoch liegen, und niemand würde den Weg freischaufeln, denn auch ihr Gärtner hatte sich davongemacht. Sie würde Christian von Braunschweig schreiben und *pour Dieu et pour elle* um ein paar Männer zum Schneeschaufeln bitten.

Sie dachte an den Tag, der alles geändert hatte. Der Tag, an dem der Brief gekommen war und mit ihm das Verhängnis. All die Unterschriften: weit ausschwingend, ein Name so unaussprechlich wie der andere. Herren, von denen sie nie gehört hatte, boten dem Kurfürsten Friedrich die Krone Böhmens an. Sie wollten ihren alten König nicht mehr, der in Personalunion auch der Kaiser war; ihr neuer Herrscher sollte Protestant sein. Um ihren Entschluss zu besiegeln, hatten sie die kaiserlichen Statthalter aus dem Fenster des Prager Schlosses geworfen.

Nur waren die in einen Haufen Scheiße gefallen und hatten überlebt. Unter Schlossfenstern gab es immer viel Scheiße, das lag an all den Nachttöpfen, die täglich geleert wurden. Das Dumme war bloß, dass daraufhin im ganzen Land die Jesuiten predigten, ein Engel habe die Statthalter aufgefangen und sanft zu Boden gesetzt.

Kaum war der Brief gekommen, schrieb Friedrich an Papa.

Liebster Schwiegersohn, antwortete Papa per reitendem Kurier, mach es auf keinen Fall.

Dann fragte Friedrich die Fürsten der Protestantischen Union. Tagelang kamen Boten, atemlose Männer auf dampfenden Pferden, und in jedem Brief stand das Gleiche: Seid nicht dumm, kurfürstliche Durchlaucht, macht es nicht.

Friedrich fragte jeden, den er finden konnte. Man müsse es genau durchdenken, erklärte er immer wieder. Böhmen sei nicht Teil des Reichsgebietes, die Krone anzunehmen sei also nach Meinung maßgeblicher Rechtsgelehrter kein Verstoß wider den Gefolgschaftseid gegenüber der Kaiserlichen Majestät.

Mach es nicht, schrieb Papa wieder.

Jetzt erst fragte er Liz. Sie hatte schon darauf gewartet, sie war vorbereitet.

Es war später Abend, und sie waren im Schlafzimmer, umgeben von reglos in der Luft stehenden Flämmchen – nur die teuersten Wachskerzen brannten so still.

«Sei nicht dumm», sagte auch sie. Dann ließ sie einen langen Augenblick verstreichen und fügte hinzu: «Wie oft wird einem eine Krone angeboten?»

Das war der Moment, der ihr Leben verändert hatte, der Moment, den er ihr nie verzieh. Ein Leben lang sollte sie es vor sich sehen: ihr Himmelbett mit dem Wappen der Wittelsbacher auf dem Baldachin, die Kerzenflammen, die sich in der Karaffe auf dem Nachttisch spiegelten, das gewaltige Gemälde von einer Frau mit kleinem Hund an der Wand. Später wusste sie nicht mehr, wer es gemalt hatte, es war auch egal, sie hatten es nicht mitgenommen nach Prag, es war verloren.

«Wie oft wird einem eine Krone angeboten? Wie oft passiert es, dass es ein gottgefälliges Werk ist, sie anzunehmen? Man hat den böhmischen Protestanten den Toleranzbrief gegeben, dann hat man ihn zurückgenommen, immer enger zieht sich die Schlinge. Nur du kannst ihnen helfen.»

Auf einmal war ihr, als wäre dieses Schlafzimmer mit Himmelbett, Wandgemälde und Karaffe eine Bühne und als spräche sie vor einem Saal voll gebannt schweigender Zuschauer. Der Prinzipal fiel ihr ein, die schwebende Zaubergewalt seiner Sätze; ihr war, als umgäben sie die Schatten künftiger Geschichtsschreiber, als wäre es nicht sie, die sprach, sondern die Schauspielerin, die später, in einem Stück, in dem dieser Moment vorkam, die Aufgabe hatte, Prinzessin Elisabeth Stuart darzustellen. In dem Stück ging es um die Zukunft der Christenheit und um ein Königtum und einen Kaiser. Wenn sie ihren Mann überzeugte, würde der Lauf der Welt eine Richtung nehmen, und wenn sie ihn nicht überzeugte, so würde es eine andere Richtung sein.

Sie stand auf, ging mit gemessenen Schritten auf und ab und hielt ihren Monolog.

Sie sprach von Gott und von Pflichten. Sie sprach vom Glauben der einfachen Menschen und vom Glauben der Weisen. Sie sprach von Calvin, der allen Menschen beigebracht hatte, das Leben nicht leichtzunehmen, sondern als Prüfung, vor der man jeden Tag versagen konnte, und hatte man versagt, so war man ein Versager in Ewigkeit. Sie sprach davon, dass man Wagnisse mit Stolz und Mut eingehen müsse, sie sprach von Julius Cäsar, der mit den Worten, nun seien die Würfel in der Luft, den Rubikon überschritten hatte.

«Cäsar?»

«Lass mich ausreden!»

«Aber ich wäre nicht Cäsar, ich wäre sein Feind. Ich wäre bestenfalls Brutus. Der Kaiser ist Cäsar!»

«In diesem Vergleich bist du Cäsar.»

«Der Kaiser ist Cäsar, Liz. Cäsar *heißt* Kaiser! Es ist das gleiche Wort.»

Vielleicht sei es das gleiche Wort, rief sie, aber das ändere nichts daran, dass in diesem Vergleich Cäsar nicht der Kaiser sei, auch wenn Cäsar Kaiser heiße, sondern es sei der Mann, der den Rubikon überschritten und die Würfel geworfen habe, und wenn man das so sehe, dann sei Cäsar er, Friedrich, weil er seine Feinde besiegen werde, und nicht der Kaiser in Wien, auch wenn der den Titel Cäsar trage!

«Aber Cäsar hat seine Feinde nicht besiegt. Seine Feinde haben ihn erstochen!»

«Jeder kann jeden erstechen, das heißt nichts! Aber sie sind vergessen, und Cäsars Name lebt fort!»

«Ja, und weißt du, wo? Im Wort Kaiser!»

«Wenn du König von Böhmen bist und ich Königin, schickt Papa uns Hilfe. Und wenn die Union der protestantischen Fürsten sieht, dass die Engländer Prag schützen, werden sie sich um uns sammeln. Die Krone Böhmens ist der Tropfen, der den Ozean –»

«Das Fass! Ein Tropfen lässt das Fass überlaufen. Ein Tropfen im Ozean, das steht für Vergeblichkeit. Du meinst einen Tropfen ins Fass!»

«Herrgott, diese Sprache!»

«Das hat nichts mit Deutsch zu tun, das ist Logik.»

Da hatte sie die Geduld verloren und geschrien, dass er still sein und zuhören solle, und er hatte eine Entschuldigung gemurmelt und war verstummt. Und sie hatte alles noch einmal gesagt: Rubikon, Würfel, Gott mit uns, und sie merkte mit Stolz, dass es beim dritten Mal besser klang, jetzt hatte sie die richtigen Sätze beisammen.

«Dein Vater wird Soldaten schicken?»

Sie sah ihm in die Augen. Das war der Augenblick, jetzt lag alles bei ihr: Alles, was ab jetzt geschehen würde, all die Jahrhunderte, die ganze unermessliche Zukunft, alles hing ab von ihrer Antwort.

«Er ist mein Vater, er lässt mich nicht im Stich.»

Und obwohl sie wusste, dass sie das gleiche Gespräch am nächsten und übernächsten Tag wieder führen würden, so wusste sie doch auch, dass die Entscheidung getroffen war und dass man sie in Prags Kathedrale krönen und dass sie ein Hoftheater haben würde mit den besten Schauspielern der Welt.

Sie seufzte. Dahin hatte sie es leider nie gebracht. Sie hatte die Zeit nicht gehabt, dachte sie zwischen Fenster und kaltem Kamin, während sie die Flocken fallen sah. Der eine Winter hatte nicht genügt. Ein Hoftheater aufzubauen brauchte Jahre. Ihrer beider Krönung immerhin war so erhebend gewesen, wie sie es sich vorgestellt hatte, und danach hatte sie sich von den besten Malern Böhmens, Mährens und Englands ins Bild setzen lassen, und sie hatte von goldenen Tellern gegessen und Umzüge durch die Stadt angeführt, und als Cherubim verkleidete Jungen hatten ihre Schleppe getragen.

Unterdessen hatte Friedrich Briefe an Papa geschickt: Der Kaiser wird kommen, lieber Vater, er wird ohne Zweifel kommen, wir brauchen Schutz.

Papa hatte zurückgeschrieben und ihnen Kraft und Stärke gewünscht, er hatte Gottes Segen auf sie herabbeschworen, er hatte ihnen Ratschläge zur Gesundheit, zur Dekoration des Thronsaals und zur guten Regentschaft gegeben, er hatte sie seiner ewigen Liebe versichert, er hatte versprochen, immer für sie da zu sein.

Aber Soldaten hatte er keine geschickt.

Und als Friedrich ihm endlich flehend geschrieben hatte, dass er Hilfe brauche, um Gottes und Christi willen, da hatte Papa geantwortet, dass niemals auch nur eine Sekunde vergehen werde, in denen seine liebsten Kinder nicht Inhalt seines ganzen Hoffens und Bangens seien.

Weil er aber keine Soldaten geschickt hatte, hatte auch die Protestantische Union keine geschickt, und so war ihnen nur das Heer Böhmens geblieben, das sich in Prunk und Stahl vor der Stadt gesammelt hatte.

Vom Hradschin aus sah sie es marschieren, und mit kaltem Schrecken wurde ihr klar, dass diese blitzenden Lanzen, diese Schwerter und Hellebarden nicht einfach bloß irgendwelche glänzenden Dinge waren, sondern Klingen. Es waren Messer, geschliffen zu dem einzigen Zweck, Menschenfleisch zu schneiden, Menschenhaut zu durchstoßen und Menschenknochen zu zersplittern. Die Leute, die dort drunten so schön im Gleichschritt gingen, würden diese langen Messer anderen in die Gesichter stoßen, und selbst würden sie Messer in Bäuche und Hälse gestoßen bekommen, und so mancher von ihnen würde von gegossenen Metallklumpen getroffen werden, die so schnell flogen, dass sie Köpfe abrissen, Glieder zerschmetterten, Bäuche durchschlugen. Und Hunderte Eimer Blut, das noch in diesen Männern floss, würde bald nicht mehr in ihnen sein, es würde verspritzen, verrinnen, schließlich versickern; was machte eigentlich die Erde mit all dem Blut, wusch der Regen es aus, oder war es ein Düngemittel, das besondere Pflanzen wachsen ließ? Ein Arzt hatte ihr gesagt, dass der letzte Samen der Sterbenden kleine Alraunenmännchen zeugte, lebendig zitternde Wurzelwesen, die wie Säuglinge schrien, wenn man sie aus dem Boden zog.

Und plötzlich wusste sie, dass diese Armee verlieren würde. Sie wusste es mit einer Sicherheit, die sie schwindeln machte; noch nie hatte sie in die Zukunft gesehen, und es gelang ihr auch später nicht mehr, aber in diesem Augenblick war es keine Vorahnung, sondern die klarste Gewissheit: Diese Männer würden sterben, fast alle von ihnen, bis auf jene, die verkrüppelt und die, die einfach davonlaufen würden, und dann würden Friedrich und sie und die Kinder nach Westen fliehen, und ein Leben im Exil läge vor ihnen, denn auch nach Heidelberg könnten sie nicht zurück, der Kaiser würde es nicht erlauben.

Und genauso war es gekommen.

Von einem protestantischen Hof zogen sie zum nächsten, mit immer weniger Gefolge und immer weniger Geld, unter dem Schatten der Reichsacht und der aberkannten Kurwürde, denn Friedrichs katholischer Cousin in Bayern war nach des Kaisers Willen nun Kurfürst statt seiner. Das hätte der Kaiser laut der Goldenen Bulle gar nicht anordnen dürfen, aber wer hätte ihn hindern sollen, des Kaisers Feldherren gewannen jede Schlacht. Papa hätte wohl helfen können, und tatsächlich schrieb er voller Wohlwollen und Sorge, regelmäßig und in schönstem Stil. Aber Soldaten schickte er nicht. Auch riet er ihnen, nicht nach England zu kommen, die Lage sei wegen der Verhandlungen mit Spanien gerade nicht günstig, immerhin stünden spanische Truppen jetzt in der Pfalz, um von dort aus den Krieg gegen Holland fortzusetzen – wartet noch zu, meine Kinder, Gott ist mit den Gerechten und das Glück mit den Anständigen, verliert nicht den Mut, kein Tag vergeht, an dem nicht für Euch betet Euer Vater Jakob.

Und weiterhin gewann der Kaiser Schlacht um Schlacht. Er besiegte die Union, er besiegte den König von Dänemark, und zum ersten Mal schien es möglich, dass der Protestantismus wieder verschwinden würde aus Gottes Welt.

Aber dann landete der Schwede Gustav Adolf, der Liz nicht hatte heiraten wollen, und gewann. Jede Schlacht gewann er, und jetzt stand er vor Mainz im Winterquartier, und nach langem Zögern hatte Friedrich ihm geschrieben, in schwungvollen Zügen und mit königlichem Siegel, und nur zwei Monate später war ein Brief mit ebenso großem Siegel zurück nach Den Haag gekommen: Wir freuen uns, Euch wohl zu wissen, und hoffen auf Euren Besuch.

Der Augenblick war nicht der beste. Friedrich war erkältet, sein Rücken schmerzte. Aber es gab nur einen Menschen, der sie zurück in die Pfalz und vielleicht sogar zurück nach Prag bringen konnte, und wenn der einen zu sich beschied, so musste man gehen.

«Muss ich wirklich?»

«Ja, Fritz.»

«Er hat mir aber keine Befehle zu geben.»

«Natürlich nicht.»

«Ich bin König wie er.»

«Natürlich, Fritz.»

«Aber muss ich gehen?»

«Ja, Fritz.»

Und so war er losgezogen, mit dem Narren, dem Koch und Hudenitz. Es war auch wirklich Zeit, dass die Dinge sich änderten, vorgestern hatte es Grütze zu Mittag gegeben und Brot zu Abend und gestern Brot zu Mittag und abends nichts. Die holländischen Generalstaaten waren ihrer so überdrüssig, dass sie ihnen kaum noch genug Geld zum Überleben gaben.

Sie blinzelte ins Schneegestöber. Kalt war es geworden. Da sitze ich, dachte sie, Königin von Böhmen, Kurfürstin der Pfalz, Tochter des Königs von England, Nichte des Königs von Dänemark, Großnichte der jungfräulichen Elisabeth, Enkelin der Maria von Schottland, und kann mir kein Feuerholz leisten.

Sie bemerkte, dass Nele neben ihr stand. Für einen Moment überraschte sie das. Warum war die denn nicht mit ihrem Mann gegangen, falls er überhaupt ihr Mann war?

Nele machte einen Knicks, stellte einen Fuß spitz vor den anderen, breitete die Arme aus und spreizte die Finger.

«Heute wird nicht getanzt», sagte Liz. «Heute reden wir.»

Nele nickte ergeben.

«Wir erzählen. Ich dir, du mir. Was willst du wissen?»

«Madame?»

Sie war etwas ungepflegt, und sie hatte die grobe Statur und das derbe Gesicht ihres niederen Standes, aber sie war doch hübsch: klare, dunkle Augen, seidiges Haar, geschwungene Hüften. Nur ihr Kinn war zu breit, und die Lippen waren ein wenig zu wulstig.

«Was willst du wissen?», wiederholte Liz. Sie spürte ein Stechen in der Brust, halb Furcht, halb Erregung. «Frag, was du willst.»

«Das steht mir nicht zu, Madame.»

«Wenn ich es sage, steht es dir zu.»

«Mich stört es nicht, dass die Leute über mich und den Tyll lachen. Denn das ist unser Beruf.»

«Das ist keine Frage.»

«Die Frage ist, tut es Eurer Majestät weh?»

Liz schwieg.

«Dass alle lachen, Madame, tut das weh?»

«Ich verstehe dich nicht.»

Nele lächelte.

«Du hast dich entschlossen, mich etwas zu fragen, das ich nicht verstehe. Wie du willst, ich habe dir eine Antwort gegeben, jetzt bin ich an der Reihe. Ist der Narr dein Mann?»

«Nein, Madame.»

«Wieso nicht?»

«Braucht es einen Grund?»

«Das braucht tatsächlich einen, ja.»

«Wir sind zusammen weggelaufen. Sein Vater wurde

als Hexer verurteilt, und ich wollte nicht bleiben, ich wollte nicht einen Steger heiraten, drum bin ich mit ihm weg.»

«Warum wolltest du nicht heiraten?»

«Immer Dreck, Madame, und abends kein Licht. Kerzen sind zu teuer. Man sitzt im Dunkeln und isst Grütze. Immer Grütze. Und den Steger-Sohn hab ich auch nicht gemocht.»

«Aber den Tyll?»

«Ich sag doch, er ist nicht mein Mann.»

«Jetzt bist du wieder dran mit Fragen», sagte Liz.

«Ist es schlimm, wenn man nichts hat?»

«Woher soll ich das wissen! Sag du es mir!»

«Es ist nicht leicht», sagte Nele. «Kein Schutz, heimatlos durchs Land, kein Haus gegen den Wind. Jetzt habe ich eines.»

«Wenn ich dich fortschicke, hast du keines mehr. Also, ihr seid zusammen geflohen, aber warum ist er nicht dein Mann?»

«Ein Bänkelsänger hat uns mitgenommen. Auf dem nächsten Marktflecken haben wir einen Gaukler getroffen, den Pirmin. Von ihm haben wir das Geschäft gelernt, aber er war gemein und hat uns nicht genug zu essen gegeben, und geschlagen hat er uns auch. Wir sind nach Norden gezogen, weg vom Krieg, sind fast bis zum Meer gekommen, aber dann sind die Schweden gelandet, und wir sind in den Westen ausgewichen.»

«Du und Tyll und Pirmin?»

«Da waren wir wieder zu zweit.»

«Seid ihr dem Pirmin davongelaufen?»

«Der Tyll hat ihn umgebracht. Darf jetzt wieder ich fragen, Madame?»

Liz schwieg einen Augenblick. Neles Deutsch war bäuerlich und seltsam, vielleicht hatte sie etwas falsch verstanden. «Ja», sagte sie dann, «jetzt darfst wieder du fragen.»

«Wie viele Dienerinnen hattet Ihr früher?»

«Gemäß meinem Ehevertrag hatte ich dreiundvierzig Bediente nur für mich, darunter sechs adelige Kammerfrauen, von denen jede vier Zofen hatte.»

«Und heute?»

«Jetzt bin ich wieder dran. Warum ist er nicht dein Mann? Magst du ihn nicht?»

«Er ist wie ein Bruder und Eltern. Er ist alles, was ich habe. Und ich bin alles, was er hat.»

«Aber du willst ihn nicht zum Mann?»

«Bin ich wieder dran, Madame?»

«Ja, bist du.»

«Habt Ihr ihn zum Mann gewollt, Madame?»

«Wen?»

«Seine Majestät. Haben Eure Majestät Seine Majestät zum Mann für Eure Majestät gewollt, als Eure Majestät ihn geheiratet haben?»

«Das ist was anderes, Mädchen.»

«Warum?»

«Es war eine Staatsangelegenheit, mein Vater und

die beiden Außenminister haben monatelang verhandelt. Und deshalb wollte ich ihn, noch bevor ich ihn gesehen hatte.»

«Und als Eure Majestät ihn gesehen haben?»

«Da wollte ich ihn erst recht», sagte Liz mit gerunzelter Stirn. Dieses Gespräch gefiel ihr nicht mehr.

«Seine Majestät ist ja auch ein sehr majestätischer Herr.»

Liz blickte ihr scharf ins Gesicht.

Nele erwiderte ihren Blick mit weit offenen Augen. Es war nicht zu erkennen, ob sie sich über sie lustig machte.

«Jetzt kannst du tanzen», sagte Liz.

Nele machte einen Knicks, dann begann sie. Ihre Schuhe klickerten auf dem Parkett, ihre Arme schwangen, ihre Schultern drehten sich, ihre Haare flogen. Es war einer der schwierigen Tänze nach neuester Mode, und sie machte es so anmutig, dass Liz bedauerte, keinen Musiker mehr zu haben.

Sie schloss die Augen, hörte dem Klappern von Neles Schuhen zu und überlegte, was sie als Nächstes verkaufen sollte. Ein paar Bilder waren noch da, darunter ihr Porträt, gemalt von jenem freundlichen Mann aus Delft, und das von dem eingebildeten Wicht mit dem großen Schnurrbart, der mit solchem Pomp seine Pinsel geschwungen hatte; sie fand sein Bild etwas unbeholfen, aber es war vermutlich viel wert. Ihren Schmuck hatte sie bereits weggegeben, doch es gab noch ein

Diadem und zwei oder drei Ketten, die Lage war nicht aussichtslos.

Das Klappern hatte aufgehört, sie öffnete die Augen. Sie war allein im Raum. Wann war Nele gegangen? Wieso nahm sie sich das heraus? Niemand durfte sich aus der Gegenwart eines Souveräns entfernen, ohne entlassen worden zu sein.

Sie blickte nach draußen. Auf dem Rasen lag bereits eine dicke Schicht Schnee, die Äste der Bäume bogen sich. Aber hatte es nicht gerade erst zu schneien begonnen? Auf einmal war sie sich nicht mehr sicher, wie lange sie schon hier saß, in diesem Stuhl beim Fenster neben dem kalten Kamin, die geflickte Decke auf den Knien. War Nele eben noch da gewesen, oder war das eine Weile her? Und wie viele Leute hatte Friedrich nach Mainz mitgenommen, wer war ihr geblieben?

Sie versuchte nachzuzählen: Der Koch war bei ihm, der Narr auch, die zweite Zofe hatte um eine Woche Urlaub gebeten, um ihre kranken Eltern aufzusuchen, wahrscheinlich würde sie nicht zurückkommen. Vielleicht gab es in der Küche noch jemanden, vielleicht nicht, wie sollte man das wissen, sie war noch nie in der Küche gewesen. Einen Nachtwächter gab es auch – so vermutete sie, aber da sie nachts nicht aus dem Schlafzimmer ging, hatte sie ihn nie gesehen. Der Mundschenk? Er war ein feiner älterer Herr, sehr distinguiert, aber jetzt kam es ihr auf einmal so vor, als wäre er seit langer Zeit schon nicht mehr aufgetaucht, entweder war er in Prag geblieben oder irgendwo auf ihrem Weg von Exil zu Exil gestorben – wie ja auch Papa gestorben war, ohne dass sie ihn noch einmal gesehen hatte, und plötzlich regierte in London ihr Bruder, den sie kaum kannte und von dem erst recht nichts zu erwarten war.

Sie horchte. Nebenan knisterte und klickte etwas, aber als sie die Luft anhielt, um besser zu hören, konnte sie es nicht mehr ausmachen. Es war ganz still.

«Ist jemand da?»

Keiner antwortete.

Irgendwo gab es eine Glocke. Wenn sie die läutete, tauchte jemand auf, so war es immer, so gehörte es sich, ihr ganzes Leben war es so gewesen. Aber wo war sie, diese Glocke?

Vielleicht würde sich alles bald ändern. Wenn Gustav Adolf und Friedrich, also der Mann, den sie fast, und der, den sie dann wirklich geheiratet hatte, sich einigen würden, dann würde es wieder Feste in Prag geben, dann könnten sie zurückkehren ins hohe Schloss, am Ende des Winters, wenn der Krieg wieder begann. Denn so war es jedes Jahr: Wenn Schnee fiel, machte der Krieg Pause, und wenn die Vögel zurückkamen und die Blumen sprossen und das Eis die Bäche freigab, ging auch der Krieg wieder los.

Ein Mann stand im Zimmer.

Das war merkwürdig – zum einen, weil sie nicht

geläutet, und zum anderen, weil sie diesen Mann noch nie gesehen hatte. Einen Augenblick fragte sie sich, ob sie sich fürchten sollte. Meuchelmörder waren durchtrieben, überall konnten sie sich einschleichen, nirgendwo war man sicher. Aber dieser Mann sah nicht gefährlich aus, und er verbeugte sich, wie es sich gehörte, und dann sagte er etwas, das allzu befremdlich war für einen Mörder.

«Madame, der Esel ist weg.»

«Was für ein Esel? Und wer ist Er?»

«Wer der Esel ist?»

«Nein, wer Er ist. Wer ist ... Er.» Sie zeigte auf ihn, aber der Idiot verstand nicht. «Wer bist du?»

Er redete eine Weile. Es fiel ihr schwer, ihn zu verstehen, denn ihr Deutsch war noch immer nicht gut, und das seine war besonders grob. Erst allmählich kam sie darauf, dass er ihr zu erklären versuchte, dass er für den Stall zuständig sei und dass der Narr den Esel gleich nach seiner Rückkehr mitgenommen habe. Den Esel und Nele, die hatte er auch mitgenommen. Zu dritt seien sie abgereist.

«Nur einen Esel? Die anderen Tiere sind noch da?»

Er antwortete, sie verstand ihn nicht, er antwortete noch einmal, und sie begriff, dass es keine anderen Tiere gab. Der Stall war jetzt leer. Deshalb, erklärte der Mann, stehe er ja vor ihr, er brauche eine neue Aufgabe.

«Aber wieso ist der Narr überhaupt zurückgekommen, was ist mit Seiner Majestät? Ist Seine Majestät auch zurückgekommen?»

Bloß der Narr sei zurückgekommen, sagte der Mann, der des leeren Stalles wegen kein Stallmeister mehr war, und dann sei er wieder gegangen, mit Frau und Esel. Den Brief habe er dagelassen.

«Einen Brief? Zeig her!»

Der Mann griff in die rechte Hosentasche, griff in die linke, kratzte sich, griff wieder in die rechte, fand ein gefaltetes Stück Papier. Um den Esel tue es ihm leid, sagte er. Der sei ein ungewöhnlich kluges Tier gewesen, der Narr habe kein Recht gehabt, ihn mitzunehmen. Er habe ja versucht, ihn daran zu hindern, aber der Kerl habe ihm einen abscheulichen Streich gespielt. Es sei sehr peinlich, und er wolle nicht darüber reden.

Liz entfaltete den Zettel. Er war zerknittert und fleckig, die Buchstaben waren schwarz verschmiert. Aber sie erkannte die Handschrift auf den ersten Blick.

Für einen Moment, in dem sie ihn mit einem Teil ihres Verstandes schon überflogen hatte und mit einem anderen Teil noch nicht, war ihr danach, den Brief zu zerreißen und einfach zu vergessen, dass sie ihn bekommen hatte. Aber natürlich ging das nicht. Sie nahm ihre Kraft zusammen, ballte die Fäuste und las.

II

Gustav Adolf hatte kein Recht, ihn warten zu lassen. Nicht nur, weil es nicht die feine Art war. Nein, er durfte es buchstäblich nicht. Wie man sich anderen königlichen Personen gegenüber benahm, stand einem nicht frei, da gab es strenge Regeln. Die Wenzelskrone war älter als die Krone Schwedens, und Böhmen war das ältere und reichere Land, also genoss der Herrscher über Böhmen einem Schwedenkönig gegenüber Seniorität – gar nicht zu reden davon, dass ein Kurfürst ebenfalls Königsrang hatte, darüber hatte der pfälzische Hof einst ein Gutachten erstellen lassen, das war erwiesen. Nun war er zwar mit der Reichsacht belegt, aber der schwedische König hatte dem Kaiser, der die Acht verhängt hatte, den Krieg erklärt, und die Protestantische Union hatte die Aberkennung der Kurwürde nie akzeptiert, daher musste der Schwedenkönig ihn als Kurfürsten behandeln, und als solcher war er ihm gleichgestellt – eine Gleichstellung im allgemeinen Fürstenrang, und wenn man die Anciennität der Familie gelten ließ, war das pfälzische Haus zweifellos mehr wert als das Haus Wasa. Wie man es also wendete, es ging nicht an, dass Gustav Adolf ihn warten ließ.

Dem König schmerzte der Kopf. Ihm fiel das Atmen schwer. Auf den Geruch des Lagers war er nicht vorbereitet gewesen. Er hatte gewusst, dass es nicht sauber zuging, wenn Abertausende Soldaten mitsamt ihrem Tross an einem Ort lagerten, und er erinnerte sich noch an den Geruch seiner eigenen Armee, die er vor Prag befehligt hatte, bevor sie verschwunden war, versickert im Boden, verflogen wie Rauch, aber so wie das hier war es damals nicht gewesen, so etwas hatte er sich nicht vorgestellt. Man hatte das Lager schon gerochen, als es noch gar nicht in Sichtweite gewesen war, eine Ahnung von Schärfe und Bitternis über der entvölkerten Landschaft.

«Gott, wie das stinkt», hatte der König gesagt.

«Schlimm», hatte der Narr geantwortet. «Schlimm, schlimm, schlimm. Solltest dich waschen, Winterkönig.»

Der Koch und die vier Soldaten, die ihm die holländischen Generalstände widerstrebend zum Schutz mitgegeben hatten, hatten dumm gelacht, und der König hatte für einen Moment überlegt, ob er sich das bieten lassen durfte, aber dafür waren Narren schließlich da, so gehörte es sich, wenn man König war. Die Welt behandelte einen mit Respekt, aber dieser eine durfte alles sagen.

«Waschen soll sich der König», sagte der Koch.

«An den Füßen», rief ein Soldat.

Der König sah den neben ihm reitenden Grafen

Hudenitz an, aber da dessen Gesicht unbewegt blieb, konnte er so tun, als hätte er es nicht gehört.

«Auch hinter den Ohren», sagte ein anderer Soldat, und wieder lachten alle außer dem Grafen und dem Narren.

Der König wusste nicht, was er tun sollte. Richtig wäre es gewesen, nach dem unverschämten Kerl zu schlagen, aber er fühlte sich nicht gut, seit Tagen hatte er Husten, und was, wenn dieser Mensch zurückschlug? Der Soldat unterstand schließlich den Generalständen, nicht ihm. Andererseits konnte er sich doch nicht von Leuten beleidigen lassen, die nicht seine Hofnarren waren.

Dann hatten sie von einer Hügelkuppe aus das Lager gesehen, und der König hatte seine Wut vergessen, und die Soldaten hatten nicht mehr daran gedacht, ihn zu verspotten. Wie eine weiße, im Wind wabernde Stadt hatte es zu ihren Füßen gelegen – eine Stadt, durch deren Häuser eine sanfte Bewegung ging, ein Hin und Her, ein Gleiten und Wogen. Erst beim zweiten Hinsehen erkannte man, dass die Stadt aus Zelten bestand.

Der Geruch wurde stärker, je näher sie kamen. Er biss in die Augen, er stach in der Brust, und wenn man sich ein Tuch vors Gesicht hielt, drang er durch das Gewebe. Der König kniff die Augen zusammen, es würgte ihn. Er versuchte, flach zu atmen, aber umsonst, man entkam dem Geruch nicht, es würgte ihn stärker.

Er bemerkte, dass es Graf Hudenitz ebenso ging, und auch die Soldaten pressten die Hände vor die Gesichter. Der Koch war leichenblass. Selbst der Narr hatte nicht mehr seinen üblichen frechen Ausdruck.

Das Erdreich war aufgewühlt, die Pferde sanken ein, sie stapften wie durch tiefen Morast. Unrat häufte sich dunkelbraun am Wegesrand, der König versuchte, sich zu sagen, dass es wohl nicht das sei, was er vermutete, aber er wusste, es war genau das: der Kot von hunderttausend Menschen.

Nicht nur danach stank es. Es stank auch nach Wunden und Geschwüren, nach Schweiß und nach allen Krankheiten, welche die Menschheit kannte. Der König blinzelte. Ihm schien, als könnte man den Geruch sogar sehen, eine giftige gelbe Verdichtung der Luft.

«Wohin?»

Ein Dutzend Kürassiere versperrte ihnen den Weg – große, beherrscht wirkende Männer mit Helmen und Brustharnisch, wie der König sie seit seinen Tagen in Prag nicht gesehen hatte. Er sah Graf Hudenitz an. Graf Hudenitz sah die Soldaten an. Die Soldaten sahen den König an. Irgendwer musste sprechen, musste ihn ankündigen.

«Seine böhmische Majestät und Kurfürstlich-Pfalzgräfische Durchlaucht», sagte der König schließlich selbst. «Auf dem Weg zu eurem obersten Herrn.»

«Wo ist Seine böhmische Majestät?», fragte einer

der Kürassiere. Er sprach sächsischen Dialekt, und der König musste sich in Erinnerung rufen, dass auf schwedischer Seite nur wenige Schweden kämpften – wie auch im dänischen Heer kaum Dänen waren und damals vor Prag bloß ein paar hundert Tschechen gestanden hatten.

«Hier», sagte der König.

Der Kürassier sah ihn belustigt an.

«Ich bin es. Seine Majestät. Das bin ich.»

Auch die anderen Kürassiere grinsten.

«Was gibt's zu lachen?», fragte der König. «Wir haben einen Geleitbrief, eine Einladung des Königs von Schweden. Bringt mich sofort zu ihm.»

«Ist ja schon gut», sagte der Kürassier.

«Ich dulde keine Respektlosigkeit», sagte der König.

«Alles recht», sagte der Kürassier. «Komm einfach mit, Majestät.»

Und dann hatte er sie durch die äußeren Kreise des Lagers in die inneren geführt. Während der Gestank, der doch schon derart pestilenzhaft gewesen war, dass man hätte glauben mögen, er könne nicht noch stärker werden, immer stärker wurde, kamen sie an den Planwagen des Trosses vorbei: Deichseln ragten in die Luft, kranke Pferde lagen auf dem Boden, Kinder spielten im Dreck, Frauen stillten Säuglinge oder wuschen Kleider in Zubern mit braunem Wasser. Das waren die käuflichen Soldatenbräute, aber es waren auch die Ehefrauen, mit denen so mancher Söldner reiste. Wer eine Familie hatte, brachte sie mit in den Krieg, wo sonst hätte sie bleiben sollen?

Da sah der König etwas Grausiges. Er blickte darauf, erkannte es erst nicht, es widersetzte sich gleichsam, aber wenn man länger darauf blickte, ordnete es sich, und man verstand. Schnell blickte er woandershin. Neben sich hörte er Graf Hudenitz stöhnen.

Es waren tote Kinder. Wohl keines älter als fünf, die meisten noch kein Jahr alt. Da lagen sie aufgehäuft und verfärbt, blonde, braune und rote Haare, und wenn man genau hinsah, stand manches Augenpaar offen, vierzig oder mehr, und die Luft dunkel von Fliegen. Als sie vorbei waren, verspürte der König den Drang, sich umzudrehen, denn obgleich er das nicht sehen wollte, wollte er es doch sehen, aber er widerstand.

Jetzt waren sie im inneren Lager, bei den Soldaten. Zelte standen neben Zelten, Männer saßen um Feuer, brieten Fleisch, spielten Karten, schliefen auf dem Boden, tranken. Alles wäre normal gewesen, hätte man nicht so viele Kranke gesehen: Kranke im Schlamm, Kranke auf Strohsäcken, Kranke auf Wagen – nicht bloß Verwundete, sondern Männer mit Geschwüren, Männer mit Beulen im Gesicht, Männer mit tränenden Augen und sabbernden Mündern, nicht wenige lagen reglos und verkrümmt da, man hätte nicht sagen können, ob sie schon tot waren oder im Sterben lagen.

Der Gestank war kaum mehr erträglich. Der König

und seine Begleiter pressten sich die Hände vor die Nasen; alle versuchten sie, nicht zu atmen, nur wenn es anders nicht ging, schnappten sie hinter den Handflächen Luft. Den König würgte es wieder, er nahm alle Kraft zusammen, aber es würgte ihn noch stärker, und dann musste er sich vom Pferd hinab übergeben. Sofort ging es Graf Hudenitz und dem Koch und dann auch einem der holländischen Soldaten genauso.

«Fertig?», fragte der Kürassier.

«Das heißt, Eure Majestät», sagte der Narr.

«Eure Majestät», sagte der Kürassier.

«Er ist fertig», sagte der Narr.

Als sie weiterritten, schloss der König die Augen. Das half ein wenig, denn tatsächlich roch man weniger, wenn man nichts sah. Aber man roch noch genug. Er hörte jemanden etwas sagen, dann hörte er Rufe, dann hörte er Lachen von allen Seiten, aber es war ihm egal; mochten sie sich über ihn lustig machen. Er wollte nur diesen Gestank nicht mehr ertragen müssen.

Und so hatte man ihn mit geschlossenen Augen zum königlichen Zelt gebracht, im Zentrum des Lagers, bewacht von einem Dutzend Schweden in voller Montur, der Leibwache des Königs, die hier stand, um unzufriedene Soldaten abzuwehren. Die schwedische Krone kam immer wieder mit dem Sold in Rückstand. Selbst wenn man alle Schlachten gewann und alles nahm, was das gewonnene Land bot, war der Krieg kein Geschäft, das sich trug.

«Ich bring einen König», sagte der Kürassier, der sie geführt hatte.

Die Wächter lachten.

Der König hörte seine eigenen Soldaten in das Lachen einfallen. «Graf Hudenitz!», sagte er mit schärfster Kommandostimme. «Dass das insolente Verhalten ein Ende hat!»

«Zu Befehl, Eure Majestät», murmelte der Graf, und merkwürdigerweise wirkte es, und die dummen Schweine verstummten.

Der König stieg vom Pferd. Ihm war schwindlig, er beugte sich vornüber und hustete eine Weile. Einer der Wächter schlug die Zeltplane zurück, und der König trat mit seinen Begleitern ein.

Das war vor einer halben Ewigkeit gewesen. Zwei Stunden, vielleicht drei, warteten sie schon, auf niedrigen Bänkchen ohne Lehne, und der König wusste nicht mehr, wie er den Umstand, dass man ihn hier sitzen ließ, weiterhin übersehen sollte; aber er musste ihn unbedingt übersehen, denn eigentlich hätte er aufstehen und gehen müssen, doch niemand außer diesem Schweden konnte ihn zurück nach Prag bringen. Ob es wohl damit zu tun hatte, dass der Kerl Liz hatte heiraten wollen? Dutzende Briefe hatte er geschrieben, Liebesschwüre ohne Zahl, wieder und wieder hatte er sein Porträt geschickt, aber sie hatte ihn nicht gewollt. Daran lag es wohl. Das war seine kleinliche Rache.

Immerhin, vielleicht würde sein Vergeltungsbedürfnis nun gestillt sein. Vielleicht war das ein gutes Zeichen. Womöglich bedeutete das Warten, dass Gustav Adolf ihm helfen würde. Er rieb sich die Augen. Wie immer, wenn er aufgeregt war, fühlten seine Hände sich weich an, und in seinem Magen war ein Brennen, das kein Kräutertee lindern konnte. Damals, während des Kampfes vor Prag, war es so stark geworden, dass er sich seiner Koliken halber vom Schlachtfeld hatte entfernen müssen; daheim, umgeben von Dienern und Höflingen, hatte er auf den Ausgang gewartet, die schlimmste Stunde seines bisherigen Lebens – nur dass alles, was danach kommen sollte, jede einzelne Stunde, jeder Moment, noch viel schlimmer gewesen war.

Er hörte sich seufzen. Der Wind über ihnen ließ die Zeltplane knattern, draußen hörte er Männerstimmen, irgendwo schrie jemand, entweder ein Verwundeter oder ein Mann, der an der Pest starb, in allen Lagern gab es Pestkranke. Davon sprach keiner, denn keiner wollte daran denken, man konnte nichts dagegen tun.

«Tyll», sagte der König.

«König?», sagte der Narr.

«Mach etwas.»

«Wird dir die Zeit lang?»

Der König schwieg.

«Weil er dich so lang warten lässt, weil er dich wie seinen Abdecker behandelt, wie seinen Friseur, wie seinen Scheißstuhlputzer, deshalb langweilst du dich, und ich soll dir etwas bieten, richtig?»

Der König schwieg.

«Das mach ich gern.» Der Narr beugte sich vor. «Sieh mir in die Augen.»

Zweifelnd blickte der König den Narren an. Die spitzen Lippen, das dünne Kinn, das gescheckte Wams, die Kappe aus Kälberfell; einmal hatte er ihn gefragt, warum er diesen Aufzug trage, ob er sich wohl als Tier verkleiden wolle, worauf der Narr geantwortet hatte: «O nein, als Mensch!»

Dann tat er wie geheißen und sah ihm in die Augen. Er blinzelte. Unangenehm war es, denn er war es nicht gewohnt, den Blick eines anderen Menschen auszuhalten. Aber alles war besser, als darüber sprechen zu müssen, dass der Schwede ihn warten ließ, und er hatte den Narren schließlich um Unterhaltung gebeten, und ein wenig war er jetzt auch neugierig darauf, was er im Schilde führte. Er unterdrückte den Wunsch, die Augen zu schließen, er sah den Narren an.

Ihm fiel die weiße Leinwand ein. Sie hing in seinem Thronsaal und hatte ihm zunächst viel Freude gemacht. «Sag den Leuten, dass dumme Menschen das Bild nicht sehen, sag ihnen, nur Hochwohlgeborene sehen es, sag es einfach, und du wirst ein Wunder erleben!» Es war zum Brüllen gewesen, wie die Besucher sich verstellt und das weiße Bild kennerisch angeschaut und genickt hatten. Natürlich hatten sie nicht behauptet, das Bild tatsächlich zu sehen, niemand war so ungeschickt, und fast allen war sehr wohl klar, dass da bloß eine weiße Leinwand hing. Aber erstens waren sie sich eben doch nicht ganz sicher, ob nicht irgendeine Magie wirkte, und zweitens wussten sie ja nicht, ob Liz und er womöglich daran glaubten – und von einem König der Dummheit oder der niederen Abkunft verdächtigt zu werden, war letztlich genauso schlimm, wie dumm oder von niederer Abkunft zu sein.

Selbst Liz hatte nichts gesagt. Selbst sie, seine wunderbare, schöne, aber letztlich nicht immer sehr kluge Gemahlin, hatte das Bild angesehen und geschwiegen. Selbst sie war sich nicht sicher gewesen, natürlich nicht, sie war nur eine Frau.

Er hatte sie darauf ansprechen wollen. Liz, hatte er sagen wollen, lass den Unsinn, spiel mir nichts vor! Aber plötzlich hatte er es nicht gewagt. Denn wenn sie daran glaubte, ein klein wenig nur, wenn auch sie dachte, die Leinwand wäre verzaubert, was würde sie dann von ihm denken?

Und wenn sie zu anderen davon sprach? Wenn sie etwa sagte: Seine Majestät, mein Gemahl, der König, er hat auf der Leinwand kein Bild gesehen, wie stand er dann da? Sein Status war fragil, er war ein König ohne Land, ein Vertriebener, ganz und gar angewiesen darauf, was man von ihm dachte, was sollte er tun, wenn sich herumsprach, dass in seinem Thronsaal ein magisches Bild hing, das nur Hochwohlgeborene sehen konnten, er aber nicht? Natürlich war da kein Bild, es war ein Scherz des Narren gewesen, aber jetzt, wo die Leinwand dort hing, hatte sie ihre eigene Macht entfaltet, und der König hatte mit Schrecken gemerkt, dass er sie weder abhängen noch irgendetwas darüber sagen konnte – weder konnte er behaupten, dass er ein Gemälde sah, wo kein Gemälde war, denn einen sichereren Weg, sich als Hohlkopf auszuweisen, gab es nicht, noch konnte er aussprechen, dass die Leinwand weiß war, denn wenn die anderen glaubten, dass dort ein verzaubertes Bild hing, dessen Macht die Niederen und Dummen entlarvte, so reichte das schon, ihn vollends zu blamieren. Nicht einmal zu seiner armen, lieben, beschränkten Frau konnte er davon sprechen. Es war vertrackt. Das alles hatte ihm der Narr angetan.

Wie lange starrte der Narr ihn jetzt schon an? Er fragte sich, was der Kerl wohl vorhatte. Ganz blau waren Tylls Augen. Sehr hell waren sie, fast wässrig, sie schienen schwach aus sich heraus zu leuchten, und in der Mitte des Augapfels war ein Loch. Dahinter war – ja, was? Dahinter war Tyll. Dahinter war die Seele des Narren, das, was er war.

Wieder wollte der König die Augen schließen, aber er hielt dem Blick stand. Ihm wurde klar, dass das, was nach einer Seite hin passierte, auch auf der anderen geschah: So, wie er ins Innerste des Narren sah, so sah der jetzt in ihn.

Völlig unpassenderweise fiel ihm der Moment ein,

als er zum ersten Mal seiner Gemahlin ins Auge gesehen hatte, am Abend nach ihrer Vermählung. Wie schüchtern sie gewesen war, wie furchtsam. Sie hatte sich die Hände vor das Mieder gehalten, das er eben aufschnüren wollte, aber dann hatte sie aufgeblickt, und er hatte ihr Gesicht im Kerzenschein gesehen, zum ersten Mal aus der Nähe, und da hatte er geahnt, wie es ist, wirklich eins zu sein mit einem anderen; aber als er die Arme ausgebreitet hatte, um sie an sich zu ziehen, war er gegen die Karaffe mit Rosenwasser auf dem Nachttisch gestoßen, und das Klirren der Scherben hatte den Bann gebrochen: Die Pfütze auf dem Ebenholzparkett, er sah sie noch vor sich, und darauf treibend, wie kleine Schiffchen, die Rosenblätter. Es waren fünf gewesen. Das wusste er noch genau.

Dann hatte sie zu weinen begonnen. Offenbar hatte ihr niemand erklärt, was in einer Hochzeitsnacht zu geschehen hatte, und so hatte er von ihr abgelassen, denn obgleich ein König stark sein musste, war er vor allem stets sanftmütig gewesen, und sie waren nebeneinander eingeschlafen wie Geschwister.

In einem anderen Schlafzimmer, daheim in Heidelberg, hatten sie später über die große Entscheidung beraten. Nacht für Nacht, wieder und wieder, hatte sie gezaudert und abgeraten, wie es Frauenart war von alters her, und immer von neuem hatte er ihr erklärt, dass man ein solches Angebot nicht ohne den Willen Gottes bekomme und dass man sich dem Schicksal fügen müsse. Aber der Kaiser, hatte sie immer wieder gerufen, was denn mit dessen Zorn sei, niemand stehe gegen den Kaiser auf, und er hatte ihr geduldig erklärt, was ihm seine Juristen so überzeugend dargelegt hatten: dass die Annahme der böhmischen Krone kein Bruch des Reichsfriedens sei, weil Böhmen nicht zum Reich gehöre.

Und so hatte er sie schließlich überzeugt, wie er alle anderen überzeugt hatte. Er hatte ihr klargemacht, dass Böhmens Thron dem gebühre, den Böhmens Stände zum König wollten, und deshalb hatten sie Heidelberg verlassen und waren in Prag eingezogen, und nie würde er den Tag der Krönung vergessen, die gewaltige Kathedrale, den riesigen Chor, und bis heute hallte es in seinem Inneren wider: Du bist jetzt ein König, Fritz. Du bist einer der Großen.

«Nicht die Augen schließen», sagte der Narr.

«Mach ich nicht», sagte der König.

«Sei still», sagte der Narr, und der König fragte sich, ob er es durchgehen lassen durfte, Narrenfreiheit hin oder her, das ging zu weit.

«Was ist eigentlich mit dem Esel», fragte er, um den Narren zu ärgern. «Kann der schon was?»

«Der spricht bald wie ein Prediger», sagte der Narr.

«Und was sagt er?», fragte der König. «Was kann er schon?»

Vor zwei Monaten hatte er in Gegenwart des Narren

über die wundersamen Vögel des Orients gesprochen, die ganze Sätze bilden könnten, sodass man vermeine, Menschen redeten zu einem. Er hatte davon in Athanasius Kirchers Buch über die Tierwelt Gottes gelesen, und seither ließ der Gedanke an sprechende Vögel ihn nicht los.

Aber der Narr hatte gesagt, dass nichts dazugehöre, einen Vogel das Reden zu lehren; wenn man nur ein wenig geschickt sei, könne man jedes Tier zum Schwatzen bringen. Tiere seien klüger als Menschen, deswegen verhielten sie sich still, sie seien darauf bedacht, nicht wegen jedem Unsinn in Schwierigkeiten zu geraten. Sobald man einem Vieh aber gute Gründe biete, gebe es die Stille auf, das könne er jederzeit beweisen im Austausch gegen gute Speise.

«Gute Speise?»

Nicht für sich selbst, hatte der Narr beteuert, sondern für das Tier. So mache man es, man stecke Essen in ein Buch, und das lege man dem Tier wieder und wieder und wieder vor, mit Geduld und Stärke. Aus Gier blättere es die Seiten um und bekomme dabei mehr und mehr von der Menschensprache mit, nach zwei Monaten habe man Resultate.

«Welchem Tier denn?»

«Es lässt sich mit jedem machen. Nur zu klein darf es nicht sein, sonst hört man seine Stimme nicht. Mit Würmern kommt man nicht weit. Auch Insekten sind nicht gut, sie fliegen immer weg, bevor sie einen Satz zu

Ende haben. Katzen widersprechen immer, und bunte Orientvögel, wie der weise Herr Jesuit sie beschreibt, gibt es hier nicht. Bleiben also Hunde, Pferde und Esel.»

«Wir haben kein Pferd mehr, und der Hund ist weggelaufen.»

«Ist nicht schade um ihn. Aber der Esel im Stall. Ich brauche ein Jahr, dann kann ich ihm –»

«Zwei Monate!»

«Das ist nicht viel.»

Nicht ohne Häme hatte der König den Narren daran erinnert, dass er selbst gerade von zwei Monaten gesprochen habe. Das sei die Zeit, die er bekomme, mehr nicht, und wenn in zwei Monaten kein Resultat zu sehen sei, so könne er sich auf eine Tracht Prügel von biblischem Ausmaß gefasst machen.

«Ich brauche aber Essen, um es ins Buch zu legen», hatte der Narr fast kleinlaut geantwortet. «Und zwar nicht wenig.»

Zwar wusste der König, dass sie immer zu wenig Essen hatten. Aber er hatte die elende weiße Leinwand an der Wand betrachtet und seinem Narren, der schon seit einer Weile größeren Raum in seinem Geiste einnahm, als es vernünftig war, mit tückischer Vorfreude zugesagt, dass er so viel Essen haben könne, wie er für das Vorhaben brauche, wenn nur der Esel in zwei Monaten sprechen würde.

Tatsächlich hatte der Narr den Anschein gewahrt.

Jeden Tag war er mit Hafer, Butter und einer Schale honiggesüßter Grütze sowie einem Buch im Stall verschwunden. Einmal hatte den König die Neugier überwältigt, und gegen alle Schicklichkeit war er nachsehen gegangen und hatte den Narren auf dem Boden sitzend vorgefunden, das offene Buch auf den Knien, während der Esel gutmütig neben ihm ins Nichts starrte.

Es gehe ganz fein voran, hatte der Narr sofort beteuert, das I und das A hätten sie schon, und bereits übermorgen sei mit dem nächsten Laut zu rechnen. Dann hatte er meckernd gelacht, und der König, der sich nun doch seines Interesses für diesen ganzen Unsinn geschämt hatte, hatte sich wortlos zurückgezogen, um sich den Staatsgeschäften zu widmen, was in der tristen Wirklichkeit bedeutete, dass er eine erneute Bitte um militärischen Beistand an seinen Schwager in England und eine erneute Bitte um Geld an die holländischen Generalstände aufgesetzt hatte, wie immer ohne Hoffnung.

«Also, was sagt er jetzt», wiederholte der König, während er in die Augen des Narren sah, «was kann er schon sagen?»

«Der Esel spricht gut, aber er spricht ohne rechten Sinn. Er weiß wenig, er hat nichts gesehen von der Welt, gib ihm noch Zeit.»

«Keinen Tag mehr als ausgemacht!»

Der Narr kicherte. «In die Augen, König, sieh mir in die Augen, und jetzt sag allen, was du siehst!»

Der König räusperte sich, um zu antworten, aber da fiel ihm das Sprechen schwer. Dunkel war es, Farben und Formen setzten sich zusammen, er sah sich wieder vor der englischen Familie stehen: der bleiche Jakob, sein gefürchteter Schwiegervater, die dänische Schwiegermutter Anna, ganz starr vor Dünkel, und seine Braut, die er kaum anzusehen wagte. Dann wurde ein Wirbeln und Schwanken stärker und ließ wieder nach, und er wusste nicht mehr, wo er war.

Er musste husten, und als er wieder Luft bekam, stellte er fest, dass er auf dem Boden lag. Männer umstanden ihn. Er sah sie nur verschwommen. Etwas Weißes war über ihnen, es war die Zeltplane, gehalten von Stangen, die im Wind leichte Wellen schlug. Jetzt erkannte er Graf Hudenitz, den Federhut gegen die Brust gedrückt, das Gesicht faltig vor Sorge, neben ihm der Narr, daneben der Koch, daneben einer der Soldaten, daneben ein grinsender Kerl in schwedischer Uniform. War er ohnmächtig geworden?

Der König streckte die Hand aus, Graf Hudenitz packte zu und half ihm auf die Beine. Er schwankte, seine Beine gaben wieder nach, der Koch hielt ihn von der anderen Seite, bis er stand. Ja, ohnmächtig war er geworden. Im unpassendsten Moment, im Zelt von Gustav Adolf, den er mit Stärke und Schlauheit davon überzeugen musste, dass ihrer beider Geschicke verknüpft waren, war er umgefallen wie eine Frau im engen Mieder.

«Meine Herren!», hörte er sich sagen. «Applaudiert dem Narren!»

Er bemerkte, dass seine Hemdbrust verdreckt war, der Kragen, die Jacke, die Orden an der Brust. Hatte er sich auch noch besudelt?

«Klatscht für Tyll Ulenspiegel!», rief er. «Was für ein Kunststück! Was für ein tolles Ding.» Er fasste dem Narren ans Ohr, es fühlte sich weich und spitz und unangenehm an, er ließ es wieder los. «Aber pass auf, dass wir dich nicht den Jesuiten geben, das grenzt an Hexerei, was für ein Trick!»

Der Narr schwieg. Sein Lächeln stand schief in seinem Gesicht. Wie immer konnte der König den Ausdruck nicht deuten.

«Er ist ein Zauberer, mein Narr. Holt Wasser, säubert mir das Gewand, steht nicht herum.» Der König lachte gequält.

Graf Hudenitz machte sich mit einem Tuch an seiner Hemdbrust zu schaffen; während er wischte und rieb, schwebte sein faltiges Gesicht viel zu nahe vor dem des Königs.

«Man muss sich vorsehen bei dem Kerl», rief der König. «Schneller putzen, Hudenitz. Vorsehen muss man sich! Kaum schaut er mir in die Augen, schon bin ich umgefallen, was für ein Zauberer, was für ein Trick!»

«Du bist von allein umgefallen», sagte der Narr.

«Den Trick musst du mir beibringen!», rief der König. «Gleich wenn der Esel das Reden gelernt hat, will ich auch den Trick lernen.»

«Du bringst einem Esel das Reden bei?», fragte einer der Holländer.

«Wenn einer wie du reden kann und wenn auch der dumme König dauernd redet, warum soll dann ein Esel nicht reden?»

Der König hätte dem Narren gern eine Ohrfeige gegeben, aber er fühlte sich zu schwach, also fiel er ins Gelächter der Soldaten ein, und da wurde ihm wieder schwindlig. Der Koch stützte ihn.

Und genau in diesem gänzlich ungeeigneten Moment schlug jemand die Plane zum angrenzenden Raum zurück, und ein Mann im roten Ornat des Haushofmeisters trat heraus und maß den König mit einem Blick herablassender Neugier.

«Seine Majestät lassen bitten.»

«Endlich», sagte der König.

«Wie?», fragte der Zeremonienmeister. «Was war das?»

«Es wurde auch Zeit», sagte der König.

«So spricht man nicht im Vorzimmer Seiner Majestät.»

«Dass die Kreatur mich nicht anredet!» Der König stieß ihn weg und betrat mit festem Schritt den Nachbarraum.

Er sah einen Kartentisch, er sah ein nicht gemachtes Bett, er sah abgenagte Knochen und angebissene

Äpfel auf dem Boden. Er sah einen kleinen feisten Mann – runder Kopf mit runder Nase, runder Bauch, struppiger Bart, ausgedünntes Haar, schlaue, kleine Äuglein. Schon kam er auf den König zu, packte ihn mit der einen Hand am Arm und schlug ihm mit der anderen so kräftig gegen die Brust, dass er umgefallen wäre, hätte der Mann ihn nicht an sich gezogen und umarmt.

«Lieber Freund», sagte er. «Alter lieber guter Freund!»

«Bruder», keuchte der König.

Gustav Adolf roch streng, und seine Kraft war erstaunlich. Jetzt stieß er den König weg und betrachtete ihn.

«Ich freue mich, dass wir uns endlich kennenlernen, lieber Bruder», sagte der König.

Er konnte sehen, dass Gustav Adolf die Anrede nicht gefiel, und das bestätigte seine Befürchtungen: Der Schwede sah ihn nicht als seinesgleichen an.

«Nach all den Jahren», wiederholte der König so würdevoll, wie er konnte, «nach all den Briefen, all den Botschaften, endlich von Angesicht zu Angesicht.»

«Ich freu mich auch», sagte Gustav Adolf. «Wie geht's dir, wie hältst dich? Was macht das Geld? Hast genug zu essen?»

Der König brauchte einen Moment, um zu begreifen, dass er geduzt wurde. Geschah das tatsächlich? Es musste wohl am schlechten Deutsch dieses Mannes liegen, vielleicht war es auch eine schwedische Marotte.

«Die Sorge um die Christenheit lastet schwer auf mir», sagte der König. «Wie auch auf ...» Er schluckte. «Wie auch auf dir.»

«Ja, ist recht», sagte Gustav Adolf. «Willst was trinken?»

Der König überlegte. Der Gedanke an Wein verursachte ihm Übelkeit, aber vermutlich war es nicht klug abzulehnen.

«So ist es gut!», rief Gustav Adolf und ballte die Faust, und noch während der König hoffte, dass er sie diesmal nicht zu spüren bekommen würde, schlug Gustav Adolf zu.

Der König bekam keine Luft mehr. Gustav Adolf reichte ihm einen Becher. Er nahm ihn und trank. Der Wein schmeckte widerlich.

«Ist scheußlicher Wein», sagte Gustav Adolf. «Haben wir aus irgendeinem Keller, können nicht wählerisch sein, so ist der Krieg.»

«Ich glaube, er ist verdorben», sagte der König.

«Besser verdorben als keiner», sagte Gustav Adolf. «Was willst haben, mein Freund, warum bist du hier?»

Der König sah in das bärtige, schlaue, runde Gesicht. Das war er also, der Retter der protestantischen Christenheit, die große Hoffnung. Und das war doch einst er selbst gewesen, wie war es passiert, dass das jetzt der da war, dieser Fettwanst mit den Speiseresten im Bart?

«Wir gewinnen», sagte Gustav Adolf. «Bist du deshalb da? Weil wir sie besiegen, bei jedem Treffen? Oben im Norden haben wir sie besiegt und dann beim Vorrücken und dann unten in Bayern. Jedes Mal haben wir gesiegt, weil sie schwach sind und keine Ordnung haben. Weil sie nicht wissen, wie man die Leute drillt. Ich weiß das aber. Wie ist das mit deinen Leuten, ich meine, wie war es, als du welche hattest, hatten sie dich gern, deine Soldaten, dort vor Prag, bevor der Kaiser sie getötet hat? Gestern erst hab ich einem, der mit der Kasse desertieren wollte, die Ohren abgerissen.»

Der König lachte unsicher.

«Wirklich. Das hab ich gemacht, es ist nicht so schwer. Man greift zu, dann reißt man, so etwas spricht sich herum. Die Soldaten finden das lustig, weil es ja einem anderen passiert, aber zugleich hüten sie sich von da an, was Ähnliches zu versuchen. Ich hab kaum Schweden dabei, die meisten da draußen sind Deutsche, ein paar Finnen auch, dazu Schotten und Iren und was weiß ich. Alle lieben mich, deshalb gewinnen wir. Willst du mit mir ziehen? Bist du deshalb hier?»

Der König räusperte sich. «Prag.»

«Was ist mit Prag? Trink doch!»

Der König blickte angeekelt in den Becher. «Ich benötige deinen Beistand, Bruder. Gib mir Truppen, dann wird Prag fallen.»

«Ich brauch Prag nicht.»

«Der alte Kaisersitz, wiederhergestellt für den rechten Glauben. Es wäre ein großes Zeichen!»

«Ich brauch keine Zeichen. Wir hatten immer gute Zeichen und gute Worte und gute Bücher und gute Lieder, wir Protestanten, aber dann haben wir im Feld verloren, und alles war für nichts. Siege brauch ich. Ich muss gegen den Wallenstein gewinnen. Hast du den mal getroffen, kennst du ihn?»

Der König schüttelte den Kopf.

«Ich brauch Berichte. Ich denk immer an ihn, manchmal träum ich von ihm.» Gustav Adolf ging zur anderen Seite des Zeltes, bückte sich, kramte in einer Truhe und hielt eine Wachsfigur hoch. «So sieht er aus! Der Friedland, das ist er, ich schau ihn immer an und denk mir: Dich werde ich besiegen, du bist schlau, ich bin schlauer, du bist stark, ich bin stärker, deine Truppen lieben dich, meine lieben mich mehr, du hast den Teufel auf deiner Seite, aber ich hab Gott. Jeden Tag sag ich ihm das. Manchmal antwortet er.»

«Er antwortet?»

«Er hat Teufelskräfte. Natürlich antwortet er.» Mit plötzlich mürrischer Miene zeigte Gustav Adolf auf das weißliche Gesicht der Wachsfigur. «Dann bewegt sich sein Mund, und er verspottet mich. Er hat eine leise Stimme, weil er klein ist, aber ich versteh alles. Dummer Schwede nennt er mich, Schwedenarsch, gotisches Vieh, und er sagt, dass ich nicht lesen kann. Ich kann lesen! Soll ich es dir zeigen? In drei Sprachen les ich. Ich werd das Schwein besiegen. Ich reiß ihm die Ohren ab. Ich schneid seine Finger weg. Ich verbrenn ihn.»

«Dieser Krieg hat in Prag angefangen», sagte der König. «Nur wenn wir Prag –»

«Machen wir nicht», sagte Gustav Adolf. «Ist entschieden, wir sprechen nicht mehr davon.» Er setzte sich auf einen Stuhl, trank aus seinem Becher und sah den König mit feucht schimmernden Augen an. «Aber die Pfalz.»

«Was ist mit der Pfalz?»

«Musst du wiederkriegen.»

Der König brauchte einen Augenblick, um zu begreifen, was er gehört hatte. «Lieber Bruder, Ihr helft mir, mein Erbland zurückzubekommen?»

«Die spanischen Truppen in der Pfalz, das geht nicht, die müssen fort. Entweder der Wallenstein ruft sie weg, oder ich bring sie um. Die sollen sich nichts einbilden, die haben vielleicht ihre unbesiegbaren Infanteriequadrate, aber weißt du, was? So unbesiegbar sind die gar nicht, die unbesiegbaren Quadrate, und ich gewinn doch.»

«Lieber Bruder!» Der König griff nach Gustav Adolfs Hand.

Der stand sofort auf, presste dem König die Finger so fest zusammen, dass der einen Aufschrei unterdrücken musste, legte ihm die Hand auf die Schulter, zog ihn an sich. Die beiden umarmten einander. Und sie taten es immer noch, und jetzt, da es immer noch dauerte, dauerte es schon so lange, dass die Ergriffenheit des Königs verschwunden war. Endlich ließ Gustav Adolf von ihm ab und begann, im Zelt auf und ab zu gehen.

«Wenn der Schnee weg ist, kommen wir über Bayern und zugleich von oben, ein Zangenangriff, und pressen sie zusammen. Dann machen wir den Vorstoß nach Heidelberg und treiben sie hinaus. Wenn es gutgeht, brauchen wir nicht mal eine große Feldschlacht, schon haben wir die Kurpfalz, und dann geb ich sie dir als Lehen, und dann beißt sich der Kaiser in den Hintern.»

«Als Lehen?»

«Ja, wie sonst?»

«Ihr wollt mir die Pfalz als Lehen geben? Mein eigenes Erbland?»

«Ja.»

«Das geht nicht.»

«Sicher geht das.»

«Die Pfalz gehört Euch nicht.»

«Wenn ich sie erobere, gehört sie mir.»

«Ich dachte, Ihr seid ins Reich gekommen für Gott und die Sache des Glaubens!»

«Ich pfeif dir gleich eine, natürlich bin ich das! Was glaubst du denn, du Maus, du Steinchen, du Forelle! Aber ich will auch was davon haben. Wenn ich dir die Pfalz einfach geb, was krieg dann ich?»

«Ihr wollt Geld?»

«Ich will auch Geld, aber ich will nicht nur Geld.»

«Ich bringe Euch den Beistand Englands.»

«Wegen deiner Frau? Hat dir bisher nichts genützt. Die haben dich im Regen stehen lassen. Glaubst du, ich bin blöd? Seh ich aus wie einer, der denkt, jetzt kommen die Engländer auf einmal gelaufen, nur weil du rufst?»

«Wenn ich die Kurpfalz zurückbekomme, dann bin ich wieder das Haupt der protestantischen Fraktion im Reich, und sie werden kommen.»

«Du wirst nie mehr Haupt von irgendwas.»

«Wie könnt Ihr es –»

«Sei ruhig, armer Kerl, hör zu. Du hast mit hohem Einsatz gespielt, das ist gut, das mag ich. Dann hast du verloren, und nebenbei hast du diesen ganzen tollen Krieg ausgelöst. So kann es gehen. Manche spielen mit hohem Einsatz und gewinnen. Ich zum Beispiel. Ein kleines Land, eine kleine Armee, drüben im Reich scheint die protestantische Sache verloren, und wer hat mir geraten, alles auf eine Karte zu setzen, das Heer zu sammeln und nach Deutschland zu ziehen? Alle haben mir abgeraten. Tu's nicht, lass es, du kannst nicht gewinnen, aber ich hab es getan, und ich hab gewonnen, und bald werd ich in Wien sein und dem Wallenstein die Ohren abreißen, und der Kaiser wird vor mir in die Knie gehen, und ich werd sagen: Willst du noch Kaiser sein? Dann tu, was dir Gustav Adolf sagt! Aber es hätte anders ausgehen können. Ich könnte tot sein. Ich könnte in einem Boot sitzen und weinend zurück über die Ostsee rudern. Es nützt nichts, ein ganzer Kerl zu sein, stark und klug und ohne Angst, denn man kann trotzdem verlieren. So wie man auch einer wie du sein und trotzdem gewinnen kann. Gibt es alles. Ich hab gewagt und gewonnen, du hast gewagt und verloren, und dann, was hättest du tun sollen? Ja, aufhängen hättest du dich können, aber das ist nicht für jeden, und eine Sünde ist es schließlich auch. Drum bist du noch da. Weil du ja irgendwas tun musst. Also schreibst du Briefe und bittest und stellst Forderungen und kommst zu Audienzen und redest und verhandelst, als wär noch was los mit dir, aber da ist nichts! England schickt dir keine Truppen. Die Union kommt dir nicht zur Hilfe. Deine Brüder im Reich haben dich aufgegeben. Es gibt nur einen, der dir die Pfalz zurückgeben kann, und das bin ich. Und ich geb sie dir als Lehen. Wenn du vor mir kniest und mir Gefolgschaft schwörst als deinem Herrn. Also was ist, Friedrich? Was soll es sein?»

Gustav Adolf verschränkte die Arme und sah dem König ins Gesicht. Sein gesträubter Bart zitterte. Seine Brust hob und senkte sich, der König hörte deutlich seinen Atem.

«Ich brauche Bedenkzeit», brachte der König mühsam hervor.

Gustav Adolf lachte.

«Ihr werdet nicht erwarten ...» Der König räusperte sich, wusste nicht, wie er den Satz weiterführen sollte, rieb sich die Stirn, beschwor sich, nicht schon wieder das Bewusstsein zu verlieren, nicht ausgerechnet jetzt, um keinen Preis jetzt, und fing noch einmal von vorne an: «Ihr werdet nicht erwarten, dass ich eine solche Entscheidung treffe, ohne darüber –»

«Genau das erwarte ich. Als ich meine Generäle zusammengerufen hab, in den Krieg einzugreifen auf Gedeih und Verderb, glaubst du, ich hab das ewig hin und her gewälzt? Glaubst du, ich hab mich mit meiner Frau beraten? Glaubst du, ich hab erst gebetet? Ich entscheide das jetzt, hab ich gesagt, und dann hab ich es entschieden, und gleich darauf hab ich die Gründe nicht mehr gewusst, aber die waren auch egal, weil es entschieden war! Und schon standen die Generäle vor mir und haben Vivat gerufen, und ich hab gesagt: Ich bin der Löwe aus der Mitternacht! Das ist mir so eingefallen.» Er tippte sich an die Stirn. «So etwas kommt einfach. Ich denk mir nichts, und plötzlich ist es da. Der Löwe aus der Mitternacht! Das bin ich. Also sag dem Löwen zu, oder sag ihm ab, aber stiehl mir keine Zeit.»

«Meine Familie besitzt die Landeshoheit über die Kurpfalz sowie die Reichsunmittelbarkeit seit –»

«Und du meinst, du kannst nicht der Erste deiner Familie sein, der die Pfalz vom Schweden als Lehen bekommt. Aber du wirst sehen, ich bin kein übler Kerl. Ich besteuer dich milde, und wenn du keine Lust hast, zu meinem Geburtstag nach Schweden zu kommen, schickst du deinen Kanzler. Ich tu dir nichts. Nimm die Hand, schlag ein, sei kein Schuh!»

«Kein Schuh?» Der König war sich nicht sicher, ob er richtig gehört hatte. Wo hatte dieser Mann Deutsch gelernt?

Gustav Adolf hatte den Arm ausgestreckt, und seine kleine, fleischige Hand schwebte vor der Brust des Königs. Er musste sie nur ergreifen, und er würde wieder das Heidelberger Schloss sehen, wieder die Hügel und den Fluss, wieder die dünnen Sonnenstrahlen, die durchs Efeu in den Kolonnaden fielen, wieder die Hallen, in denen er aufgewachsen war. Und Liz würde wieder leben können, wie es sich ziemte, mit genug Zofen und weichem Leinen und Seide und Kerzen aus Wachs, die nicht flackerten, und ergebenen Leuten, die wussten, wie man zu einer Majestät sprach. Er konnte zurück. Es würde sein wie früher.

«Nein», sagte der König.

Gustav Adolf legte den Kopf schief, als hätte er schlecht gehört.

«Ich bin der König von Böhmen. Ich bin Kurfürst der Pfalz. Ich nehme das, was mir gehört, von keinem als Lehen, meine Familie ist älter als Eure, und weder gebührt es Euch, Gustav Adolf Wasa, so mit mir zu sprechen, noch, mir ein derart niederträchtiges Angebot zu machen.»

«Donnerwetter», sagte Gustav Adolf.

Der König wandte sich ab.

«Warte!»

Der König, schon auf dem Weg zum Ausgang, blieb stehen. Er wusste, dass er damit alle Wirkung wieder zerstörte, und dennoch konnte er nicht anders. Ein Funke von Hoffnung glimmte in ihm auf und ließ sich nicht ersticken: Es konnte ja sein, dass er diesen Mann mit seiner Charakterfestigkeit so beeindruckt hatte, dass er ihm nun ein neues Angebot machen würde. Du bist doch ein ganzer Kerl, würde er vielleicht sagen, ich habe mich getäuscht in dir! Aber nein, dachte der König, Unsinn. Und trotzdem blieb er stehen und drehte sich um und hasste sich dafür.

«Du bist doch ein ganzer Kerl», sagte Gustav Adolf.

Der König schluckte.

«Da hab ich mich getäuscht», sagte Gustav Adolf.

Der König unterdrückte einen Hustenanfall. In seiner Brust schmerzte es. Ihm war schwindlig.

«Dann geh mit Gott», sagte Gustav Adolf.

«Was?»

Gustav Adolf boxte ihn gegen den Oberarm. «Du hast es auf dem rechten Fleck. Kannst stolz sein. Jetzt hau ab, ich muss einen Krieg gewinnen.»

«Nichts mehr?», fragte der König mit gepresster Stimme. «Das war das letzte Wort, das ist alles, geh mit Gott?»

«Ich brauch dich nicht. Die Pfalz krieg ich so oder so, und England wird mir wahrscheinlich sogar früher zur

Seite stehen, wenn du nicht bei mir bist, du erinnerst sie nur an die alte Schmach und die verlorene Schlacht vor Prag. Ist besser für mich, wenn wir das nicht machen, ist auch besser für dich, du behältst deine Würde. Komm!» Er legte seinen Arm um die Schultern des Königs, führte ihn zum Ausgang und zog die Plane zur Seite.

Als sie in den Warteraum traten, standen alle auf. Graf Hudenitz nahm den Hut ab und verbeugte sich tief. Die Soldaten standen stramm.

«Was ist denn das für einer?», fragte Gustav Adolf.

Der König brauchte einen Moment, um zu begreifen, dass er den Narren meinte.

«Was ist denn das für einer?», wiederholte der Narr.

«Du gefällst mir», sagte Gustav Adolf.

«Du mir nicht», sagte der Narr.

«Der ist lustig, so einen brauch ich», sagte Gustav Adolf.

«Dich find ich auch lustig», sagte der Narr.

«Was willst du für den?», fragte Gustav Adolf den König.

«Das würde ich nicht empfehlen», sagte der Narr. «Ich bringe Unglück.»

«Wirklich wahr?»

«Schau, mit wem ich gekommen bin. Schau, wie's ihm ergangen ist.»

Gustav Adolf sah den König eine Weile an. Der erwiderte seinen Blick und bekam einen Hustenanfall, den er die ganze Zeit unterdrückt hatte.

«Geht», sagte Gustav Adolf. «Geht schnell, haut ab, beeilt euch. Ich will euch nicht länger im Lager haben.» Er wich zurück, als hätte er plötzlich Angst bekommen. Die Plane schloss sich flappend, er war verschwunden.

Der König wischte die Tränen weg, die ihm der Husten in die Augen getrieben hatte. Sein Hals tat weh. Er nahm den Hut ab, kratzte sich den Kopf und versuchte zu begreifen, was geschehen war.

Das war geschehen: Es war vorbei. Er würde seine Heimat nicht mehr wiedersehen. Und auch nach Prag würde er nicht mehr kommen. Er würde im Exil sterben.

«Gehen wir», sagte er.

«Was hat sich ergeben?», fragte Graf Hudenitz. «Was ist herausgekommen?»

«Später», sagte der König.

Trotz allem war er erleichtert, als das Heerlager endlich hinter ihnen lag. Die Luft wurde besser. Der Himmel stand hoch und blau über ihnen, in der Ferne wölbten sich Hügel. Graf Hudenitz fragte ihn noch zweimal, was die Beratung ergeben habe und ob wohl mit einer Rückkehr nach Prag zu rechnen sei, aber als die Antwort ausblieb, gab er auf.

Der König hustete. Er fragte sich, ob das Wirklichkeit gewesen war: dieser feiste Mann mit den fleischigen Händen, die schrecklichen Dinge, die er gesagt hatte, das Angebot, das er hatte annehmen wollen, mit ganzer Kraft, und das er doch hatte ablehnen müssen. Warum eigentlich, fragte er sich plötzlich, warum hatte er es abgelehnt? Er wusste es nicht mehr, die Gründe, eben noch so zwingend, hatten sich in Nebel aufgelöst. Und er konnte diesen Nebel sogar sehen, bläulich füllte er die Luft und ließ die Hügel verschwimmen.

Er hörte den Narren aus seinem Leben erzählen, doch mit einem Mal kam es ihm so vor, als ob der Narr in seinem Inneren spräche, als ob er nicht neben ihm ritte, sondern eine fiebrige Stimme in seinem Kopf wäre, ein Teil seiner selbst, den er nie hatte kennen wollen. Er schloss die Augen.

Der Narr erzählte davon, wie er mit seiner Schwester davongelaufen war: Ihr Vater sei als Hexer verbrannt worden, ihre Mutter sei mit einem Rittersmann ins Morgenland gezogen, nach Jerusalem vielleicht oder ins ferne Persien, wer mochte das wissen.

«Aber sie ist doch gar nicht deine Schwester», hörte der König den Koch sagen.

Er und seine Schwester, sagte der Narr, seien zuerst mit einem schlechten Moritatensänger herumgezogen, der gut zu ihnen gewesen sei, und dann mit einem Gaukler, von dem er alles gelernt habe, was er könne, einem Spaßmacher von Rang, einem guten Jongleur, einem Schauspieler, der sich vor keinem habe verstecken müssen, aber vor allem sei er ein böser Kerl gewesen, so gemein, dass Nele ihn für den Teufel gehalten habe. Doch dann hätten sie begriffen, dass jeder Gaukler ein wenig Teufel sei und ein wenig Tier und ein wenig harmlos auch, und sobald sie dies begriffen hätten, hätten sie den Pirmin, so habe er geheißen, nicht mehr gebraucht, und als er zu ihnen wieder besonders böse gewesen sei, habe ihm Nele ein Pilzgericht gekocht, das er so schnell nicht vergessen habe, oder vielmehr habe er es sofort vergessen, er sei nämlich dran krepiert, zwei Handvoll Pfifferlinge, ein Fliegenpilz, ein Stück vom schwarzen Knollenblätterling, mehr brauche man nicht. Die Kunst bestehe darin, Fliegen- *und* Knollenblätterpilz zu nehmen, denn zwar töte jeder der beiden, aber einzeln schmeckten sie bitter und fielen auf. Gemeinsam verkocht, vereinigten ihre Aromen sich zu einer feinen Süße, deren Wohlgeschmack keinen Verdacht aufkommen lasse.

«Heißt das, ihr habt ihn umgebracht?», fragte einer der Soldaten.

Nicht er, sagte der Narr. Die Schwester habe ihn umgebracht, er könne keiner Fliege was. Er lachte hell. Man habe keine Wahl gehabt. Der Mann sei so furchtbar böse gewesen, dass man ihn auch im Tod nicht losgeworden sei. Eine ganze Weile sei sein Geist ihnen hinterhergezogen, habe ihnen nachts im Wald nachgekichert, sei in ihren Träumen aufgetaucht und habe diesen oder jenen Handel angeboten.

«Was für einen Handel?»

Der Narr schwieg, und als der König die Augen öffnete, bemerkte er, dass um sie jetzt Schneeflocken fielen. Er atmete tief ein. Schon löste die Erinnerung an den Pestilenzgestank des Heerlagers sich auf. Sinnend leckte er sich die Lippen, dachte an Gustav Adolf und musste wieder husten. Ritten sie etwa rückwärts? Das erschien ihm nicht weiter ungewöhnlich, bloß wollte er nicht zurück in das stinkende Lager, nicht wieder unter diese Soldaten und zu dem Schwedenkönig, der nur darauf wartete, ihn zu verspotten. Die Wiesen um sie waren bereits von dünnem Weiß überzogen, und auf den Baumstümpfen – das vorrückende Heer hatte alle Bäume gefällt – bildeten sich Schneehaufen. Er legte den Kopf in den Nacken. Der Himmel flimmerte von Flocken. Er dachte an seine Krönung, er dachte an die fünfhundert Sänger und den achtstimmigen Choral, er dachte an Liz im Juwelenmantel.

Stunden waren vergangen, vielleicht auch Tage, als er wieder in die Zeit zurückfand, jedenfalls hatte das Land sich abermals verändert, es lag nun so viel Schnee, dass die Pferde kaum vorankamen: Vorsichtig hoben sie die Hufe, bedächtig setzten sie sie ins hohe Weiß. Kalter Wind peitschte ihm ins Gesicht. Als er sich hustend umsah, fiel ihm auf, dass die holländischen Soldaten nicht mehr da waren. Nur Graf Hudenitz, der Koch und der Narr ritten noch neben ihm.

«Wo sind die Soldaten?», fragte er, aber die anderen beachteten ihn nicht. Er wiederholte die Frage lauter, nun sah Graf Hudenitz ihn verständnislos an, kniff die Augen zusammen, blickte wieder nach vorne in den Wind.

Sind wohl abgehauen, dachte der König. «Ich habe das Heer, das ich verdiene», sagte er. Dann fügte er hustend hinzu: «Meinen Hofnarren, meinen Koch und meinen Kanzler eines Hofes, den es nicht mehr gibt. Meine Luftarmee, meine letzten Getreuen!»

«Zu Befehl», sagte der Narr, der ihn offenbar trotz des Windes verstanden hatte. «Jetzt und immerdar. Du bist krank, Majestät?»

Dem König wurde beinahe mit Erleichterung klar, dass es stimmte: deshalb also der Husten, deshalb der Schwindel, deshalb seine Schwäche vor dem Schweden, deshalb die Verwirrung. Er war krank! Es ergab so viel Sinn, dass er lachen musste.

«Ja», rief er fröhlich. «Bin krank!»

Während er sich vornüberbeugte, um zu husten, dachte er aus irgendeinem Grund an seine Schwiegereltern. Dass sie ihn nicht mochten, hatte er vom ersten Moment an gewusst. Aber er hatte sie bezwungen, mit seiner Eleganz und seinem ritterlichen Auftreten, mit seiner deutschen Klarheit, seiner inneren Kraft.

Und er dachte an seinen Ältesten. Den schönen Jungen, den alle so sehr geliebt hatten. Wenn ich nicht zurückkehre, hatte er ihm, dem Kind, gesagt, so kehrst doch du zurück ins Fürstentum und in den hohen Stand unserer Familie. Dann war der Kahn gekentert, und er war ertrunken, und jetzt war er bei Gott, dem Herrn.

Wo ich auch bald bin, dachte der König und berührte seine glühende Stirn. In der ewigen Glorie.

Er drehte den Kopf zur Seite und rückte das Kissen zurecht. Sein Atem fühlte sich heiß an. Er zog die Decke über den Kopf, sie war schmutzig und roch nicht gut. Wie viele Leute hatten wohl schon in diesem Bett geschlafen?

Er strampelte die Decke fort und sah sich um. Offenbar war er in einem Herbergszimmer. Auf dem Tisch stand ein Krug. Auf dem Boden lag Stroh. Es gab nur ein Fenster, dick verglast, draußen wirbelte Schnee. Auf einem Schemel saß der Koch.

«Wir müssen weiter», sagte der König.

«Zu krank», sagte der Koch, «Eure Majestät können nicht, Ihr seid –»

«Papperlapapp», sagte der König. «Unsinn, Blödsinn, Torheit, Gerede. Liz wartet doch auf mich!»

Er hörte den Koch antworten, aber bevor er ihn verstehen konnte, musste er erneut eingeschlafen sein, denn er fand sich im Dom wieder, auf dem Thron, im Angesicht des Hochaltars, und er hörte den Chor und dachte an das Märchen von der Spindel, das ihm seine Mutter einst erzählt hatte. Plötzlich kam es ihm wichtig vor, aber sein Gedächtnis wollte es nicht in die richtige Ordnung bringen: Wenn man die Spindel abwickelte, wickelte sich auch ein Stück des Lebens ab, und je schneller man sie drehte, etwa weil man es eilig hatte oder weil einen etwas schmerzte oder weil die Dinge nicht waren, wie man es wollte, desto schneller verging auch das Leben, und schon war der Mann im Märchen am Ende der Spindel, und alles war vorbei und hatte doch noch kaum begonnen. Aber was in der Mitte geschehen war, daran konnte sich der König nicht mehr erinnern, und darum öffnete er die Augen und gab den Befehl, dass es jetzt weitergehen müsse, weiter nach Holland, wo sein Palast war und seine Frau mit dem Hofstaat wartete, angetan mit Seide und Diadem, wo die Feste kein Ende nahmen, jeden Tag gab es die Theateraufführungen, die sie so mochte, dargeboten von den besten Schauspielern aus aller Herren Länder.

Zu seiner Überraschung befand er sich wieder auf dem Pferd. Jemand hatte ihm einen Mantel um die Schultern gelegt, aber er spürte den Wind noch immer. Die Welt schien weiß – der Himmel, der Boden, auch die Hütten rechts und links vom Weg.

«Wo ist der Hudenitz?», fragte er.

«Der Graf ist weg!», rief der Koch.

«Wir mussten weiter», sagte der Narr. «Wir hatten kein Geld mehr, der Wirt hat uns rausgeworfen. König oder nicht, hat er gesagt, bei mir wird bezahlt!»

«Ja», sagte der König, «aber wo ist der Hudenitz?»

Er versuchte nachzuzählen, wie groß seine Armee noch war. Da war der Narr, und da war der Koch, und da war er selbst, und da war noch der Narr, das waren vier, doch als er zur Sicherheit ein zweites Mal nachzählte, kam er nur auf zwei, nämlich den Narren und den Koch. Weil das aber nicht stimmen konnte, zählte er erneut und kam auf drei, aber beim nächsten Mal waren es wieder vier: der König von Böhmen, der Koch, der Narr, er selbst. Und da gab er auf.

«Wir müssen absteigen», sagte der Koch.

Und tatsächlich, der Schnee war zu hoch, die Pferde kamen nicht mehr vorwärts.

«Aber er kann nicht gehen», hörte der König den Narren sagen, und zum ersten Mal klang seine Stimme nicht hämisch, sondern wie die eines gewöhnlichen Menschen.

«Aber wir müssen absteigen», sagte der Koch. «Du siehst doch. Es geht nicht weiter.»

«Ja», sagte der Narr. «Das sehe ich.»

Während der Koch die Zügel hielt, stieg der König, gestützt auf den Narren, ab. Er versank bis zu den Knien. Das Pferd schnaufte erleichtert, als es das Gewicht los war, warmer Atem stieg von seinen Nüstern auf. Der König tätschelte ihm das Maul. Das Tier sah ihn aus trüben Augen an.

«Wir können die Pferde doch nicht einfach stehenlassen», sagte der König.

«Keine Sorge», sagte der Narr. «Bevor sie erfroren sind, wird jemand sie essen.»

Der König hustete. Der Narr stützte ihn von links, der Koch von rechts, und sie stapften los.

«Wohin gehen wir?», fragte der König.

«Nach Hause», sagte der Koch.

«Ich weiß», sagte der König, «aber heute. Jetzt. In der Kälte. Wohin gehen wir jetzt?»

«Einen halben Tagesmarsch westlich soll es ein Dorf geben, wo noch Menschen sind», sagte der Koch.

«Genau weiß es niemand», sagte der Narr.

«Ein halber Tagesmarsch ist ein ganzer Tagesmarsch», sagte der Koch. «Bei so viel Schnee.»

Der König hustete. Er stapfte hustend, er hustete stapfend, er stapfte und stapfte, und er hustete, und er wunderte sich darüber, dass es ihm in der Brust kaum noch weh tat.

«Ich glaube, ich werde gesund», sagte er.

«Sicher», sagte der Narr. «Das sieht man. Das werdet Ihr, Majestät.»

Der König spürte, dass er hingefallen wäre, hätten ihn die beiden nicht gestützt. Immer höher waren die Schneeverwehungen, immer schwerer fiel es ihm, die Augen im kalten Wind offen zu halten. «Wo ist denn der Hudenitz?», hörte er sich zum dritten Mal fragen. Sein Hals schmerzte. Überall Schneeflocken, und als er die Augen schloss, sah er sie immer noch: glimmende, tanzende, wirbelnde Punkte. Er seufzte, die Beine knickten ihm ein, keiner hielt ihn, der weiche Schnee nahm ihn auf.

«Können ihn nicht liegen lassen», hörte er jemanden über sich sagen.

«Was sollen wir tun?»

Hände griffen nach ihm und zogen ihn nach oben, eine Hand strich ihm beinahe zärtlich über den Kopf, und das erinnerte ihn an seine liebste Kinderfrau, die ihn aufgezogen hatte, damals in Heidelberg, als er nur ein Prinz und kein König und alles noch gut gewesen war. Seine Füße stapften im Schnee, und als er kurz die Augen öffnete, sah er neben sich die Konturen geborstener Dächer, leere Fenster, einen zerstörten Brunnenaufbau, aber Menschen waren nicht zu sehen.

«Wir können in keines hinein», hörte er. «Die Dächer sind kaputt, außerdem sind da Wölfe.»

«Aber hier draußen erfrieren wir», sagte der König.

«Wir zwei erfrieren nicht», sagte der Narr.

Der König sah sich um. Und wirklich, der Koch war nicht mehr zu sehen, er war allein mit Tyll.

«Er hat einen anderen Weg versucht», sagte der Narr. «Kann man ihm nicht übelnehmen. Jeder sorgt für sich im Sturm.»

«Warum erfrieren wir nicht?», fragte der König.

«Du glühst zu sehr. Dein Fieber ist zu stark. Die Kälte kann dir nichts, du stirbst noch vorher.»

«An was denn?», fragte der König.

«An der Pest.»

Der König schwieg einen Moment. «Ich habe die Pest?», fragte er dann.

«Armer Kerl», sagte der Narr. «Armer Winterkönig,

ja, die hast du. Schon seit Tagen. Hast die Beulen nicht bemerkt an deinem Hals? Merkst es nicht beim Einatmen?»

Der König atmete ein. Die Luft war eisig. Er hustete. «Wenn es die Pest ist», sagte er, «dann wirst du dich ja anstecken.»

«Dafür ist es zu kalt.»

«Kann ich mich jetzt hinlegen?»

«Du bist ein König», sagte der Narr. «Du kannst tun, was du willst, wann du willst und wo.»

«Dann hilf mir! Ich lege mich hin.»

«Eure Majestät», sagte der Narr und stützte ihn im Nacken und half ihm auf den Boden.

Noch nie hatte der König so weich gelegen. Die Schneeverwehungen schienen schwach zu glimmen, der Himmel dunkelte schon, aber die Flocken waren immer noch ein helles Flirren. Er fragte sich, ob wohl die armen Pferde noch lebten. Dann dachte er an Liz. «Kannst du ihr eine Botschaft bringen?»

«Natürlich, Eure Majestät.»

Es passte ihm nicht, dass der Narr ihn so respektvoll ansprach, es gehörte sich nicht, denn dafür hatte man ja einen Hofnarren: damit einem der Verstand nicht einschlief bei all der Huldigung. Ein Narr musste frech sein! Er räusperte sich, um ihn zurechtzuweisen, aber dann musste er schon wieder husten, und das Sprechen fiel ihm zu schwer.

Da war doch noch etwas gewesen? Ach ja, die Botschaft an Liz. Sie hatte immer das Theater geliebt, er hatte das nie begriffen. Leute standen auf der Bühne und taten, als wären sie jemand anderer. Er musste lächeln. Ein König ohne Land im Sturm, allein mit seinem Narren – so etwas würde es nie in einem Stück geben, es war zu albern. Er versuchte, sich aufzusetzen, doch seine Hände sanken ein, er sackte wieder zurück. Was hatte er noch tun wollen? Ach so, die Nachricht an Liz.

«Die Königin», sagte er.

«Ja», sagte der Narr.

«Wirst du es ihr sagen?»

«Das werde ich.»

Der König wartete, aber der Narr machte noch immer keine Miene, ihn zu verspotten. Dabei war das doch seine Aufgabe! Ärgerlich schloss er die Augen. Zu seiner Überraschung änderte das gar nichts: Er sah den Narren immer noch, und er sah auch den Schnee. Er spürte Papier in seinen Händen, offenbar hatte es ihm der Narr zwischen die Finger geschoben, und er spürte etwas Festes, das war wohl ein Stück Kohle. *Wir sehen uns wieder vor Gott*, wollte er schreiben, *ich hab nur dich geliebt im Leben*, aber dann kam ihm alles durcheinander, und er war sich nicht mehr sicher, ob er das schon geschrieben hatte oder erst hatte schreiben wollen, und er wusste auch nicht mehr recht, an wen die Botschaft gehen sollte, darum schrieb er mit zittriger Hand: *Gustav Adolf ist bald tot, das weiß ich jetzt, aber ich sterbe noch vorher.* Doch das war ja gar nicht die Botschaft, darum ging es überhaupt nicht, deshalb schrieb er noch dazu: *Pass gut auf den Esel auf, ich schenke ihn dir*, aber nein, das hatte er nicht Liz sagen wollen, sondern dem Narren, und der Narr war hier, er konnte es ihm selbst sagen, während die Botschaft doch für Liz war. Also setzte er von neuem an und wollte schreiben, doch es war zu spät, es ging nicht mehr. Seine Hand erschlaffte.

Er konnte nur hoffen, dass er alles, was wichtig war, schon aufgeschrieben hatte.

Ohne Mühe erhob er sich und ging. Als er sich noch einmal umsah, merkte er, dass sie wieder zu dritt waren: der Narr, kniend in seinem Fellmantel, der König auf dem Boden, halb war sein Körper schon bedeckt vom Weiß, und er. Der Narr sah auf. Ihre Blicke begegneten einander. Der Narr hob die Hand an die Stirn und verneigte sich.

Er senkte grüßend den Kopf, wandte sich ab und ging davon. Nun, da er nicht mehr einsank, kam er viel schneller voran.

HUNGER

Es war einmal», erzählt Nele.

Sie sind schon den dritten Tag im Wald. Hin und wieder dringt etwas Licht durchs Blätterdach, und trotz der Laubdecke über ihnen werden sie nass vom Regen. Sie fragen sich, ob der Wald je enden wird. Pirmin, der vor ihnen geht und sich dann und wann das Halbrund seiner Glatze kratzt, dreht sich nicht nach ihnen um; manchmal hören sie ihn murmeln, manchmal in einer fremden Sprache singen. Sie kennen ihn jetzt schon gut genug, um ihn nicht anzusprechen, denn das kann ihn wütend machen, und ist er einmal wütend, dauert es nicht mehr lang, und er tut ihnen weh.

«Eine Mutter hatte drei Töchter», erzählt Nele. «Sie besaßen eine Gans. Die legte ein güldnes Ei.»

«Was für ein Ei?»

«Ein goldenes.»

«Du hast gülden gesagt.»

«Das ist das Gleiche. Die Töchter waren sehr unterschiedlich, zwei waren böse, sie hatten schwarze Seelen, aber sie waren schön. Die jüngste dagegen war gut, und ihre Seele war weiß wie Schnee.»

«War sie auch schön?»

«Die Schönste der drei. Schön wie der junge Tag.»

«Der junge Tag?»

«Ja», sagt sie ärgerlich.

«Ist der schön?»

«Sehr.»

«Der junge Tag?»

«Sehr schön. Und die bösen Schwestern zwangen die jüngste zu arbeiten, ohne Unterlass bei Tag und Nacht, und die Finger scheuerte sie sich blutig, und ihre Füße wurden zu schmerzenden Klumpen, und das Haar wurde ihr grau vor der Zeit. Eines Tages brach das güldene Ei auf, und ein Däumling trat heraus und fragte: Jungfer, was wünschst du dir?»

«Wo war das Ei die ganze Zeit vorher?»

«Ich weiß nicht, das lag irgendwo.»

«Die ganze Zeit über?»

«Ja, das lag irgendwo.»

«Ein Ei aus Gold? Das hat wirklich keiner genommen?»

«Es ist ein Märchen!»

«Hast du's erfunden?»

Nele schweigt. Die Frage scheint ihr sinnlos. Die Silhouette des Jungen im Waldeszwielicht sieht sehr schmal aus – er geht etwas gebeugt, der Kopf vorgereckt über seiner Brust, sein Körper spillerig dürr, als wäre er eine zum Leben erweckte Holzfigur. Hat sie dieses Märchen erfunden? Sie weiß es selbst nicht. So viel hat sie erzählen hören, von ihrer Mutter und ihren zwei Tanten und der Großmutter, so viel von Däumlingen und güldenen Eiern und Wölfen und Rittern und Hexen und guten sowie bösen Schwestern, dass sie nicht nachzudenken braucht; fängt man einmal an, so geht es ganz von selbst weiter, und die Teile fügen sich zusammen, mal so und mal so, und schon hat man ein Märchen.

«Na, erzähl weiter», sagt der Junge.

Während sie davon erzählt, dass der Däumling die schöne Schwester auf deren Bitte hin in eine Schwalbe verwandelt, damit sie ins Schlaraffenland davonfliegen kann, wo alles gut ist und keiner Hunger leidet, fällt Nele auf, dass der Wald immer dichter wird. Eigentlich sollten sie sich der Stadt Augsburg nähern. Aber es sieht nicht danach aus.

Pirmin bleibt stehen. Er dreht sich schnüffelnd um sich selbst. Etwas hat seine Aufmerksamkeit erregt. Er beugt sich vor und betrachtet einen Birkenstamm, die weißschwarze Rinde, die Höhlung eines Astlochs.

«Was ist da?», fragt Nele und erschrickt im gleichen Moment über ihre Unbedachtheit. Sie spürt, dass der Junge neben ihr erstarrt.

Langsam dreht Pirmin ihnen seinen großen, unförmig kahlen Kopf zu. Seine Augen glitzern feindselig.

«Erzähl weiter», sagt er.

An ihren Armen und Beinen spürt sie noch genau, wo er sie gezwickt hat, und ihre Schulter schmerzt noch fast wie vor vier oder fünf Tagen, als er ihr mit kundigem Griff den Arm auf den Rücken gedreht hat. Der Junge wollte ihr helfen, aber da hat er ihm so fest in den Magen getreten, dass er für den Rest des Tages nicht mehr hat aufrecht stehen können.

Und doch ist Pirmin bisher nicht zu weit gegangen. Er hat ihnen weh getan, aber nicht zu weh, und sooft er Nele auch angefasst hat, so war es doch nie oberhalb des Knies oder unterhalb des Nabels. Da er weiß, dass die beiden jederzeit davonlaufen können, hält er sie auf die einzig mögliche Art: Er bringt ihnen bei, was sie lernen wollen.

«Erzähl weiter», sagt er wieder. «Ich bitte nicht noch mal.»

Und Nele, die sich immer noch fragt, was er wohl in dem Astloch gesehen hat, erzählt davon, wie der Däumling und die Schwalbe ans Tor des Schlaraffenlands kommen, das bewacht wird von einem Wächter, groß wie ein Turm. Er sagt: Hier werdet ihr nie hungrig sein und nie durstig, aber ihr kommt nicht rein! Sie bitten ihn und betteln und flehen, doch er kennt keine Gnade, der Wächter hat ein steinernes Herz, das liegt zentnerschwer in seiner Brust, ohne zu schlagen, und so sagt er nur immerzu: Ihr kommt nicht rein! Ihr kommt nicht rein!

Nele schweigt. Die beiden blicken sie an und warten.

«Und?», fragt Pirmin.

«Sie sind nicht reingekommen», sagt Nele.

«Nie?»

«Sein Herz war aus Stein!»

Pirmin starrt sie einen Moment an, dann lacht er auf und geht weiter. Die beiden Kinder folgen ihm. Es ist bald Nacht, und anders als Pirmin, der ihnen kaum je etwas abgibt, haben sie nichts mehr zu essen.

Normalerweise erträgt Nele den Hunger besser als der Junge. Sie stellt sich dann vor, der Schmerz und die Schwäche in ihrem Inneren wären etwas, das anderswo hingehört und mit ihr nichts zu tun hat. Aber heute ist es der Junge, dem es besser gelingt. Sein Hunger fühlt sich an wie etwas Leichtes, ein Pochen und Schweben, fast ist ihm, als könnte er in die Luft steigen. Während die beiden hinter Pirmin hergehen, ist er mit seinen Gedanken noch bei der Lektion vom Vormittag: Wie machst du einen Menschen nach? Wie stellst du es an, jemandem kurz ins Gesicht zu sehen und dann er zu sein – deinen Körper zu halten, wie er den seinen hält, deine Stimme klingen zu lassen wie seine, zu blicken wie er?

Nichts lieben die Leute so sehr wie das, über nichts anderes lachen sie so gerne, aber du musst es gut treffen, denn machst du es falsch, bist du armselig. Um jemanden nachzumachen, du Idiot, du dummes Kind, du verstockter, unbegabter Stein, musst du ihm nicht bloß ähnlich werden, sondern du musst ihm ähnlicher sein, als er sich selbst ist, denn er kann es sich leisten, irgendwie zu sein, aber du musst ganz und gar er werden, und wenn du das nicht kannst, dann gib auf, lass es, geh zurück zu Papas Mühle und verschwende nicht Pirmins Zeit!

Es geht ums Hinsehen, begreifst du? Das ist das Wichtigste: Schau hin! Versteh die Leute. So schwer ist das nicht. Sie sind nicht kompliziert. Sie wollen nichts Ausgefallenes, nur will jeder das, was er will, auf etwas andere Weise. Und verstehst du einmal, auf welche Weise einer etwas will, dann musst du nur wollen wie er, und dein Körper wird folgen, dann ändert die Stimme sich von selbst, dann blicken auch deine Augen richtig.

Natürlich musst du üben. Das muss man immer. Üben und üben und üben. So, wie du den Tanz auf dem Seil üben musst oder das Gehen auf Händen, oder wie du noch lange üben musst, bevor du es schaffen wirst, sechs Bälle auf einmal in der Luft zu halten: Immer und immer musst du üben, und zwar mit einem Lehrer, der dir nichts durchgehen lässt, denn sich selbst lässt man immer viel durchgehen, mit sich selbst ist man nicht streng, sodass es am Lehrer ist, dich zu treten und zu schlagen und dich auszulachen und dir zu sagen, dass du ein Wicht bist, der es nie können wird.

Und schon hat der Junge vor lauter Nachdenken darüber, wie man Leute nachmacht, fast seinen Hunger vergessen. Die Stegers stellt er sich vor und den Schmied und den Priester und die alte Hanna Krell, von der er ja nicht gewusst hat, dass sie eine Hexe ist, aber jetzt, wo er es weiß, ergibt so manches neuen Sinn. Einen nach dem anderen beschwört er sie herbei und stellt sich vor, wie jeder sich hält und spricht; er beugt die Schultern, zieht die Brust ein, bewegt lautlos die Lippen: Hilf mir mit dem Hammer, Junge, schlag den Nagel ein, und seine Hand zittert leicht, da er sie hebt, das macht das Rheuma.

Pirmin bleibt stehen und befiehlt ihnen, trockene Äste zu sammeln. Sie wissen, dass das aussichtslos ist: Nach drei Tagen Regen ist die Nässe in alles gekrochen, da ist nichts verschont geblieben, da gibt es nichts Trockenes mehr. Aber weil sie nicht wollen, dass Pirmin wütend wird, bücken sie sich und kriechen hierhin und dorthin und fassen in die Büsche und tun, als wären sie auf der Suche.

«Wie geht es denn aus?», flüstert der Junge. «Kommen sie ins Schlaraffenland?»

«Nein», flüstert sie. «Sie finden ein Schloss, in dem ein böser König regiert, den töten sie, und das Mädchen wird Königin.»

«Heiratet sie den Däumling?»

Nele lacht.

«Warum nicht?», fragt der Junge. Er ist selbst überrascht, dass er das wissen will, aber am Schluss eines Märchens muss geheiratet werden, sonst ist es nicht zu Ende, sonst liegen die Dinge falsch.

«Wie soll sie denn den Däumling heiraten?»

«Warum nicht!»

«Er ist ein Däumling.»

«Wenn er zaubern kann, macht er sich groß.»

«Na schön, dann verzaubert er sich und wird zu einem Prinzen, und sie heiraten, und wenn sie nicht gestorben sind, leben sie noch heute. Gut?»

«Besser.»

Aber als Pirmin die feuchten Äste sieht, die sie ihm bringen, beginnt er zu schreien, zu schlagen und zu zwicken. Seine Hände sind schnell und stark, und gerade wenn man meint, einer von ihnen durch einen Satz entkommen zu sein, hat einen die andere schon erfasst.

«Ratten», schreit er, «Beutelratten, dumme, nichtsnutzige Dreckschnecken, zu nichts seid ihr nutze, kein Wunder, dass die Eltern euch weggejagt haben!»

«Stimmt nicht», sagt Nele. «Weggerannt sind wir.»

«Jaja», ruft Pirmin, «und seinen Vater hat der Henker verbrannt, ich weiß es, ich hab es oft gehört!»

«Gehängt», sagt der Junge. «Nicht verbrannt.»

«Hast du's gesehen?»

Der Junge schweigt.

«Eben streben!» Pirmin lacht. «Eben geben heben, nichts weißt du, dich beißt du! Wen man als Hexer hängt, den verbrennt man danach als Toten, so geht das, so wird es gemacht. Also ist er verbrannt worden, und gehängt hat man ihn noch dazu.»

Pirmin geht in die Hocke, fingert brummend am Holz herum, reibt Stöcke aneinander und spricht dabei leise vor sich hin – ein paar Sprüche erkennt der Junge, brenn, Feuer, Gotts Feuer, Engel, trag's herab, zünd mein Hölzlein, bring mein Flämmlein, brenne diesen Stab; es ist eine alte Formel, die auch Claus verwendet hat. Und wirklich dauert es nicht lange, bis der Junge das vertraute Aroma von brennendem Holz riecht. Er öffnet die Augen und klatscht in die Hände. Grinsend deutet Pirmin eine Verbeugung an. Er bläht die Backen und bläst Luft ins Feuer. Der Widerschein der Glut spielt auf seinem Gesicht. Hinter ihm tanzt sein Schatten, riesenhaft vergrößert, auf den Baumstämmen.

«Und jetzt spielt mir was vor!»

«Wir sind müde», sagt Nele.

«Wenn ihr essen wollt, spielt. So ist das jetzt. So bleibt das, bis ihr krepiert. Ihr gehört zum fahrenden Volk, keiner schützt euch, und wenn es regnet, habt ihr kein Dach. Kein Zuhause. Keine Freunde außer anderen wie euch, die euch nicht sehr mögen werden, weil das Essen knapp ist. Dafür seid ihr frei. Müsst keinem gehorchen. Nur schnell genug weglaufen müsst ihr, wenn es brenzlig wird. Und wenn ihr Hunger habt, müsst ihr spielen.»

«Gibst du uns Essen?»

«Nein, Schwein, grein, nein, nein!» Pirmin schüttelt lachend den Kopf, dann lässt er sich hinter dem Feuer nieder. «Nichts mehr, kein Bröcklein, kein Stöcklein, und seid nicht zu laut, denn es gibt Söldner im Wald. Um die Zeit sind sie sehr betrunken, und wütend werden sie auch sein, weil die Bauern bei Nürnberg sich zusammengerottet haben. Wenn die uns finden, geht es uns schlecht.»

Die beiden zögern einen Moment, denn sie sind wirklich sehr müde. Aber deshalb sind sie schließlich hier, deshalb sind sie mit Pirmin gegangen – um etwas vorzuspielen, um Kunststücke zu lernen.

Zunächst führt der Junge seinen Seiltanz auf. Er spannt das Seil nicht sehr hoch, obgleich er inzwischen nicht mehr herunterfällt – aber man weiß nie, was Pirmin tun wird, er könnte plötzlich etwas nach ihm werfen oder am Seil rütteln. Der Junge macht ein paar vorsichtige Schritte, um ein Gefühl dafür zu bekommen, wie straff das Seil hängt, das er in der Dämmerung kaum noch sehen kann, dann gewinnt er Sicherheit und geht schneller, dann läuft er auf der Stelle. Er springt, dreht sich in der Luft, kommt auf und läuft rückwärts bis ans Ende. Er läuft wieder zurück, beugt sich vor, läuft plötzlich auf den Händen, erreicht wieder das andere Ende, überschlägt sich, kommt auf den Füßen zu stehen, rudert nur kurz mit den Armen, findet sein Gleichgewicht und verbeugt sich. Er springt zu Boden.

Nele klatscht wild in die Hände.

Pirmin spuckt aus. «Das am Schluss war hässlich.»

Der Junge bückt sich, hebt einen Stein auf, wirft ihn

hoch, fängt ihn wieder, ohne hinzusehen, und wirft ihn wieder hoch. Während der Stein in der Luft ist, hebt er einen zweiten auf und wirft ihn, fängt den ersten, wirft ihn, hebt blitzartig einen dritten auf, fängt den zweiten, wirft ihn wieder, wirft ihm den dritten nach, fängt und wirft den ersten und geht in die Knie, um einen vierten Stein zu nehmen. Schließlich hat er fünf, die um seinen Kopf wirbeln, ein Auf und Ab im Abendlicht. Nele hat den Atem angehalten. Pirmin rührt sich nicht und starrt, seine Augen sind schmale Schlitze.

Die Schwierigkeit liegt darin, dass die Steine nicht gleich geformt sind und nicht gleich schwer. Daher muss die Hand sich an jeden anpassen, muss jedes Mal etwas anders greifen. Bei den schweren muss der Arm etwas mehr nachgeben, bei den leichten kraftvoller werfen, sodass sie alle gleich schnell fliegen und auf gleicher Bahn. Das geht nur, wenn man viel geübt hat. Es geht aber auch nur, wenn man vergisst, dass man es selbst ist, der die Steine wirft. Man muss ihnen gewissermaßen nur dabei zusehen, wie sie fliegen. Sobald man zu sehr beteiligt ist, kommt alles durcheinander, und wenn man dabei denkt, gerät man aus dem Rhythmus, und schon geht es nicht mehr.

Für eine kleine Weile schafft der Junge es noch. Er denkt nicht, er hält sich innerlich am Rand, er blickt empor und sieht die Steine über sich. Zwischen den Blättern nimmt er das letzte Licht des dunkelnden Himmels wahr, er spürt Tropfen auf der Stirn und den

Lippen, er hört das Knistern der Flammen, und da fühlt er schon, dass es nicht mehr lange gehen, dass gleich alles durcheinandergeraten wird – und um dem zuvorzukommen, lässt er den ersten Stein hinter sich ins Unterholz wirbeln, dann den zweiten, den dritten, den vierten und schließlich den letzten, und er betrachtet erstaunt seine leeren Hände: Wo sind sie hin? In gespielter Ratlosigkeit verbeugt er sich.

Nele klatscht wieder, Pirmin macht eine abfällige Handbewegung – aber daran, dass er nichts Böses sagt, erkennt der Junge, dass er es gut gemacht hat. Natürlich könnte er besser jonglieren, wenn Pirmin ihm seine Jonglierbälle leihen würde. Er hat sechs davon, aus dickem Leder, glatt und handlich, jeder in einer anderen Farbe, sodass sie zu einer bunt schillernden Fontäne werden, wenn man sie schnell genug fliegen lässt. Pirmin hat sie in dem Jutesack, den er stets über der Schulter trägt und den die Kinder nicht anzurühren wagen; versucht es, greift nur hinein, ich breche euch die Finger. Der Junge hat Pirmin jonglieren sehen, auf diesem oder jenem Marktflecken; er macht es sehr geschickt, aber nicht mehr ganz so agil, wie er wohl früher gewesen ist, und wenn man aufpasst, kann man sehen, dass er durch das viele Starkbier allmählich den Sinn fürs Gleichgewicht verliert. Mit diesen Bällen könnte der Junge es wahrscheinlich schon besser. Aber genau deshalb wird Pirmin ihm nie gestatten, sie zu benützen.

Nun ist es Zeit für das Schauspiel. Der Junge nickt Nele zu, sofort springt sie heran und beginnt zu erzählen: Zwei Armeen versammelten sich einst vorm goldenen Prag, Trompeten schmettern, es funkeln der Krieger Harnische, und da ist der junge König, voll Mut, in Begleitung seiner englischen Gemahlin. Doch den Generälen des Kaisers ist nichts heilig, sie schlagen ihre Trommeln, hörst du sie? Es zieht das Verhängnis der Christenheit auf.

Die Kinder wechseln von einer Rolle in die nächste, sie ändern Tonfall, Stimme und Sprache, und da sie weder Tschechisch noch Französisch oder Latein können, sprechen sie das schönste Kauderwelsch. Der Junge ist ein Heerführer des Kaisers, er gibt das Kommando, er hört die Kanonen hinter sich brüllen, er sieht die böhmischen Musketiere ihre Waffen auf ihn richten, er hört den Befehl zum Rückzug, doch er schlägt ihn in den Wind, mit Rückzug gewinnt man nicht! Und er rückt vor, die Gefahr ist groß, aber das Glück ist mit ihm, die Musketiere weichen dem Mut seines Regiments, die Siegesfanfaren schmettern, er kann sie deutlicher hören als den Regen, und schon befindet er sich im goldenen Thronsaal des Kaisers. Milde sitzt die Majestät auf dem Thron, mit weicher Hand legt sie ihm eine Ordensschärpe um: Heute habt Ihr mein Reich gerettet, Generalissimus! Er sieht die Gesichter der Großen des Reichs, er neigt den Kopf, sie beugen sich in Demut. Da tritt eine edle Frau auf ihn zu: Auf ein Wort, ich habe einen Auftrag! Ruhig spricht er: Was es auch sei, und koste es mein Leben, denn ich liebe Euch. Ich weiß das, edler Herr, antwortet sie, doch Ihr müsst es vergessen. Hört meinen Auftrag. Ich will, dass Ihr –

Etwas schlägt an seinen Kopf; Funken sprühen, die Beine knicken dem Jungen ein, er braucht einen Moment, um zu begreifen, dass Pirmin etwas geworfen hat. Er betastet seine Stirn, er beugt sich vor, da liegt der Stein. Wieder einmal ist er beeindruckt, wie gut Pirmin zielen kann.

«Ihr Ratten», sagt Pirmin. «Nichtskönner. Glaubt ihr, irgendwer will das sehen? Wer mag spielende Kinder anglotzen? Macht ihr das für euch? Dann geht zurück zu den Eltern, sofern die nicht verbrannt sind. Oder macht ihr's für Zuschauer? Dann müsst ihr besser sein. Bessere Geschichte, besseres Spiel, schneller, mehr Kraft, mehr Witz, mehr von allem! Dann müsst ihr's geprobt haben!»

«Seine Stirn!», schreit Nele. «Er blutet!»

«Aber nicht genug. Er soll viel mehr bluten. Wer sein Geschäft nicht kann, der soll den ganzen Tag bluten.»

«Du Schwein!», schreit Nele.

Versonnen hebt Pirmin noch einen Stein auf.

Nele duckt sich.

«Wir fangen noch mal an», sagt der Junge.

«Heute mag ich nicht mehr», sagt Pirmin.

«Doch», sagt der Junge. «Doch, doch. Einmal noch.»

«Ich will nicht mehr, lasst es sein», sagt Pirmin.

Also setzen sie sich zu ihm. Das Feuer ist zu einem schwachen Glimmen heruntergebrannt. Dem Jungen kommt eine Erinnerung, von der er nicht weiß, ob er sie erlebt oder geträumt hat: Nachtlärm aus dem Dickicht, Summen und Krachen und Knacken von überall her, und ein großes Tier, der Kopf eines Esels, die Augen aufgerissen, ein Schrei, wie er ihn noch nie gehört hat, und das heiße, strömende Blut. Er schüttelt den Kopf, schiebt es weg, fasst nach Neles Hand. Ihre Finger drücken die seinen.

Pirmin kichert. Wieder einmal fragt sich der Junge, ob dieser Mann seine Gedanken liest. So schwer ist das nicht, das hat ihm schon Claus erklärt, man muss nur die richtigen Sprüche kennen.

Eigentlich ist Pirmin kein übler Kerl. Nicht ganz übel jedenfalls, nicht so durch und durch, wie es auf den ersten Blick scheint. Manchmal ist etwas Weiches an ihm, eine Nachgiebigkeit, die zur Milde werden könnte, müsste er nicht das harte Leben des fahrenden Volkes führen. Er ist eigentlich zu alt, um noch von Ort zu Ort zu ziehen, den Regen zu ertragen und unter Bäumen zu schlafen, aber irgendwie sind durch Pech und Missgeschick alle Gelegenheiten für eine Stellung mit Kost und Bleibe an ihm vorbeigegangen, und jetzt wird sich auch keine neue mehr finden. Entweder werden seine Knie in ein paar Jahren so schmerzen, dass er nicht mehr wandern kann, dann wird er im erstbesten Dorf bleiben müssen, bei irgendeinem Bauern, der genug Mitleid hat, ihn als Taglöhner aufzunehmen, wofür er aber viel Glück brauchen wird, denn keiner will fahrendes Volk bei sich, es bringt Unglück und schlechtes Wetter und lässt die Nachbarn übel reden. Oder aber Pirmin wird betteln müssen, vor der Mauer von Nürnberg, Augsburg oder München, denn ins Innere der Städte lässt man Bettler nicht. Leute werfen den Unglücklichen Essen hin, aber es reicht nie für alle, die Stärkeren nehmen es. Dort also wird Pirmin verhungern.

Oder aber es kommt gar nicht so weit. Zum Beispiel, weil er irgendwo auf dem Weg strauchelt – feuchte Wurzeln sind tückisch, es ist kaum zu glauben, wie rutschig nasses Holz sein kann; oder ein Stein, auf den er beim Emporklettern tritt, liegt nicht so fest, wie es scheint. Dann wird er mit gebrochenem Bein am Wegrand liegen, und wer an ihm vorbeizieht, wird angewidert einen Bogen machen um den Kerl im Dreck, denn was sollte er auch tun, ihn tragen? Ihn wärmen und nähren, ihn versorgen wie einen Bruder? So etwas passiert in Heiligenlegenden, aber in der Wirklichkeit geschieht das nicht.

Was also ist das Beste, das Pirmin passieren kann? Dass sein Herz stehenbleibt. Dass mit einem Mal ein Stechen durch seine Brust geht, dass ihm unerwartet der Schmerz durch die Eingeweide fährt, während eines Auftritts auf dem Marktplatz: Er sieht zu den Bällen auf, dann ein Augenblick der hellsten Pein, dann ist alles vorbei.

Er könnte es selbst herbeiführen. Schwer wäre es nicht. Viele fahrende Leute tun es – sie kennen die Pilze, die einen sanft in den Schlaf führen. Nur hat Pirmin ihnen in einem schwachen Moment gestanden, dass er sich nicht traut. Gott hat sein härtestes Gebot dagegengesetzt: Wer sich tötet, entflieht zwar der Unbill dieser Welt, aber er tut es um den Preis ewiger Marter in der nächsten. Und ewig – das bedeutet nicht einfach lange Zeit. Es bedeutet, dass die längste Zeit, die du dir nur ausmalen kannst, und seien es auch tausendmal so viele Jahre, wie ein Vogel braucht, um den Blocksberg mit seinem Schnabel wegzuwetzen, bloß der allerkleinste Teil des kleinsten Teils davon ist. Und obgleich es so lange dauert, gewöhnst du dich nicht an den Schrecken, nicht an die Einsamkeit, nicht an den Schmerz. So ist das eingerichtet. Wer also kann Pirmin übelnehmen, dass er ist, wie er ist?

Dabei hätte alles anders kommen können. Er hat auch gute Zeiten gesehen. Er hatte einst eine Zukunft. Auf dem Höhepunkt seines Lebens hat er es bis nach London geschafft, und wann immer das Starkbier ihn betrunken macht, beginnt er, davon zu reden. Dann erzählt er von der Themse, so breit im Abendschein, von den Schenken und vom Gewimmel auf den Straßen – derart riesig sei die Stadt, dass man tagelang gehen könne und nicht ihr Ende erreiche! Und Theater gebe es auf Schritt und Tritt. Er habe die Sprache nicht verstanden, aber die Anmut der Schauspieler und die Wahrheit in ihren Gesichtern habe ihn ergriffen wie später nichts anderes mehr.

Er ist damals jung gewesen. Er war einer der vielen Schausteller, die mit dem Tross des jungen Kurprinzen Friedrich über den Kanal gekommen sind. Der ist nach England gereist, um Prinzessin Elisabeth zu heiraten, und da die Engländer Schausteller schätzen, hat er alles mitgebracht, was sein Land zu bieten hat: Bauchredner, Feuerschlucker, Kunstrülpser, Puppenspieler, Schaukämpfer, Handgeher, Bucklige, malerische Krüppel und eben auch Pirmin. Am dritten Tag der Festlichkeit hat Pirmin im Haus eines gewissen Bacon vor all den großen Herren und Damen seine Bälle geworfen. Die Tische waren mit Blüten bedeckt, der Hausherr stand mit klugem, bösem Lächeln am Eingang des Saals.

«Ich sehe sie noch vor mir», sagt Pirmin. «Die steife Prinzessin, der Bräutigam, der nicht weiß, wie ihm geschieht. Wir sollten ihn suchen!»

«Was sollen wir?»

«Ihn suchen! Es heißt, dass er von Land zu Land zieht und dem protestantischen Adel die Haare vom Kopf frisst. Es heißt, er tut noch so, als wäre er König. Es heißt, er schleppt seinen eigenen kleinen Hofstaat mit. Aber hat er einen Narren? Vielleicht ist ein alter Hofnarr das, was ein König ohne Land braucht.»

Oft hat Pirmin das gesagt. Auch das macht das viele Bier: Er wiederholt sich, und es ist ihm egal. Aber jetzt am Feuer kaut er auf seinem letzten Stück Dörrfleisch, während die Kinder hungrig neben ihm sitzen und auf die Waldgeräusche horchen. Sie halten einander bei den Händen und versuchen, an Dinge zu denken, die sie vom Hunger ablenken.

Mit etwas Übung geht das ganz gut. Kennt man den Hunger wirklich, so weiß man auch, wie man es anstellt, ihn für eine Weile zu ersticken. Man muss jedes Bild von essbaren Dingen aus sich verbannen, muss die Fäuste ballen, sich zusammennehmen, es einfach nicht erlauben. Stattdessen kann man ans Jonglieren denken, das sich nämlich auch in Gedanken üben lässt – man wird dadurch besser. Oder man stellt sich vor, wie man sich übers Seil bewegt, wundersam hoch, über Gipfel und Wolken. Der Junge blinzelt in die Glut. Der Hunger macht einen leichter. Und während er ins rote Glimmen sieht, ist ihm, als sähe er unter sich den hellen, weiten Tag, als würde die Sonne ihn blenden.

Nele legt den Kopf an seine Schulter. Mein Bruder, denkt sie. Er ist jetzt alles, was ihr bleibt. Sie denkt ans Zuhause, das sie nicht wiedersehen wird, an die Mutter, die meist traurig gewesen ist, an den Vater, der sie schlimmer geschlagen hat als Pirmin, und an die Geschwister und Knechte. Sie denkt an das Leben, das vor ihr gelegen hat: den Steger-Sohn, die Arbeit in der Bäckerei. Natürlich erlaubt sie sich nicht, an das Brot zu denken – aber jetzt, da sie daran gedacht hat, dass sie nicht daran denken darf, ist es doch passiert, und sie sieht den weichen Brotlaib vor sich, und sie kann ihn riechen, und sie spürt, wie er sich zwischen ihren Zähnen anfühlen würde.

«Lass es!», sagt der Junge.

Und da muss sie lachen und fragt sich, woher er weiß, was sie gedacht hat. Aber es hat gewirkt, das Brot ist weg.

Pirmin ist vornübergesunken. Wie ein schwerer Sack liegt er auf dem Boden, sein Rücken hebt und senkt sich, und er schnarcht wie ein Tier.

Besorgt sehen die Kinder sich um.

Kalt ist es.

Bald wird das Feuer erloschen sein.

DIE GROSSE KUNST
VON LICHT UND SCHATTEN

Adam Olearius, der Gottorfer Hofmathematiker, Kurator des herzoglichen Kuriositätenkabinetts und Autor eines Berichts über eine strapaziöse Gesandtschaftsreise nach Russland und Persien, von der er wenige Jahre zuvor fast unbeschadet zurückgekehrt war, war eigentlich nicht auf den Mund gefallen, doch heute fiel ihm vor Unruhe das Sprechen schwer. Denn vor ihm stand, umringt von einem halben Dutzend Sekretären in schwarzen Kutten, bedächtig, aufmerksam und seine unbegreiflich reiche Bildung wie eine leichte Bürde tragend, kein anderer als Pater Athanasius Kircher, Professor des Collegium Romanum.

Obwohl es ihr erstes Treffen war, behandelten sie einander, als hätten sie sich schon ihr halbes Leben lang gekannt. So war es unter Gelehrten üblich. Olearius erkundigte sich, was den ehrwürdigen Kollegen hergeführt habe, wobei er absichtlich im Unklaren ließ, ob er damit das Heilige Römische Reich Deutscher Nation oder Holstein oder das hinter ihnen aufragende Schloss Gottorf meinte.

Kircher überlegte eine Weile, als müsste er die Antwort aus den Tiefen seines Gedächtnisses hervorholen, bevor er mit leiser und etwas zu hoher Stimme erwiderte, dass er die Ewige Stadt verschiedener Vorhaben wegen verlassen habe, deren wichtigstes es sei, ein Heilmittel gegen die Pest zu finden.

«Gott steh uns bei», sagte Olearius, «ist sie wieder in Holstein?»

Kircher schwieg.

Es irritierte Olearius, wie jung sein Gegenüber war: Kaum vermochte man sich vorzustellen, dass dieser Kopf mit den weichen Gesichtszügen das Rätsel der Magnetkraft, das Rätsel des Lichts, das Rätsel der Musik sowie angeblich auch das Rätsel der Schrift des alten Ägypten gelöst hatte. Olearius war sich der eigenen Bedeutung bewusst und galt nicht als einer der Bescheidensten. Aber in Gegenwart dieses Mannes drohte ihm die Stimme zu versagen.

Es verstand sich von selbst, dass zwischen Gelehrten keine Religionsfeindschaft herrschte. Vor fast einem Vierteljahrhundert, als der große Krieg begonnen hatte, wäre das noch anders gewesen, aber die Dinge hatten sich geändert. In Russland hatte der Protestant Olearius sich mit französischen Mönchen angefreundet, und es war kein Geheimnis, dass Kircher mit vielen calvinistischen Gelehrten im Briefwechsel stand. Nur vorhin, als Kircher nebenher den Tod des schwedischen Königs bei der Schlacht von Lützen erwähnt und in diesem Zusammenhang von der Gnade des gütigen Herrgotts gesprochen hatte, hatte sich Olearius innerlich Gewalt antun müssen, um nicht zu antworten, dass Gustav Adolfs Tod eine Katastrophe gewesen sei, in der jeder vernünftige Mensch die Hand des Teufels habe erkennen müssen.

«Ihr sagt, dass Ihr die Pest kurieren wollt.» Olearius, noch immer ohne Antwort, räusperte sich. «Und Ihr sagt, dass Ihr dafür nach Holstein gekommen seid. Ist also die Pest zu uns zurückgekommen?»

Kircher ließ einen weiteren Moment verstreichen und betrachtete, wie es offenbar seine Gewohnheit war, seine Fingerspitzen, bevor er antwortete, dass er natürlich nicht hierhergekommen wäre, um ein Heilmittel gegen die Pest zu finden, wenn die Pest in dieser Gegend wüten würde, denn wo sie wüte, da finde man ja das Mittel, um ihre Ausbreitung zu verhindern, gerade nicht. Gottes Güte habe es so trefflich gefügt, dass der nach Abhilfe Forschende, statt sein Leben der Gefahr auszusetzen, eben die Plätze aufsuchen dürfe, an denen die Krankheit sich nicht ausgebreitet habe. Denn nur dort finde sich das, was ihr nach Naturkraft und Gotteswillen entgegenwirke.

Sie saßen auf der einzigen unzerstörten Steinbank des Schlossparks und tunkten Zuckerstangen in verdünnten Wein. Kirchers sechs Sekretäre standen in respektvollem Abstand und beobachteten sie gebannt.

Es war kein guter Wein, und Olearius wusste, dass auch Park und Schloss nicht eben beeindruckend waren. Marodeure hatten die alten Bäume gefällt, der

Rasen war bedeckt von Brandflecken, und die Büsche waren so schadhaft wie die Fassade des Gebäudes, dem auch noch ein Stück des Daches fehlte. Olearius war alt genug, um sich noch an Tage zu erinnern, da das Schloss eine Zierde des Nordens gewesen war, der Stolz der jütischen Herzöge. Damals war er noch ein Kind gewesen und sein Vater ein einfacher Handwerker, aber der Herzog hatte seine Begabung erkannt und ihn studieren lassen, und später hatte er ihn als Gesandten nach Russland und ins ferne, strahlende Persien geschickt, wo er Kamele und Greife und Türme aus Jade und sprechende Schlangen gesehen hatte. Gerne wäre er dort geblieben, aber er hatte nun mal dem Herzog die Treue geschworen, und auch seine Frau wartete daheim, so meinte er wenigstens, denn dass sie inzwischen gestorben war, hatte er nicht gewusst. Also war er zurückgekommen ins kalte Reich, in den Krieg und ins traurige Dasein eines Witwers.

Kircher spitzte die Lippen, trank noch einen Schluck Wein, verzog kaum merklich das Gesicht, wischte sich mit einem rotfleckigen Tüchlein die Lippen ab und fuhr fort zu erklären, warum er hier war.

«Ein Experiment», sagte er. «Die neue Art, Gewissheit zu finden. Man macht Versuche. Man zündet etwa eine Kugel aus Schwefel, Bitumen und Kohle an, und sofort spürt man, dass der Anblick des Feuers Zorn auslöst. Ganz benommen wird man vor Ärger, wenn man sich im selben Raum aufhält. Das liegt daran, dass die Kugel Eigenschaften des roten Planeten Mars abspiegelt. In ähnlicher Weise kann man die wässrigen Eigenschaften des Neptun zur Beruhigung erregter Gemüter nutzen oder die verwirrenden des trügerischen Mondes zur Sinnesvergiftung. Ein nüchterner Mensch braucht sich nur kurze Zeit in der Nähe eines mondgleichen Magneten aufzuhalten und wird so betrunken, als hätte er einen Schlauch Wein geleert.»

«Magneten machen betrunken?»

«Lest mein Buch. In meinem neuen Werk wird noch mehr darüber stehen. Es heißt *Ars magna lucis et umbrae* und beantwortet die offenen Fragen.»

«Welche?»

«Alle. Was nun die Schwefelkugel angeht: Der Versuch brachte mich darauf, einem Pestkranken einen Absud aus Schwefel und Schneckenblut verabreichen zu lassen. Denn einerseits treibt ihm der Schwefel die marsianischen Bestandteile der Krankheit aus, andererseits süßt das Schneckenblut als drakontologische Substitution das, was die Körpersäfte durchsäuert.»

«Bitte?»

Kircher betrachtete wieder seine Fingerspitzen.

«Schneckenblut substituiert Drachenblut?», fragte Olearius.

«Nein», sagte Kircher nachsichtig. «Drachengalle.»

«Und was führt Euch nun her?»

«Die Substitution hat ihre Grenzen. Der Pestkranke

im Versuch ist trotz des Absuds gestorben, wodurch klar bewiesen ist, dass echtes Drachenblut ihn geheilt hätte. Also brauchen wir einen Drachen, und in Holstein lebt noch der letzte Drache des Nordens.»

Kircher blickte auf seine Hände. Sein Atem bildete Dampfwölkchen. Olearius fröstelte. Drinnen im Schloss war es nicht wärmer, es gab weit und breit keine Bäume mehr, und das wenige Feuerholz verbrauchte der Herzog für sein Schlafzimmer.

«Ist er denn gesichtet worden, der Drache?»

«Natürlich nicht. Ein Drache, den man gesichtet hat, wäre ein Drache, der über die wichtigste Dracheneigenschaft nicht verfügt – jene nämlich, sich unauffindbar zu machen. Aus genau diesem Grund hat man allen Berichten von Leuten, die Drachen gesichtet haben wollen, mit äußerstem Unglauben zu begegnen, denn ein Drache, der sich sichten ließe, wäre a priori schon als ein Drache erkannt, der kein echter Drache ist.»

Olearius rieb sich die Stirn.

«In dieser Gegend ist offensichtlich überhaupt noch nie ein Drache bezeugt worden. Somit habe ich die Zuversicht, dass einer da sein muss.»

«Aber an vielen anderen Orten ist auch keiner bezeugt. Warum also gerade hier?»

«Erstens, weil die Pest sich aus diesem Landstrich zurückgezogen hat. Das ist ein starkes Zeichen. Zweitens habe ich ein Pendel benützt.»

«Das ist doch Magie!»

«Nicht, wenn man ein Magnetpendel nimmt.» Kircher blickte Olearius mit schimmernden Augen an. Das leicht abfällige Lächeln verschwand aus seinem Gesicht, als er sich vorbeugte und mit einer Einfachheit, die Olearius verblüffte, fragte: «Helft Ihr mir?»

«Wobei?»

«Den Drachen zu finden.»

Olearius tat so, als müsste er nachdenken. Dabei war es keine schwierige Entscheidung. Er war nicht mehr jung, er hatte keine Kinder, und seine Frau war tot. Er besuchte jeden Tag ihr Grab, und es geschah immer noch, dass er nachts aufwachte und zu weinen begann, so sehr fehlte sie ihm und so schwer lastete auf ihm die Einsamkeit. Ihn hielt hier nichts. Wenn ihn also der bedeutendste Gelehrte des Weltkreises zu einem gemeinsamen Abenteuer einlud, gab es nicht viel zu grübeln. Er holte Luft, um zu antworten.

Aber Kircher kam ihm zuvor. Er erhob sich und klopfte Staub von seiner Kutte. «Na gut, dann brechen wir morgen früh auf.»

«Ich würde gerne meinen Assistenten mitnehmen», sagte Olearius leicht verärgert. «Magister Fleming ist kundig und hilfreich.»

«Ja, bestens», sagte Kircher, der offensichtlich schon an etwas anderes dachte. «Also morgen früh, das ist gut, das bekommen wir hin. Könnt Ihr mich nun zum Herzog führen?»

«Er empfängt zurzeit nicht.»

«Keine Sorge. Wenn er erfährt, wer ich bin, wird er sich glücklich schätzen.»

Vier Kutschen holperten übers Land. Kalt war es, Morgendunst stieg bleich von den Wiesen auf. Die hinterste Kutsche war vom Boden bis zur Decke gefüllt mit Büchern, die Kircher vor kurzem in Hamburg erworben hatte, in der davor saßen drei Sekretäre und schrieben Manuskripte ab, so gut es im Fahren eben ging, in der davor waren zwei Sekretäre und schliefen, und in der vordersten führten Athanasius Kircher, Adam Olearius und dessen langjähriger Reisegefährte Magister Fleming ein Gespräch, das ein weiterer Sekretär, Feder und Papier zum Mitschreiben auf den Knien, aufmerksam verfolgte.

«Aber was tun wir, wenn wir ihn finden?», fragte Olearius.

«Den Drachen?», fragte Kircher.

Für einen Augenblick vergaß Olearius seine Verehrung und dachte: Ich halte ihn nicht mehr aus. «Ja», sagte er dann. «Den Drachen.»

Statt zu antworten, wandte sich Kircher Magister Fleming zu. «Verstehe ich richtig, Ihr seid Musiker?»

«Ich bin Arzt. Vor allem schreibe ich Gedichte. Und ich habe in Leipzig die Musik studiert.»

«Lateinische Gedichte oder französische?»

«Deutsche.»

«Ja warum denn das?»

«Was tun wir, wenn wir ihn finden?», wiederholte Olearius.

«Den Drachen?», fragte Kircher, und jetzt hätte Olearius ihn am liebsten geohrfeigt.

«Ja», sagte Olearius. «Den Drachen!»

«Wir besänftigen ihn mit Musik. Ich darf voraussetzen, dass die Herren mein Buch *Musurgia universalis* studiert haben?»

«Musica?», fragte Olearius.

«Musurgia.»

«Warum nicht *Musica*?»

Kircher sah Olearius missbilligend an.

«Selbstverständlich», sagte Fleming. «Alles, was ich über Harmonie weiß, weiß ich von Eurem Buch.»

«Das höre ich oft. Das sagen fast alle Musiker. Es ist ein wichtiges Werk. Nicht mein wichtigstes, aber sehr wichtig zweifellos. Mehrere Fürsten wollen die von mir entworfene Wasserorgel konstruieren lassen. Und in Braunschweig plant man, mein Katzenklavier zu bauen. Mich verblüfft das ein wenig, es war doch vor allem ein Gedankenspiel, und ich bezweifle, dass die Resultate das Ohr erfreuen werden.»

«Was ist ein Katzenklavier?», fragte Olearius.

«Also habt Ihr es nicht gelesen?»

«Mein Gedächtnis. Ich bin nicht mehr der Jüngste. Seit unserer strapaziösen Reise gehorcht es mir nicht immer.»

«Weiß Gott», sagte Fleming. «Erinnerst du dich

noch, wie es war, als uns in Riga die Wölfe umzingelt haben?»

«Ein Klavier, das Töne durch Tierpeinigung erzeugt», sagte Kircher. «Man schlägt einen Ton an, und statt einer Saite wird einem kleinen Tier, ich schlage Katzen vor, es würde aber auch mit Wühlmäusen funktionieren, Hunde wären zu groß, Grillen zu klein, ein gut dosierter Schmerz zugefügt, sodass das Tier ein Geräusch von sich gibt. Lässt man die Taste los, hört auch der Schmerz auf, das Tier verstummt. Ordnet man die Tiere nach ihrer Stimmhöhe, so lässt sich auf diese Art die ungewöhnlichste Musik erzeugen.»

Eine kleine Weile war es still. Olearius sah in Kirchers Gesicht, Fleming kaute an seiner Unterlippe.

«Warum schreibt Ihr Eure Gedichte denn auf Deutsch?», fragte Kircher schließlich.

«Ich weiß, das klingt wunderlich», sagte Fleming, der auf diese Frage gewartet hatte. «Aber es lässt sich machen! Unsere Sprache wird gerade erst geboren. Hier sitzen wir, drei Männer aus dem gleichen Land, und sprechen Latein. Warum? Jetzt mag das Deutsche noch ungelenk sein, ein kochendes Gebräu, ein Geschöpf im Werden, aber eines Tages ist es erwachsen.»

«Noch einmal zu dem Drachen», sagte Olearius, um das Thema zu wechseln. Er hatte es oft erlebt: Wenn Fleming einmal von seinem Steckenpferd anfing, kam lange kein anderer zu Wort. Und schließlich endete es stets damit, dass Fleming mit rotem Gesicht Gedichte vortrug. Sie waren gar nicht schlecht, seine Gedichte, sie hatten Melodie und Kraft. Aber wer wollte schon ohne Vorwarnung Gedichte hören, und dann noch auf Deutsch?

«Noch ist unsere Sprache eine Wirrnis aus Dialekten», sagte Fleming. «Weiß man im Satz nicht weiter, greift man sich das passende Wort aus dem Lateinischen oder Italienischen oder sogar Französischen, und die Sätze biegt man irgendwie nach lateinischer Manier zurecht. Aber das wird sich ändern! Man muss eine Sprache nähren und pflegen, man muss ihr helfen, auf dass sie gedeiht! Und ihr helfen, das heißt: dichten.» Flemings Wangen hatten sich gerötet, sein Schnurrbart sträubte sich leicht, seine Augen blickten starr. «Wer einen Satz auf Deutsch anfängt, soll sich zwingen, ihn auf Deutsch zu Ende zu führen!»

«Ist es nicht gegen Gottes Willen, Tieren Schmerz zuzufügen?», fragte Olearius.

«Warum?» Kircher runzelte die Stirn. «Es gibt keinen Unterschied zwischen Gottes Tieren und Gottes Dingen. Tiere sind fein gefügte Maschinen, die aus noch feiner gefügten Maschinen bestehen. Ob ich einer Wassersäule einen Ton entlocke oder einem Kätzchen, wo wäre der Unterschied? Sie wollen doch nicht behaupten, dass Tiere unsterbliche Seelen haben, was wäre denn das für ein Gewimmel im Paradies. Man könnte sich nicht umdrehen, ohne auf einen Wurm zu treten!»

«Ich war in Leipzig Chorknabe», sagte Fleming. «Jeden Morgen um fünf standen wir in der Thomaskirche und mussten singen. Jede Stimme sollte ihrem eigenen melodischen Punctus folgen, und wer falsch sang, bekam die Rute. Es war schwer, aber eines Morgens, ich weiß es noch, habe ich zum ersten Mal verstanden, was Musik ist. Und als ich später die Kunst des Kontrapunkts gelernt habe, habe ich verstanden, was Sprache ist. Und wie man in ihr dichtet – nämlich indem man sie walten lässt. Gehen und sehen, Schmerz und Menschenherz. Der deutsche Reim: eine Frage und eine Antwort. Pein, Sein und Schein. Reim ist kein Zufall der Laute. Es gibt ihn dort, wo Gedanken zusammenpassen.»

«Es ist gut, dass Ihr Euch mit Musik auskennt», sagte Kircher. «Ich habe Noten für Melodien dabei, mit denen sich Drachenblut kühlen und Drachensinn beruhigen lässt. Könnt Ihr das Horn spielen?»

«Nicht gut.»

«Geige?

«Leidlich. Woher habt Ihr diese Melodien?»

«Ich habe sie nach den Maßgaben strengster Wissenschaft komponiert. Macht Euch keine Sorgen, Ihr braucht dem Drachen nichts vorzufiedeln, wir werden dafür Musiker finden. Es wäre schon aus Standesgründen nicht schicklich, wenn unsereiner die Instrumente spielte.»

Olearius schloss die Augen. Für einen Moment sah

er im Geiste eine Echse aus dem Feld aufsteigen, den Kopf turmhoch vor dem Himmel: So also könntest du enden, dachte er, nach all den Gefahren, die du überlebt hast.

«Euer Eifer in Ehren, junger Mann», sagte Kircher. «Aber das Deutsche hat keine Zukunft. Erstens, weil es eine hässliche Sprache ist, dickflüssig und unsauber, ein Idiom für ungelernte Leute, die nicht baden. Zweitens, es gibt für so ein langwieriges Wachsen und Werden gar keine Zeit mehr. In sechsundsiebzig Jahren endet das eiserne Zeitalter, Feuer kommt über die Welt, und unser Herr kehrt in Glorie zurück. Man braucht kein großer Sternenkenner zu sein, um das vorauszusehen. Simple Mathematik genügt.»

«Um was für einen Drachen handelt es sich eigentlich?», fragte Olearius.

«Vermutlich um einen sehr alten Tatzelwurm. Meine Expertise in der Drakontologie reicht nicht an die meines verstorbenen Mentors Tesimond heran, aber auf einer Tagesreise nach Hamburg haben mir mehrfach eingedrehte Fliegenwölkchen den nötigen Hinweis gegeben. Wart Ihr je in Hamburg? Es ist erstaunlich, die Stadt ist gar nicht zerstört worden.»

«Wolken?», fragte Fleming. «Wie verursacht der Drache denn –»

«Nicht Verursachung, Analogie! Wie oben, so unten. Die Wolke ähnelt einer Fliege, darum der Name Fliegenwölkchen, der Tatzelwurm ähnelt einem Regenwurm, darum der Name Tatzelwurm. Wurm und Fliege sind Insekten! Seht Ihr?»

Olearius stützte den Kopf in die Hände. Ihm war etwas unwohl. In Russland hatte er Tausende Stunden in Kutschen verbracht, aber das war nun schon eine Weile her, und er war nicht mehr jung. Natürlich konnte es auch mit Kircher zu tun haben, der ihm auf eine Weise, die er zu erklären nicht vermocht hätte, schwer erträglich geworden war.

«Und wenn der Drache ruhiggestellt ist?», fragte Fleming. «Wenn wir ihn gefunden und gefangen haben, was dann?»

«Wir zapfen ihm Blut ab. So viel, wie unsere Lederschläuche fassen. Das bringe ich nach Rom und verarbeite es mit meinen Assistenten zum Heilmittel gegen den Schwarzen Tod, welches dann an den Papst und den Kaiser und die katholischen Fürsten ...» Er zögerte. «... sowie vielleicht an jene Protestanten, die es verdienen, verabreicht wird. An wen genau, das wird auszuhandeln sein. Vielleicht können wir so den Krieg beenden. Das hätte schon seine Richtigkeit, wenn ausgerechnet ich es wäre, mit Gottes Hilfe, der diesem Schlachten ein Ende setzte. Sie beide werde ich gebührend in meinem Buch erwähnen. Genau genommen habe ich das schon.»

«Ihr habt uns schon erwähnt?»

«Um Zeit zu sparen, habe ich das Kapitel bereits in Rom verfasst. Guglielmo, habt Ihr es hier?»

Der Sekretär bückte sich und kramte ächzend unter seiner Sitzbank.

«Was die Musiker angeht», sagte Olearius. «Mein Vorschlag wäre, dass wir den Wanderzirkus in der Holsteinischen Heide aufsuchen. Von ihm wird viel gesprochen, die Leute kommen von weit her, ihn zu sehen. Dort wird es wohl Musiker geben.»

Der Sekretär richtete sich mit gerötetem Gesicht auf und brachte einen Stoß Papier zum Vorschein. Er blätterte einen Moment darin, schnäuzte sich in ein nicht mehr sauberes Taschentuch, mit dem er sich danach die Glatze abwischte, bat leise um Entschuldigung und begann vorzulesen. Sein Latein hatte eine stark italienische Melodie, und er schlug auf eine etwas gezierte Weise mit der Feder den Takt. «Sodann machte ich mich in Begleitung verdienter deutscher Gelehrter auf die Suche. Die Umstände waren ungünstig, die Witterung rau, der Krieg hatte sich aus der Region zurückgezogen, sandte aber immer noch diese und jene Sturmböe der Widrigkeit, sodass man auf Marodeure ebenso gefasst zu sein hatte wie auf Räuberbanden und verkommene Tiere. Ich ließ es mich jedoch nicht verdrießen, empfahl meine Seele dem Allmächtigen, der diesen seinen demütigen Diener noch stets beschützt hatte, und fand in Kürze den Drachen, welcher sich durch kundige Maßnahmen besänftigen und besiegen ließ. Sein warmes Blut diente mir als Basis für so manche Unternehmung, die ich andernorts in diesem Werk schildere, und die furchtbarste Seuche, die lange die Christenheit in Sorge gehalten hatte, ließ sich endlich von den großen, mächtigen und verdienten Leuten abwenden, sodass sie künftig nur noch das einfache Volk peinigen mag. Und wenn ich einst –»

«Danke, Guglielmo, das genügt. Ich setze natürlich nach den Worten ‹verdienter deutscher Gelehrter› Eure Namen ein. Nichts zu danken. Ich bestehe darauf. Das ist das mindeste.»

Und vielleicht war sie das ja wirklich, dachte Olearius, die ihm bestimmte Unsterblichkeit – eine Erwähnung in Athanasius Kirchers Buch. Sein eigener Reisebericht würde fast so schnell wieder verschwinden wie die Gedichte, die der arme Fleming hin und wieder drucken ließ. Die gefräßige Zeit löschte fast alles, aber gegen das hier würde sie machtlos sein. An einer Sache bestand kein Zweifel: Solange die Welt bestand, würde man Athanasius Kircher lesen.

Am nächsten Morgen fanden sie den Zirkus. Der Wirt der Herberge, in der sie übernachtet hatten, hatte sie nach Westen gewiesen; immer dem Feldweg nach, hatte er gesagt, dann könne man ihn nicht verfehlen. Und da es hier keine Hügel gab und alle Bäume gerodet waren, sahen sie schon nach kurzem in der Ferne eine Fahnenstange, an der ein buntes Stück Stoff flatterte.

Bald darauf konnten sie Zelte und ein aus Holz gezimmertes Halbrund von Zuschauerbänken erkennen, darüber waren zwei Pfähle aufgerichtet, zwischen denen der dünne Strich eines Seiles gezogen war – die Zirkusleute mussten all das Holz selbst mitgebracht haben. Zwischen den Zelten standen Planwagen, Pferde und Esel weideten, ein paar Kinder spielten, ein Mann schlief in einer Hängematte. Eine alte Frau wusch Kleider in einem Bottich.

Kircher blinzelte. Ihm ging es nicht gut. Er fragte sich, ob es am Schaukeln der Kutsche lag oder doch an diesen beiden Deutschen. Unfreundlich waren sie, übererernst, beschränkt, dicke Stirnen hatten sie, und außerdem, man konnte es schwer ignorieren, rochen sie schlecht. Er war lange nicht im Reich gewesen, er hatte schon fast vergessen gehabt, wie viel Kopfschmerzen es machte, unter Deutschen zu sein.

Die beiden unterschätzten ihn, das war offensichtlich. Er war gewöhnt daran. Schon als Kind war er unterschätzt worden, von den Eltern zuerst, dann vom Lehrer in der Dorfschule, bis der Priester ihn den Jesuiten empfohlen hatte. Die hatten ihn studieren lassen, aber dann war er von seinen Mitbrüdern unterschätzt worden, die in ihm nur einen eifrigen jungen Mann gesehen hatten – keiner hatte bemerkt, wie viel mehr er vermochte, nur sein Mentor Tesimond hatte etwas in ihm erkannt und ihn aus der Menge der langsam denkenden Mönche herausgeholt. Quer durchs Land waren sie gereist, viel hatte er von Tesimond gelernt, aber auch der hatte ihn unterschätzt, hatte ihm bloß ein Dasein als Famulus zugetraut, sodass er sich von ihm hatte lösen müssen, Schritt für Schritt und mit größter Vorsicht, denn einen wie ihn durfte man nicht gegen sich aufbringen. Er hatte so tun müssen, als wären die Bücher, die er schrieb, eine harmlose Grille, aber heimlich hatte er sie mit Widmungsbriefen an die wichtigen Leute im Vatikan geschickt. Und tatsächlich hatte Tesimond es nicht verwunden, dass sein Sekretär plötzlich nach Rom berufen worden war; krank war er geworden, und er hatte sich geweigert, ihn zum Abschied zu segnen. Kircher sah es noch deutlich vor sich: das Zimmer in Wien, Tesimond, fest in die Bettdecke gewickelt. Das alte Wrack hatte irgendwas gemurmelt und getan, als verstünde er ihn nicht, und so hatte Kircher ohne seinen Segen nach Rom ziehen müssen, wo ihn die Mitarbeiter der großen Bibliothek willkommen geheißen hatten, nur um ihn ebenfalls gleich zu unterschätzen. Sie hatten gedacht, er wäre dafür gut, Bücher zu bewahren, Bücher zu pflegen, Bücher zu studieren, aber sie hatten nicht begriffen, dass er schneller ein Buch schreiben konnte, als ein anderer brauchte, um es zu lesen, und so hatte er es ihnen beweisen müssen, wieder und wieder und wieder, bis ihn der Papst endlich auf den wichtigsten Lehrstuhl seiner Universität berufen und mit allen Sondervollmachten ausgestattet hatte.

Es würde immer so sein. Die Verwirrtheit von früher lag hinter ihm, er verlor sich nicht mehr in der

Zeit. Und doch erkannten die Leute nicht, welche Kraft in ihm wohnte, welche Entschlossenheit, und was für ein Gedächtnis er hatte. Selbst jetzt noch, da er berühmt war in aller Herren Länder und da niemand die Wissenschaften studieren konnte, ohne die Werke von Athanasius Kircher zu kennen, konnte er Rom nicht verlassen, ohne es zu erleben: Kaum begegnete er Landsleuten, wurde er mit den altgewohnt abschätzigen Blicken gemessen. Was für ein Fehler, sich auf diese Reise gemacht zu haben! Man sollte an einem Ort bleiben, sollte arbeiten, seine Kräfte bündeln und hinter den Büchern verschwinden. Eine Autorität musste man sein, die keinen Körper hatte – eine Stimme, auf die die Welt hörte, ohne sich zu fragen, wie der Leib aussah, aus dem sie kam.

Er hatte wieder mal einer Schwäche nachgegeben. Eigentlich war es ihm gar nicht so sehr um die Pest gegangen, er hatte vor allem einen Grund gebraucht, den Drachen zu suchen. Sie sind die ältesten und klügsten Wesen, hatte Tesimond gesagt, und wenn du vor einem von ihnen stehst, so wirst du ein anderer sein, ja wenn du seine Stimme hörst, ist nichts mehr wie zuvor. So viel hatte Kircher über die Welt herausgefunden, aber ein Drache fehlte noch, ohne einen Drachen war sein Werk nicht vollständig, und wenn es wirklich gefährlich werden sollte, konnte er immer noch die letzte und stärkste Abwehr anwenden – jenen Zauber, auf den man nur einmal im Leben zurückgreifen durfte: Wenn die Gefahr am größten ist, hatte ihm Tesimond eingeschärft, wenn der Drache vor dir steht und nichts mehr hilft, kannst du es einmal, nur einmal, ein einziges Mal nur, also, überleg dir gut, *nur einmal*, tun. Erst stellst du dir das stärkste der magischen Quadrate vor.

S A T O R
A R E P O
T E N E T
O P E R A
R O T A S

Das ist das älteste von allen, das geheimste, das die meiste Kraft birgt. Du musst es vor dir sehen, schließ die Augen, sieh es deutlich und sprich es mit geschlossenen Lippen, ohne Stimme, Buchstabe für Buchstabe und dann sagst du laut und so deutlich, dass der Drache dich hört, eine Wahrheit, die du noch nie gestanden hast, nicht deinem engsten Freund, nicht einmal in der Beichte. Das ist das Wichtigste: dass sie noch nie ausgesprochen worden ist. Dann wird Nebel aufziehen, und du kannst fliehen. Schwäche erfasst die Glieder des Monstrums, träges Vergessen seinen Verstand, und du kannst davonlaufen, bevor es dich packen kann. Kommt es wieder zu sich, erinnert es sich nicht an dich. Aber vergiss nicht, du kannst es nur einmal tun!

Kircher betrachtete seine Fingerspitzen. Sollte die Musik den Drachen nicht besänftigen, so war er entschlossen, zu diesem letzten Mittel zu greifen und auf einem der Kutschpferde zu fliehen. Der Drache würde dann vermutlich die Sekretäre fressen – es wäre schade um sie, besonders um Guglielmo, der sehr gelehrig war – und die beiden Deutschen wohl auch. Aber er selbst würde entkommen, dank der Wissenschaft, er brauchte nichts zu fürchten.

Das hier würde seine letzte Reise sein. Noch einmal würde er es sich nicht zumuten, er eignete sich einfach nicht für solche Strapazen. Ihm war unterwegs ständig übel, das Essen war scheußlich, immer war es kalt, und man durfte auch die Gefahren nicht unterschätzen: Zwar hatte der Krieg sich nach Süden zurückgezogen, aber das hieß nicht, dass es hier oben angenehm zuging. Wie verwüstet alles war, wie heruntergekommen die Menschen! Freilich, er hatte in Hamburg einige Bücher gefunden, nach denen er lange gesucht hatte – Hartmut Elias Warnicks *Organicon*, eine Ausgabe der *Melusina mineralia* von Gottfried vom Rosenstein und ein paar handgeschriebene Blätter, die möglicherweise von Simon von Turin stammten –, aber auch das war kein Trost für den Umstand, dass er schon seit Wochen auf sein Laboratorium verzichten musste, in dem alles überschaubar war, während überall sonst Chaos herrschte.

Warum zeigte Gottes Schöpfung sich so widerspenstig, woher ihre hartnäckige Tendenz zu Wirrnis und Widerhaken? Was dem Geist klar war, erwies sich dort draußen als Gestrüpp. Früh hatte Kircher begriffen, dass man dem Verstand folgen musste, ohne sich von den Marotten der Wirklichkeit verunsichern zu lassen. Wenn man wusste, wie ein Versuch auszugehen hatte, dann hatte der Versuch so auszugehen, und wenn man eine distinkte Vorstellung von den Dingen besaß, dann musste man, wenn man sie beschrieb, dieser Vorstellung Genüge tun und nicht dem Augenschein.

Nur weil er gelernt hatte, ganz dem Geist Gottes zu vertrauen, hatte er sein größtes Werk vollbringen können, die Entzifferung der Hieroglyphen. Mit der alten Zeichentafel, die Kardinal Bembo einst gekauft hatte, war er dem Rätsel auf den Grund gegangen: Er hatte sich so tief in die kleinen Bilder versenkt, bis er verstanden hatte. Kombinierte man einen Wolf und eine Schlange, so musste es Gefahr bedeuten, war aber eine gepunktete Welle darunter, so kam Gott dazu und beschützte die, die seinen Schutz verdienten, und diese drei Zeichen nebeneinander bedeuteten Gnade, und Kircher war auf die Knie gefallen und hatte dem Himmel für solche Eingebung gedankt. Das nach links gedrehte Oval stand fürs Gericht, und war eine Sonne dabei, so war es der Tag des Gerichts, war da aber ein Mond, so bedeutete das die Qual des nächtlich betenden Mannes und daher die Seele des Sünders und manchmal auch die Hölle. Das kleine Männchen hieß wohl Mensch, hatte dieser Mensch aber eine Stange bei sich, so war es der arbeitende Mensch oder die Arbeit, und die Zeichen dahinter besagten, woran er arbeitete: Waren da Punkte, so war er ein Sämann, waren da Striche, war er ein Schiffer, und waren da Kreise, so war er ein Priester, und weil Priester auch schrieben, konnte er genauso gut ein Schreiber sein, das hing davon ab, ob er sich am Anfang oder am Ende der Zeile befand, denn der Priester war stets am Anfang, der Schreiber kam nach den Ereignissen, die er zu Buche nahm. Ekstatische Wochen waren das gewesen, bald hatte er die Tafel nicht mehr gebraucht; er hatte in Hieroglyphen geschrieben, als hätte er nie etwas anderes getan. Nachts hatte er nicht mehr schlafen können, weil er in Zeichen träumte, seine Gedanken bestanden aus Strichen und Punkten und Ecken und Wellen. So war es, wenn man die Gnade spürte. Sein Buch, das er in Kürze unter dem Titel *Oedipus aegyptiacus* würde drucken lassen, war die größte seiner Leistungen: Tausende Jahre waren die Menschen ratlos vor dem Geheimnis gestanden, keiner hatte es lösen können. Nun war es gelöst.

Ärgerlich nur, dass die Leute so begriffsstutzig waren. Er bekam Briefe von Mitbrüdern aus dem Orient, die ihm von Zeichenfolgen berichteten, die sich nicht der von ihm beschriebenen Ordnung fügten, und er musste ihnen zurückschreiben, dass es keine Rolle spiele, was irgendein Tölpel vor zehntausend Jahren in Stein geritzt habe, irgendein kleiner Schreiber, der doch weniger über diese Schrift wusste als eine Autorität wie er – wozu also sich mit dessen Fehlern befassen? Hatte jener kleine Schreiber denn einen Dankbrief von Cäsar bekommen? Kircher aber konnte einen vorweisen. Er hatte dem Kaiser einen Lobgesang in Hieroglyphen übersendet; das Dankesschreiben aus Wien, gefaltet und eingenäht in einen Beutel aus Seide, trug er stets bei sich. Unwillkürlich legte er die Hand auf die Brust, spürte durch sein Wams das Pergament und fühlte sich gleich etwas besser.

Die Kutschen hatten gehalten.

«Ist Euch nicht gut?», fragte Olearius. «Ihr seid blass.»

«Mir geht es vortrefflich», sagte Kircher gereizt.

Er stieß die Tür auf und stieg aus. Der Schweiß der Pferde dampfte. Auch die Wiese war feucht. Er blinzelte und stützte sich gegen die Kutsche, ihm war schwindlig.

«Große Männer», sagte eine Stimme. «Hier bei uns!»

Drüben bei den Zelten waren Leute, und etwas näher saß die Alte vor dem Waschbottich, aber direkt neben ihnen stand nur ein Esel. Das Tier blickte auf, senkte wieder den Kopf und zupfte Halme aus.

«Habt Ihr das auch gehört?», fragte Fleming.

Olearius, der hinter ihm ausgestiegen war, nickte.

«Ich bin's», sagte der Esel.

«Dafür gibt es eine Erklärung», sagte Kircher.

«Und welche ist das?», fragte der Esel.

«Bauchrednerkunst», sagte Kircher.

«Stimmt», sagte der Esel. «Ich bin Origenes.»

«Wo versteckt sich der Bauchredner?», fragte Olearius.

«Schläft», sagte der Esel.

Hinter ihnen waren Fleming und der Sekretär ausgestiegen. Die anderen Sekretäre folgten.

«Das ist wirklich nicht schlecht», sagte Fleming.

«Er schläft selten», sagte der Esel. «Aber jetzt träumt er von euch.» Seine Stimme klang tief und so merkwürdig, als käme sie nicht aus einer Menschenkehle. «Wollt ihr die Vorstellung sehen? Übermorgen ist wieder eine. Wir haben einen Feueresser und einen Handgeher und einen Münzschlucker, der bin ich. Gebt mir Münzen, ich schluck sie. Wollt ihr sehen? Alle schluck ich. Wir haben eine Tänzerin und eine Schauspielprinzipalin, und wir haben eine Jungfrau, die wird begraben und bleibt eine Stunde drunten, und wenn man sie ausgräbt, ist sie frisch und nicht erstickt. Und eine Tänzerin haben wir, hab ich schon gesagt? Die Prinzipalin und die Tänzerin und die Jungfrau sind dieselbe. Und den besten Seilgänger haben wir, der ist unser Prinzipal. Aber er schläft grad. Wir haben auch einen Verwachsenen, wenn ihr den anseht, wird euch gleich anders zumute. Man weiß kaum, wo sein Kopf ist, und seine Arme findet er selbst nicht.»

«Und einen Bauchredner habt ihr», sagte Olearius.

«Du bist ein ganz schlauer Mann», sagte der Esel.

«Habt ihr Musiker?», fragte Kircher, der sich des Umstands bewusst war, dass sein Ruf Schaden nehmen könnte, wenn er sich vor Zeugen mit einem Esel unterhielt.

«Freilich», sagte der Esel. «Halbes Dutzend. Der Prinzipal und die Prinzipalin tanzen, das ist der Höhepunkt, der Gipfel unserer Darbietung, wie geht das ohne Musiker?»

«Das genügt», sagte Kircher. «Der Bauchredner soll sich jetzt zeigen!»

«Bin hier», sagte der Esel.

Kircher schloss die Augen, atmete tief aus, atmete ein. Ein Fehler, dachte er, die ganze Reise, der Besuch hier, alles ein Fehler. Er dachte an die Ruhe seines Studierzimmers, an seinen steinernen Arbeitstisch, an die Bücher in den Regalen, er dachte an den geschälten Apfel, den ihm sein Gehilfe jeden Nachmittag zum dritten Stundenschlag brachte, an den Rotwein in seinem liebsten venezianischen Kristallglas. Er rieb sich die Augen und wandte sich ab.

«Brauchst einen Bader?», fragte der Esel. «Wir verkaufen auch Medizin. Musst nur sagen.»

Es ist bloß ein Esel, dachte Kircher. Aber vor Wut ballten sich seine Fäuste. Jetzt verspotteten einen schon die deutschen Tiere! «Regelt Ihr das», sagte er zu Olearius. «Sprecht mit diesen Leuten.»

Olearius sah ihn erstaunt an.

Da stieg Kircher schon über einen Haufen Eselsdung zurück in die Kutsche, ohne ihn weiter zu beachten. Er schloss die Tür und zog die Vorhänge zu. Draußen hörte er Olearius und Fleming mit dem Esel reden – bestimmt lachten sie jetzt über ihn, alle, aber es interessierte ihn nicht. Er wollte das gar nicht wissen. Um sein Gemüt zu beruhigen, versuchte er, in ägyptischen Zeichen zu denken.

Die Alte beim Waschbottich sah Olearius und Fleming entgegen, als sie auf sie zugingen, dann steckte sie zwei Finger in den Mund und stieß einen Pfiff aus. Sofort kamen drei Männer und eine Frau aus einem der Zelte. Die Männer waren ungewöhnlich stämmig, die Frau hatte braune Haare, und sie war nicht mehr ganz jung, aber ihre Augen waren hell und kraftvoll.

«Hohe Herren bei uns», sagte die Frau. «So eine Ehre haben wir nicht oft. Wollt Ihr unsere Vorstellung sehen?»

Olearius versuchte zu antworten, doch seine Stimme gehorchte ihm nicht.

«Mein Bruder ist der beste Seiltänzer, er war Hofnarr beim Winterkönig. Wollt Ihr ihn sehen?»

Olearius' Stimme versagte immer noch.

«Redet Ihr nicht?»

Olearius räusperte sich. Er wusste, dass er sich lächerlich machte, aber da half nichts, er konnte nicht sprechen.

«Freilich wollen wir was sehen», sagte Fleming.

«Schaut, unsere Akrobaten», sagte die Frau. «Zeigt den wohlgeborenen Herren was!»

Sofort fiel einer der drei vornüber und stand auf den Händen. Der Zweite kletterte mit unmenschlicher Geschwindigkeit an ihm empor und machte einen Handstand auf den Füßen des Ersten, und jetzt kletterte auch der Dritte an ihnen beiden hinauf, aber er blieb auf den Füßen des Zweiten aufrecht stehen, die Arme weit in den Himmel gereckt, und da, ehe man sich's versah, kletterte auch die Frau hinauf, und der Dritte zog sie zu sich und hob sie über seinen Kopf. Olearius starrte nach oben, da schwebte sie über ihm, in der Höhe.

«Wollt Ihr mehr sehen?», rief sie herunter.

«Würden wir gern», sagte Fleming, «aber deshalb sind wir nicht hier. Wir brauchen Musiker, wir bezahlen gut.»

«Euer Herr Begleiter wohlgeboren ist stumm?»

«Nein», sagte Olearius, «nicht nein. Nicht stumm, meine ich.»

Sie lachte. «Ich bin Nele!»

«Ich bin Magister Fleming.»

«Olearius», sagte Olearius. «Hofmathematikus in Gottorf.»

«Kommst du wieder runter?», rief Fleming. «So redet es sich schwer!»

Wie auf Kommando zerfiel der Menschenturm. Der Mann in der Mitte sprang, der Mann ganz oben rollte vornüber ab, der Mann ganz unten machte einen Purzelbaum, die Frau schien zu fallen, aber irgendwie ordnete sich das Gewirr im Flug, und sie kamen alle auf den Füßen auf und standen aufrecht da. Fleming klatschte in die Hände, Olearius stand starr.

«Nicht klatschen», sagte Nele, «das war kein Auftritt. Wär das ein Auftritt gewesen, müsstet Ihr zahlen.»

«Wir möchten auch zahlen», sagte Olearius. «Für deine Musiker.»

«Da müsst Ihr sie selber fragen. Alle, die bei uns sind, sind frei. Wenn sie mit euch gehen wollen, dann sollen sie gehen. Wenn sie mit uns weiterziehen wollen, ziehen sie mit uns. In Ulenspiegels Zirkus ist jeder nur dann, wenn er in Ulenspiegels Zirkus sein will, weil es keinen besseren Zirkus gibt. Sogar der Verwachsene ist freiwillig hier, anderswo hätt er's nicht so gut.»

«Tyll Ulenspiegel ist hier?», fragte Fleming.

«Wegen ihm kommen die Leute von überall», sagte einer der Akrobaten. «Ich würd nicht wegwollen. Aber fragt die Musiker.»

«Wir haben einen Flötisten und einen Trompeter und einen Trommler und einen Mann, der zwei Geigen zugleich spielt. Fragt sie, und wenn sie gehen wollen, scheiden wir als Freunde und finden andere Musiker, das wird nicht schwer, bei Ulenspiegels Zirkus will jeder mitmachen.»

«Tyll Ulenspiegel?», fragte Fleming wieder.

«Kein anderer.»

«Und du bist seine Schwester?»

Sie schüttelte den Kopf.

«Aber du hast gesagt – »

«Ich weiß, was ich gesagt hab, gnädiger Herr. Er ist wohl mein Bruder, aber ich bin nicht seine Schwester.»

«Wie geht das?», fragte Olearius.

«Da wundert Ihr Euch, gnädiger Herr!»

Sie sah ihm ins Gesicht; ihre Augen blitzten, der Wind spielte in ihren Haaren. Olearius hatte einen trockenen Hals, und seine Glieder kamen ihm so schwach vor, als hätte er sich unterwegs eine Krankheit eingefangen.

«Das versteht Ihr nicht, gelt?» Sie stieß einen der Akrobaten vor die Brust und sagte: «Holst du die Musiker?»

Der nickte, warf sich vornüber und ging auf den Händen davon.

«Eine Frage.» Fleming zeigte zu dem Esel hinüber, der ruhig Gras zupfte und dann und wann den Kopf hob und mit glanzlosen Tieraugen zu ihnen sah. «Wer hat dem Esel – »

«Bauchrednerei.»

«Aber wo versteckt sich der Bauchredner?»

«Frag den Esel», sagte die Alte.

«Wer bist denn du?», fragte Fleming. «Bist du ihre Mutter?»

«Da sei Gott vor», sagte die Alte. «Ich bin nur die Alte. Bin von niemandem Mutter, von keinem die Tochter.»

«Von irgendwem wirst du schon Tochter sein.»

«Und wenn alle Leute, von denen ich Tochter war, schon unterm Gras liegen, von wem bin ich dann die Tochter? Ich bin die Else Kornfass aus Stangenriet. Ich saß vor meinem Haus und grub mein Gärtchen und dachte nichts, da kamen der Ulenspiegel und sie, die Nele, und der Origenes mit dem Karren, und ich hab gerufen, Gott zum Gruß, Tyll, weil ich ihn erkannt hab, jeder erkennt ihn, und er zieht plötzlich an den Zügeln, dass der Wagen steht, und sagt: Grüß nicht Gott, der braucht dich nicht, sondern komm. Ich wusste nicht, was er will, und ich sagte ihm noch: Mit alten Frauen treibt man keinen Scherz, erstens sind die arm und schwach, und zweitens können sie dich verhexen, dass du krank wirst, aber er sagt: Du gehörst nicht hierher. Du bist eine von uns. Und ich: Das wär ich mal gewesen, das kann schon sein, aber jetzt bin ich alt! Drauf er: Alt sind wir alle. Und ich: Aber ich fall bald tot um. Und er: Wie wir alle. Und ich: Wenn ich euch am Weg umfalle, was macht ihr? Drauf er: Dann lassen wir dich liegen, denn wer tot ist, ist nicht mehr mein Freund. Drauf hab ich nichts mehr zu sagen gewusst, gnädiger Herr, und drum bin ich hier.»

«Frisst uns die Haare vom Kopf», sagte Nele. «Arbeitet wenig, schläft viel, hat immer eine Meinung.»

«Stimmt alles», sagte die Alte.

«Aber sie kann sich was merken», sagte Nele. «Sie spricht die längsten Balladen, vergisst nie eine Zeile.»

«Deutsche Balladen?», fragte Fleming.

«Freilich», sagte die Alte. «Hab Spanisch nie gelernt.»

«Lass hören», sagte Fleming.

«Wenn Ihr zahlt, lass ich was hören.»

Fleming kramte in der Tasche. Olearius blickte zum Seil empor, für einen Moment hatte er gemeint, dort oben jemanden zu sehen, aber es schwankte leer im Wind. Der Akrobat kam zurück, ihm folgten drei Männer mit Instrumenten.

«Das wird kosten», sagte der Erste.

«Wir kommen mit», sagte der Zweite, «aber wir wollen Geld.»

«Geld und Gold», sagte der Erste.

«Und viel davon», sagte der Dritte. «Wollt Ihr was hören?»

Und ohne dass Olearius ihnen ein Kommando gegeben hätte, stellten sie sich in Positur und begannen zu spielen. Einer schlug die Laute, ein anderer blies die Backen an der Sackpfeife auf, der Dritte wirbelte zwei Trommelschlägel, und Nele warf die Haare zurück und begann zu tanzen, während die Alte im Rhythmus der Musik eine Ballade rezitierte: Sie sang nicht, sie sprach auf einem Ton, und ihr Rhythmus fügte sich in den der Melodie. Es ging um zwei Liebende, die nicht zueinanderkonnten, weil ein Meer sie trennte, und Fleming hockte sich neben der Alten ins Gras, um nur ja kein Wort zu versäumen.

In der Kutsche hielt Kircher seinen Kopf und fragte sich, wann dieser grausige Lärm endlich aufhören würde. Er hatte das wichtigste Buch über Musik geschrieben, aber gerade deshalb war sein Gehör zu fein, um an solchem Volksgeplärr Gefallen zu finden. Auf einmal kam die Kutsche ihm eng vor, die Bank hart, und diese vulgäre Musik kündete von einer Heiterkeit, an der alle Welt Anteil hatte, nur er nicht.

Er seufzte. Das Sonnenlicht warf dünne, kalte Flammen durch die Vorhangritzen. Für einen Moment schien ihm das, was er sah, eine Ausgeburt seines Kopfwehs und seiner schmerzenden Augen zu sein, dann erst begriff er, dass er sich nicht irrte. Ihm gegenüber saß jemand.

War es jetzt so weit? Er hatte immer gewusst, dass ihm einmal der Satan selbst erscheinen würde, aber seltsamerweise fehlten die Zeichen. Es roch nicht nach Schwefel, der Kerl hatte zwei Menschenfüße, und das Kreuz, das Kircher um den Hals trug, war nicht warm geworden. Der da saß, auch wenn Kircher nicht verstand, wie er so lautlos hatte hereinkommen können, war ein Mensch. Enorm hager war er, und seine Augen lagen tief in den Höhlen. Er trug ein Wams mit Fellkragen, und seine Füße in spitzen Schuhen hatte er auf die

Sitzbank gelegt, was eine grobschlächtige Frechheit war. Kircher wandte sich zur Tür.

Der Mann beugte sich vor, legte ihm mit fast zärtlicher Geste eine Hand auf die Schulter und zog mit der anderen den Riegel zu.

«Ich möcht was fragen», sagte er.

«Ich habe kein Geld», sagte Kircher. «Nicht hier in der Kutsche. Das hat einer der Sekretäre draußen.»

«Das ist schön, dass du hier bist. So lang habe ich gewartet, ich dachte, die Gelegenheit kommt nie, aber du musst wissen: Jede Gelegenheit kommt, das ist das Schöne, jede kommt irgendwann, und ich dachte, als ich dich gesehen hab, jetzt erfahre ich's endlich. Sie sagen, dass du heilen kannst, ich kann das auch, weißt du? Das Sterbehaus zu Mainz. Voll Pestkranker, das war ein Husten, ein Ächzen, ein Jammern, und ich hab gesagt: Ich hab ein Pulver, ich verkauf es euch, das macht euch gesund, und die armen Schweine riefen voll Hoffnung: Gib es uns, gib uns das Pulver! Ich muss es erst anfertigen, hab ich gesagt, und sie haben gerufen: Mach das Pulver, mach es, mach dein Pulver! Und ich hab gesagt: So leicht ist das nicht, mir fehlt eine Zutat, für die muss einer sterben. Da war es still. Da waren sie erstaunt. Da hat erst mal keiner was gesagt. Und ich hab gerufen: Einen muss ich töten, es tut mir leid, von nichts kommt nichts. Ich bin nämlich auch Alchimist, weißt du! Genau wie du, ich kenn die geheimen Kräfte, und die Heilgeister gehorchen auch mir.»

Er lachte. Kircher starrte ihn an, dann streckte er die Hand nach der Tür aus.

«Tu das nicht», sagte der Mann mit einer Stimme, die Kircher sofort die Hand zurückziehen ließ. «Also, ich hab gesagt, einer muss sterben, und wer das sein soll, bestimme nicht ich, das müsst ihr unter euch ausmachen. Und sie haben gesagt: Wie sollen wir das tun? Und ich hab gesagt: Der am kränksten ist, um den ist es am wenigsten schade, also seht zu, wer noch laufen kann, nehmt eure Krücken, rennt los, und wer als Letzter im Haus ist, den weide ich aus. Und hast du nicht gesehen, gleich war das Haus leer. Drei Tote waren noch drin. Kein Lebender. Seht ihr, hab ich gesagt, ihr könnt gehen, ihr liegt nicht im Sterben, ich hab euch geheilt. Kennst mich gar nicht mehr, Athanasius?»

Kircher starrte ihn an.

«Lang her», sagte der Mann. «Viele Jahre, viel Wind im Gesicht, viel Frost, die Sonne brennt einen, der Hunger brennt auch, da sieht man schon anders aus. Obwohl du doch noch ganz genauso aussiehst mit deinen roten Wangen.»

«Ich weiß, wer du bist», sagte Kircher.

Von draußen dröhnte die Musik. Kircher fragte sich, ob er um Hilfe rufen sollte, aber die Türe war verriegelt. Selbst wenn sie ihn hörten, was unwahrscheinlich war, würden sie die Tür erst aufbrechen müssen, und man mochte sich nicht ausdenken, was der Kerl ihm in dieser Zeit antun konnte.

«Was in dem Buch stand. Er hätt es so gerne gewusst. Sein Leben hätt er dafür gegeben. Und hat es auch. Und hat es doch nie erfahren. Aber ich könnt es jetzt rauskriegen. Ich hab immer gedacht, vielleicht seh ich den jungen Doktor wieder, vielleicht erfahr ich's noch, und hier bist du. Also? Was stand drin in dem lateinischen Buch?»

Kircher begann, lautlos zu beten.

«Es hatte keinen Umschlag, aber Bilder hatte es. Auf einem war eine Grille, auf einem ein Tier, das es nicht gibt, mit zwei Köpfen und Flügeln, oder vielleicht gibt es das ja, was weiß ich. Auf einem war ein Mann in einer Kirche, aber die hatte kein Dach, es waren Säulen drüber, das weiß ich noch, über den Säulen waren andere Säulen. Claus hat es mir gezeigt und gesagt: Schau, das ist die Welt. Ich hab es nicht verstanden, ich glaub, er auch nicht. Aber wenn er es schon nicht wissen konnte, will wenigstens ich es wissen, und du hast dir seine Sachen angeschaut, und Latein verstehst du auch, also sag es mir – was war das für ein Buch, wer hat es geschrieben, wie heißt es?»

Kirchers Hände zitterten. Der Junge von damals war klar und deutlich in seinem Gedächtnis aufbewahrt, klar und deutlich auch der Müller, dessen krächzende letzte Laute am Galgen er nie vergessen würde, klar und deutlich auch das Geständnis der weinenden Müllerin, aber er hatte in seinem Leben so viele Bücher in Händen gehabt, so viele Seiten durchgeblättert und so viel Gedrucktes gesehen, dass er es nicht mehr auseinanderhalten konnte. Es ging wohl um ein Buch, das der Müller besessen hatte. Aber es half nichts, seine Erinnerung versagte.

«Erinnerst du dich ans Verhör?», fragte der dünne Mann sanft. «Der ältere Mann, der Pater, er hat immer gesagt: Keine Angst, wir tun dir nicht weh, wenn du sagst, was wahr ist.»

«Das hast du ja getan.»

«Und er hat mir auch nicht weh getan, aber er hätte mir weh getan, wär ich nicht weggerannt.»

«Ja», sagte Kircher, «daran hast du gut getan.»

«Ich hab nie erfahren, was aus meiner Mutter geworden ist. Ein paar Leute haben sie fortgehen sehen, aber keiner hat gesehen, dass sie anderswo angekommen ist.»

«Wir haben dich gerettet», sagte Kircher. «Der Teufel hätte auch dich ergriffen, man kann nicht ungeschoren in seiner Nähe leben. Indem du wider deinen Vater gesprochen hast, hat er seine Macht über dich verloren. Dein Vater hat gestanden und bereut. Gott ist barmherzig.»

«Ich will es ja nur wissen. Das Buch. Das musst du mir sagen. Und lüg nicht, denn das merke ich. Das hat er immer gesagt, dein alter Pater: Lüg nicht, denn das merke ich. Dabei hast du ihn ständig angelogen, und er hat's nicht gemerkt.»

Der Mann beugte sich vor. Seine Nase war jetzt nur

eine Handbreit von Kirchers Gesicht entfernt; er schien ihn nicht so sehr anzusehen, als vielmehr an ihm zu riechen. Seine Augen waren halb geschlossen, und Kircher kam es vor, als hörte er ihn schnüffelnd die Luft einziehen.

«Ich weiß es nicht mehr», sagte Kircher.

«Das glaub ich nicht.»

«Ich habe es vergessen.»

«Aber wenn ich es doch nicht glaub.»

Kircher räusperte sich. «Sator», sagte er leise, dann verstummte er. Seine Augen schlossen sich, aber sie zuckten unten den Lidern, als ob er hier- und dorthin blickte, dann öffnete er sie wieder. Eine Träne lief ihm über die Wange. «Du hast recht», sagte er tonlos. «Ich lüge viel. Doktor Tesimond habe ich angelogen, aber das ist nichts. Ich habe auch Seine Heiligkeit angelogen. Und Seine Majestät, den Kaiser. Ich lüge in den Büchern. Ich lüge immer.»

Der Professor sprach noch weiter, mit brüchiger Stimme, aber Tyll konnte ihn nicht verstehen. Eine sonderbare Schwere war über ihn gekommen. Er wischte sich über die Stirn, kalter Schweiß lief ihm übers Gesicht. Die Sitzbank vor ihm war leer, er war allein in der Kutsche, die Tür stand offen. Gähnend stieg er aus.

Draußen war dichter Nebel. Schwaden rollten vorbei, die Luft war vollgesogen mit Weiß. Die Musiker hatten zu spielen aufgehört, schemenhafte Gestalten zeichneten sich ab, das waren die Begleiter des Professors, und der Schatten da musste Nele sein. Irgendwo wieherte ein Pferd.

Tyll setzte sich auf den Boden. Der Nebel wurde schon wieder dünner, ein paar Sonnenstrahlen brachen hindurch. Man konnte bereits die Kutschen und ein paar Zelte und die Umrisse der Zuschauerbänke erkennen. Einen Moment später herrschte heller Tag, Feuchtigkeit dampfte vom Gras, der Nebel war fort.

Die Sekretäre sahen einander verwirrt an. Eines der zwei Kutschpferde war nicht mehr da, die Deichsel ragte in die Luft. Während alle sich fragten, wo plötzlich der Nebel hergekommen war, während die Akrobaten Räder schlugen, weil sie es nicht aushielten, das eine Weile nicht zu tun, während der Esel Halme zupfte, während die Alte wieder für Fleming zu rezitieren begann und während Olearius und Nele miteinander sprachen, saß Tyll reglos da, mit schmalen Augen und in den Wind gehobener Nase. Und er stand auch nicht auf, als einer der Sekretäre herankam und zu Olearius sagte, dass Seine Exzellenz Professor Kircher offenbar ohne Abschied weggeritten sei. Er habe nicht einmal eine Nachricht hinterlassen.

«Den Drachen finden wir nicht ohne ihn», sagte Olearius.

«Sollen wir warten?», fragte der Sekretär. «Vielleicht kommt er zurück.»

Olearius warf einen Blick in Neles Richtung. «Das wäre wohl das Beste.»

«Was ist mit dir los?», fragte Nele, die zu Tyll gegangen war.

Er sah auf. «Ich weiß es nicht.»

«Was ist geschehen?»

«Ich hab's vergessen.»

«Jonglier für uns. Dann wird es wieder gut.»

Tyll stand auf. Er tastete nach dem Beutel, der ihm an der Seite hing, und holte erst einen gelben und dann einen roten und dann einen blauen und dann einen grünen Lederball hervor. Nachlässig begann er, sie in die Luft zu werfen, und er holte noch mehr Bälle hervor, immer noch einen und noch einen, bis es Dutzende zu sein schienen, die über seine ausgebreiteten Hände sprangen. Alle sahen den steigenden, fallenden, steigenden Bällen zu, und sogar die Sekretäre mussten lächeln.

Es war früh am Morgen. Nele hatte eine ganze Weile vor dem Zelt gewartet. Sie hatte nachgedacht, war auf und ab gegangen, hatte gebetet, Gras ausgerissen, still geweint, die Finger geknetet und sich schließlich gefasst.

Jetzt schlüpfte sie ins Zelt. Tyll schlief, doch als sie ihn an der Schulter berührte, war er sofort hellwach.

Sie sagte ihm, dass sie die Nacht mit Herrn Olearius verbracht habe, dem Höfling aus Gottorf, draußen im Feld.

«Ja, und?»

«Diesmal ist es anders.»

«Hat er dir nichts Schönes geschenkt?»

«Doch, hat er.»

«Dann ist es ja wie immer.»

«Er möchte, dass ich mit ihm komme.»

Tyll zog in gespieltem Erstaunen die Brauen hoch.

«Er will mich heiraten.»

«Nein.»

«Doch.»

«Heiraten?»

«Ja.»

«Dich?»

«Mich.»

«Warum?»

«Er meint es ernst. Er wohnt in einem Schloss. Es ist kein schönes Schloss, sagt er, und im Winter ist es kalt, aber er hat genug zu essen und einen Herzog, der für ihn sorgt, und er muss dafür nichts anderes tun als die Kinder vom Herzog unterrichten und manchmal etwas ausrechnen und auf Bücher aufpassen.»

«Laufen die sonst weg, die Bücher?»

«Ich sag ja, er hat es gut.»

Tyll rollte von seinem Strohsack, kam auf die Füße, stand auf. «Dann musst du mit ihm gehen.»

«Ich mag ihn nicht sehr gern, aber er ist ein guter Mensch. Und sehr allein. Seine Frau ist gestorben, da war er in Russland. Ich weiß nicht, wo Russland ist.»

«Bei England.»

«Jetzt sind wir doch nicht nach England gekommen.»

«In England ist es wie hier.»

«Und als er zurückgekommen ist aus Russland, da war sie tot, und Kinder hatten sie nicht, und seither ist er traurig. Er ist noch einigermaßen gesund, das hab ich gemerkt, und ich glaube, dass man ihm glauben kann. So einer kommt nicht noch mal zu mir.»

Tyll setzte sich neben sie und legte den Arm um ihre Schultern. Draußen hörte man die Alte eine Ballade rezitieren. Offenbar saß Fleming noch immer bei ihr und ließ sie wieder und wieder vortragen, um es sich einzuprägen.

«So einer ist schon besser als ein Steger», sagte sie.

«Wahrscheinlich wird er dich auch nicht schlagen.»

«Kann schon sein», sagte Nele nachdenklich. «Und wenn, schlag ich zurück. Da wird er sich wundern.»

«Sogar Kinder kannst du noch haben.»

«Ich mag Kinder nicht. Und er ist schon alt. Aber er wird dankbar sein, mit Kindern oder ohne.»

Sie schwieg. Der Wind ließ die Zeltplane knattern, und die Alte begann von vorn.

«Ich will eigentlich nicht.»

«Aber du musst.»

«Warum?»

«Weil wir nicht mehr jung sind, Schwester. Und

wir werden nicht jünger. Um keinen Tag. Niemand hat es gut, der alt und heimatlos ist. Er wohnt in einem Schloss.»

«Aber wir gehören zusammen.»

«Ja.»

«Vielleicht nimmt er dich auch mit.»

«Das geht nicht. Ich kann nicht im Schloss bleiben. Ich würd's nicht aushalten. Und selbst wenn ich's aushalten würde, sie würden mich da nicht lang haben wollen. Entweder sie jagen mich davon, oder ich brenn das Schloss ab. Das eine oder das andere. Aber es würde dein Schloss sein, also darf ich's nicht abbrennen, also wird das nichts.»

Eine Weile waren sie still.

«Ja, das wird nichts», sagte sie dann.

«Warum will er dich eigentlich?», fragte Tyll. «So schön bist du gar nicht.»

«Gleich hau ich dir auf den Mund.»

Er lachte.

«Ich glaube, er liebt mich.»

«Was?»

«Ich weiß, ich weiß.»

«Liebt dich?»

«So was gibt es.»

Draußen gab der Esel ein Eselsgeräusch von sich, und die Alte begann eine andere Ballade.

«Wenn die Marodeure nicht gewesen wären», sagte Nele. «Damals im Wald.»

«Red nicht davon.»

Sie schwieg.

«Leute wie er nehmen Leute wie dich sonst nicht», sagte er. «Er muss ein guter Mann sein. Und selbst wenn er kein guter Mann ist – er hat ein Dach überm Kopf, und er hat Münzen im Beutel. Sag ihm, dass du mitkommst, und sag es ihm, bevor er sich's anders überlegt.»

Nele begann zu weinen. Tyll nahm seine Hand von ihrer Schulter und sah sie an. Nach kurzem beruhigte sie sich.

«Kommst mich besuchen?», fragte sie.

«Ich glaub nicht.»

«Warum nicht?»

«Schau, wie soll das gehen. Er wird nicht wollen, dass man ihn dran erinnert, wo er dich gefunden hat. Im Schloss wird es keiner wissen, und du selbst wirst nicht wollen, dass man es weiß. Die Jahre werden vergehen, Schwester, bald ist alles nicht mehr wahr, nur deine Kinder werden sich wundern, dass du so gut tanzen und singen und alles auffangen kannst.»

Sie gab ihm einen Kuss auf die Stirn. Zögernd schlüpfte sie aus dem Zelt, stand auf und ging zu den Kutschen hinüber, um dem Hofmathematiker mitzuteilen, dass sie sein Angebot annehmen und mit ihm nach Gottorf ziehen werde.

Als sie zurückkam, fand sie Tylls Zelt leer. Blitzschnell war er aufgebrochen und hatte nichts mitgenommen außer den Jonglierbällen, einem langen Seil und dem Esel. Nur Magister Fleming, der ihm draußen auf der Wiese begegnet war, hatte noch mit ihm gesprochen. Aber was Tyll gesagt hatte, wollte er nicht verraten.

Der Zirkus verlief sich in alle Richtungen. Die Musiker zogen mit den Akrobaten nach Süden, der Feuerschlucker ging mit der Alten nach Westen, die anderen wandten sich nach Nordosten, in der Hoffnung, sich so von Krieg und Hunger zu entfernen. Der Verwachsene fand Aufnahme in der Kuriositätenkammer des Kurfürsten von Bayern. Die Sekretäre erreichten drei Monate später die Stadt Rom, wo Athanasius Kircher sie schon ungeduldig erwartete. Er verließ die Stadt nie mehr, führte Tausende Versuche durch und schrieb Dutzende Bücher, bis er vierzig Jahre später in hohen Ehren starb.

Nele Olearius überlebte Kircher um drei Jahre. Sie bekam Kinder und begrub ihren Gatten, den sie nie geliebt, aber immer geschätzt hatte, weil er sie gut behandelte und nicht mehr von ihr erwartete als etwas Freundlichkeit. Vor ihren Augen erblühte Schloss Gottorf zu neuem Glanz, sie sah ihre Enkel heranwachsen und wiegte noch den ersten Urenkel auf ihrem Schoß. Keiner ahnte, dass sie einst mit Tyll Ulenspiegel durchs Land gezogen war, aber genau wie der vorhergesagt hatte, wunderten sich ihre Enkel darüber, dass sie selbst als alte Frau noch alles fangen konnte, was man ihr zuwarf. Beliebt und angesehen war sie, keiner hätte vermutet, dass sie einmal etwas anderes gewesen war als eine ehrbare Frau. Und sie erzählte auch keinem, dass sie immer noch die Hoffnung hatte, der Junge, mit dem sie einst aus dem Dorf ihrer Eltern aufgebrochen war, würde wiederkommen und sie mitnehmen.

Erst als der Tod nach ihr griff und mit ihm die Verwirrung der letzten Tage, war ihr plötzlich, als ob sie ihn sehen könnte. Dünn und lächelnd stand er am Fenster, dünn und lächelnd kam er in ihr Zimmer, und lächelnd setzte sie sich auf und sagte: «Das hat ja gedauert!»

Und der Herzog von Gottorf, ein Sohn jenes Herzogs, der ihren Mann damals angestellt hatte, war an ihr Sterbebett gekommen, um vom ältesten Mitglied seines Haushalts Abschied zu nehmen. Er begriff, dass jetzt nicht der Moment war, Irrtümer zu berichtigen, nahm die starre kleine Hand, die sie ihm entgegenstreckte, und sein Instinkt gab ihm die Antwort ein: «Ja, aber jetzt bin ich hier.»

Im selben Jahr starb in der Holsteinischen Ebene der letzte Drache des Nordens. Er war siebzehntausend Jahre alt, und er war es müde, sich zu verstecken.

Also bettete er den Kopf ins Heidekraut, legte den Körper, der sich so vollständig seinem Untergrund anpasste, dass selbst Adler ihn nicht hätten ausmachen können, flach in die Weichheit der Gräser, seufzte und bedauerte kurz, dass es nun vorbei war mit Duft und Blumen und Wind und dass er die Wolken im Sturm nicht mehr sehen würde, nicht den Aufgang der Sonne und nicht die Kurve des Erdschattens auf dem kupferblauen Mond, der ihn immer besonders erfreut hatte.

Er schloss seine vier Augen und brummte noch leise, als er spürte, dass ein Spatz sich auf seine Nase setzte. Es war ihm alles recht, denn er hatte so viel gesehen, aber was mit einem wie ihm nach dem Tod geschehen würde, wusste er noch immer nicht. Seufzend schlief er ein. Sein Leben hatte lang gedauert. Nun war es Zeit, sich zu verwandeln.

IM SCHACHT

Gott, Allmächtiger, Herr Jesu Christ, steh uns bei», hat der Matthias vorhin noch gesagt, und der Korff hat geantwortet: «Aber Gott ist hier nicht!», und der Eisenkurt hat gesagt: «Gott ist überall, du Schwein», und der Matthias hat gesagt: «Hier unten nicht», und dann haben alle gelacht, doch dann hat es einen Knall gegeben und einen Luftstoß so scharf und heiß, dass er sie zu Boden geworfen hat. Tyll ist auf den Korff gefallen, der Matthias auf den Eisenkurt, und dann ist es stockdunkel gewesen. Eine Weile hat sich keiner gerührt, alle haben die Luft angehalten, jeder hat nachgedacht, ob er gestorben ist, und allmählich erst haben alle begriffen, weil man so was einfach nie gleich begreift, dass der Schacht eingestürzt ist. Sie wissen, dass sie kein Geräusch machen dürfen, denn wenn die Schweden durchgebrochen sind, wenn die im Dunkeln über ihnen stehen, die Messer blank, dann keinen Mucks, nicht den allerkleinsten, nicht atmen, nur kein Schnüffeln, kein Keuchen, kein Husten.

Dunkel ist es. Aber anders dunkel als droben. Wenn es dunkel ist, sieht man ja sonst immer noch etwas. Man weiß nicht recht, was man sieht, aber da ist nicht nichts; du bewegst den Kopf, das Dunkel ist nicht überall gleich, und wenn du dich daran gewöhnt hast, entstehen Umrisse. Hier aber nicht. Das Dunkel bleibt. Zeit vergeht, und als mehr Zeit vergangen ist und sie schon nicht mehr die Luft anhalten können und vorsichtig wieder Atemzüge machen, ist es immer noch so dunkel, als hätte Gott alles Licht der Welt ausgelöscht.

Schließlich, weil wohl doch keine Schweden mit Messern über ihnen stehen, sagt der Korff: «Meldung machen!»

Und der Matthias: «Seit wann bist du der Chef, du versoffenes Vieh?»

Und der Korff: «Du Drecksloch, der Leutnant ist gestern krepiert, jetzt hab ich Anciennität.»

Drauf der Matthias: «Ja, oben vielleicht, aber nicht hier.»

Drauf der Korff: «Ich bring dich um, wenn du jetzt nicht Meldung machst. Ich muss wissen, wer noch lebt.»

Drauf Tyll: «Ich glaube, ich leb noch.»

Die Wahrheit ist, dass er sich nicht sicher ist. Wenn man flach liegt und alles schwarz ist, wie soll man das wissen. Aber jetzt, da er seine Stimme gehört hat, merkt er, dass es stimmt.

«Dann geh von mir runter», sagt der Korff. «Du liegst auf mir, du Gerippe!»

Wo er recht hat, hat er recht, denkt Tyll, es ist wirklich nicht so gut, hier auf dem Korff zu liegen. Also rollt er sich zur Seite.

«Matthias, du machst jetzt auch Meldung», sagt der Korff.

«Dann mach ich halt Meldung.»

«Kurt?»

Sie warten, aber der Eisenkurt, den sie alle so nennen wegen seiner eisernen rechten Hand, oder vielleicht ist es auch die linke gewesen, so genau erinnert sich keiner, es ist dunkel, man kann nicht nachsehen, macht keine Meldung.

«Kurt?»

Still ist es, jetzt sind nicht mal mehr die Explosionen zu hören. Eben hat man sie noch gehört, ferne Donnerschläge von droben, die die Steine zittern ließen; das waren die Schweden vom Torstensson, die versuchen, die Bastionen zu sprengen. Aber jetzt hört man nur Atmen. Tyll hört man atmen, und den Korff hört man und den Matthias, aber den Kurt hört man nicht.

«Bist du tot?», ruft der Korff. «Kurt, bist verreckt?»

Aber der Kurt sagt noch immer nichts, was überhaupt nicht seine Art ist, sonst kann man ihn kaum zum Schweigen bringen. Tyll hört den Matthias tasten. Er fühlt wohl nach dem Hals vom Kurt, des Herzschlags wegen, dann nach der Hand – erst der eisernen, dann der echten. Tyll muss husten. Staubig ist es, kein

Durchzug mehr, die Luft fühlt sich an wie dicke Butter.

«Doch, der ist tot», sagt der Matthias schließlich.

«Sicher?», fragt der Korff. Man hört ihm an der Stimme an, wie es ihn fuchst – jetzt hat er seit gestern Anciennität, weil es den Leutnant erwischt hat, und schon sind da nur noch zwei Untergebene.

«Er atmet nicht», sagt der Matthias, «und sein Herz schlägt nicht, und reden will er auch nicht, und hier, du kannst es fühlen, die Hälfte vom Kopf ist weg.»

«Scheißdreck», sagt der Korff.

«Ja», sagt der Matthias, «eine Scheiße ist das schon. Obwohl, schau, gemocht hab ich ihn nicht. Gestern hat er mein Messer genommen, und als ich gesagt hab, gib's zurück, hat er gesagt, gern, aber nur zwischen deine Rippen. Geschieht ihm recht.»

«Ja, geschieht ihm recht», sagt der Korff, «Gott sei seiner Seele gnädig.»

«Die kommt hier nicht raus», sagt Tyll. «Seine Seele, wie soll die hier rausfinden?»

Eine Weile schweigen sie beklommen, weil alle daran denken, dass die Seele vom Kurt noch hier sein könnte, kalt und glitschig und wahrscheinlich wütend. Dann ist ein Scharren zu hören, ein Schieben, ein Wetzen.

«Was machst du da?», fragt der Korff.

«Ich such mein Messer», sagt der Matthias. «Ich lass das der Sau nicht.»

Tyll muss wieder husten. Dann fragt er: «Was ist geschehen? Ich bin ja nicht lang dabei, warum ist es dunkel?»

«Weil keine Sonne durchkommt», sagt der Korff. «Zu viel Erde zwischen ihr und uns.»

Geschieht mir recht, denkt Tyll, soll er spotten, das ist wirklich keine schlaue Frage gewesen. Und um etwas Besseres zu fragen, sagt er: «Müssen wir sterben?»

«Ja freilich», sagt der Korff. «Wir und jeder andere.»

Auch da hat er recht, denkt Tyll, obwohl, wer weiß, ich zum Beispiel bin bisher nie gestorben. Dann, denn das Dunkel kann einen sehr verwirren, versucht er, sich zu erinnern, wie es ihn in den Schacht verschlagen hat.

Zunächst einmal, weil er nach Brünn gekommen ist. Er hätte anderswohin gehen können, aber nachher weiß man es immer besser, und nach Brünn ist er gekommen, weil es geheißen hat, die Stadt wäre reich und sicher. Und es hat doch keiner geahnt, dass der Torstensson mit der halben Schwedenarmee hierherzieht, es hat immer geheißen, er wird nach Wien gehen, wo der Kaiser hockt, nur weiß man eben nicht, was die Herren sich so denken unter ihren großen Hüten.

Und dann ist es wegen dem Stadtkommandanten gewesen, mit seinen buschigen Brauen, dem Spitzbärtchen, den schmalzglänzenden Backen und diesem Stolz in jedem gespreizten Fingerchen. Auf dem Hauptplatz hat er Tyll zugesehen, mit Mühe anscheinend, weil seine Lider so adlig tief hängen und weil einer wie er wohl glaubt, dass er einen besseren Anblick verdient hätte als einen Narren im gescheckten Wams.

«Kannst nichts Besseres zeigen?», hat er gebrummt.

Oft passiert es ja nicht, dass Tyll sich ärgert, aber wenn es passiert, dann ist er besser im Beleidigen als jeder, dann sagt er etwas, was so einer nie vergessen wird. Was war es eigentlich? Die Dunkelheit bringt einem wirklich das Gedächtnis durcheinander. Das Dumme war, dass sie gerade Männer rekrutiert haben, zur Verteidigung der Festung Brünn.

«Na warte. Du hilfst mit, du kommst zu den Soldaten! Kannst dir deine Einheit aussuchen. Nur passt auf, dass er nicht abhaut!»

Dann hat er gelacht, der Stadtkommandant, als wäre es ein guter Scherz gewesen, und so ein schlechter war es auch gar nicht, das muss man zugeben, denn darum geht es ja bei einer Belagerung, dass keiner abhauen kann; könnte man von einer Belagerung abhauen, wäre es keine.

«Was machen wir jetzt?», hört Tyll den Matthias fragen.

«Die Hacke finden», antwortet der Korff. «Die muss

hier liegen. Ich sag dir gleich, ohne Hacke brauchen wir's gar nicht zu versuchen. Haben wir die nicht, ist's vorbei.»

«Der Kurt hat sie gehabt», sagt Tyll. «Sie muss unterm Kurt liegen.»

Er hört die beiden im Dunkeln scharren und schieben und tasten und fluchen. Er bleibt sitzen, er möchte ihnen nicht im Weg sein, und vor allem will er nicht, dass sie sich daran erinnern, dass nicht der Kurt die Spitzhacke gehalten hat, sondern er. Ganz sicher ist er sich nicht, weil einem immer wirrer zumute wird hier, an die fernen Ereignisse erinnert man sich noch klar, aber je näher etwas an dem Knall von vorhin dran war, desto mehr versuppt und zerläuft es im Kopf. Mit einiger Sicherheit hat er die Hacke gehabt, aber weil sie schwer gewesen und ihm immer zwischen die Beine geraten ist, steht sie jetzt irgendwo im Schacht. Davon sagt er allerdings kein Wort, es ist besser, wenn die beiden meinen, dass die Hacke beim Eisenkurt ist, denn der hat es schließlich hinter sich, egal, wie wütend sie werden, dem ist es egal.

«Hilfst du mit, Gerippe?», fragt der Matthias.

«Sicher helf ich», sagt Tyll, ohne sich zu rühren. «Ich suche und suche! Wie verrückt suche ich, wie ein Maulwurf, hörst du's nicht?»

Und weil er gut lügen kann, genügt ihnen das. Dass er sich nicht rühren mag, liegt an der Luft. Todesstickig ist sie, nichts fließt herein, nichts hinaus, da wird man schnell ohnmächtig und erwacht nicht mehr. In so einer Luft bewegt man sich lieber nicht und atmet nur so viel wie unbedingt nötig.

Zu den Mineuren hätte er sich besser nicht gemeldet. Das war ein Irrtum. Die Mineure sind tief unten, hat er gedacht, und die Kugeln fliegen oben. Die Mineure schützt die Erde, hat er gedacht. Der Feind hat Mineure, um unsere Mauern zu sprengen, und wir haben Mineure, um die Schächte zu sprengen, die der Feind unter unseren Mauern gräbt. Mineure graben, hat er gedacht, während droben gehauen und gestochen wird. Und wenn ein Mineur aufmerksam ist, hat er gedacht, und den Moment nützt, dann kann er auch einfach weitergraben und gräbt einen Tunnel nur für sich und gelangt irgendwo draußen ins Freie, jenseits der Befestigungen, so hat er gedacht, und macht sich davon, eh du dich's versiehst. Und weil Tyll das gedacht hat, hat er dem Offizier, der ihn am Kragen gehalten hat, gesagt, dass er zu den Mineuren will.

Und der Offizier: «Was?»

«Der Kommandant hat gesagt, ich kann es mir aussuchen!»

Und der Offizier: «Ja, aber. Wirklich? Zu den Mineuren?»

«Ihr habt es gehört.»

Ja, das ist dumm gewesen. Mineure sterben fast immer, aber das haben sie ihm erst unter der Erde erzählt. Von fünf Mineuren sterben vier. Von zehn sterben acht.

Von zwanzig sterben sechzehn, von fünfzig siebenundvierzig, von hundert sterben alle.

Immerhin gut, dass der Origenes davongekommen ist. Wegen ihres Streits ist das gewesen, letzten Monat erst, auf dem Weg nach Brünn.

«Im Wald sind die Wölfe», hat der Esel gesagt, «die haben Hunger, lass mich hier nicht stehen.»

«Keine Angst, die Wölfe sind weit weg.»

«Ich kann sie riechen, so nah sind sie. Du kletterst auf einen Baum, aber ich steh hier unten, und was tu ich, wenn sie kommen?»

«Du tust, was ich sage!»

«Aber wenn du was Blödes sagst?»

«Dann auch. Weil ich der Mensch bin. Ich hätte dir nie das Reden beibringen sollen.»

«Dir hätt man's auch nicht beibringen sollen, du sagst kaum was, das Sinn hat, und du jonglierst nicht mehr sicher. Demnächst rutscht dir noch der Fuß vom Seil. Du hast mir gar nichts zu befehlen!»

Und da ist Tyll eben wütend auf den Baum, und der Esel ist wütend unten geblieben. Tyll hat so oft auf Bäumen geschlafen, dass ihm das nicht mehr schwerfällt – man braucht einen dicken Ast und ein Seil, um sich festzubinden, und ein gutes Gefühl für Gleichgewicht, und wie bei allem anderen im Leben braucht man Übung.

Die halbe Nacht hat er den Esel schimpfen gehört. Bis der Mond aufgegangen ist, hat er gebrummt und gemurrt, und er hat Tyll ja leidgetan, aber es ist spät gewesen, und in der Nacht kann man nicht weiterziehen, was hätte man tun sollen. So ist Tyll eben eingeschlafen, und als er wieder aufgewacht ist, ist der Esel nicht mehr da gewesen. Die Wölfe sind nicht schuld, das hätte er schon gemerkt, wenn die gekommen wären; offenbar hat der Esel beschlossen, dass er es auch allein zu etwas bringen kann und keinen Bauchredner braucht.

Und mit dem Jonglieren hat Origenes recht gehabt. Hier in Brünn, vor dem Dom, hat Tyll danebengegriffen, und ein Ball ist auf den Boden gefallen. Er hat so getan, als wäre es Absicht gewesen, hat ein Gesicht gezogen, dass alle gelacht haben, aber so etwas ist kein Spaß, es kann wieder passieren, und wenn es nächstes Mal wirklich der Fuß auf dem Seil ist, was dann?

Das Gute ist, dass er sich darum wohl keine Sorgen mehr machen muss. Es sieht nicht danach aus, als würden sie hier rauskommen.

«Es sieht nicht danach aus, als würden wir hier rauskommen», sagt der Matthias.

Dabei ist das wohl Tyll gewesen, das waren seine Gedanken, die sich in der Dunkelheit in den Kopf vom Matthias verirrt haben, aber vielleicht war es auch umgekehrt, wer weiß das schon. Auch sieht man jetzt kleine Lichter, wie Glühwürmchen schwirrend, die aber nicht wirklich da sind, das weiß Tyll, denn obwohl er die Lichter sieht, sieht er auch, dass es nach wie vor ganz dunkel ist.

Der Matthias stöhnt, und dann hört Tyll ein Klatschen, als ob jemand mit der Faust an die Wand geschlagen hätte. Dann stößt der Matthias einen tollen Fluch aus, den Tyll noch nicht kennt. Muss ich mir merken, denkt er, aber dann hat er ihn trotzdem gleich vergessen und fragt sich, ob er ihn sich nur ausgedacht hat, aber was eigentlich, was hat er sich ausgedacht? Auf einmal weiß er es nicht mehr.

«Wir kommen hier nicht mehr raus», sagt der Matthias wieder.

«Halt dein blödes Maul», sagt der Korff, «wir finden die Hacke, wir graben uns frei, Gott wird helfen.»

«Warum sollte er?», fragt der Matthias.

«Dem Leutnant hat er auch nicht geholfen», sagt Tyll.

«Ich hau euch die Schädel ein», sagt der Korff, «dann kommt ihr sicher nicht raus.»

«Warum bist du überhaupt bei den Mineuren?», fragt der Matthias. «Du bist doch der Ulenspiegel!»

«Sie haben mich gezwungen. Glaubst du, ich meld mich freiwillig? Und warum bist du hier?»

«Ich wurde auch gezwungen. Brot gestohlen, in Ketten gelegt, so schnell ist das gegangen. Aber du? Wie ist das passiert? Du bist doch berühmt! Warum zwingen sie einen wie dich?»

«Hier unten ist keiner berühmt», sagt der Korff.

«Wer hat denn dich gezwungen?», fragt Tyll den Korff.

«Mich zwingt keiner zu was. Wer den Korff zwingen will, den bringt der Korff um. Ich war bei den Trommlern beim Christian von Halberstadt, dann bin ich als Musketier zu den Franzosen, dann zu den Schweden, aber als die keinen Sold bezahlt haben, bin ich als Artillerist wieder zu den Franzosen. Dann ist meine Batterie getroffen worden, so was hast du nicht gesehen, Volltreffer mit der Glühkugel, alles Pulver geht hoch, Feuer wie der Weltuntergang, aber der Korff hat sich schnell genug in die Büsche geworfen und überlebt. Dann bin ich zu den Kaiserlichen rüber, aber die haben keine Kanoniere gebraucht, und Pikenier wollt ich nicht mehr sein, also bin ich nach Brünn, und weil ich kein Geld mehr hatte und niemand so guten Sold bekommt wie die Mineure, hab ich eben gegraben. Bin schon drei Wochen dabei. Die meisten überleben nicht so lang. Grad war ich noch bei den Schweden, jetzt töte ich die Schweden, und ihr zwei Drecksäcke habt Glück, dass ihr mit dem Korff verschüttet seid, weil der Korff kratzt nicht so schnell ab.» Er will noch mehr sagen, aber jetzt wird ihm die Luft knapp, und er hustet, und dann ist er eine Weile still. «Du, Gerippe», sagt er schließlich, «hast Geld?»

«Nichts hab ich», sagt Tyll.

«Aber wo du doch berühmt bist. Kann einer berühmt sein und kein Geld haben?»

«Wenn er dumm ist, kann er.»

«Und du bist dumm?»

«Bruder, wenn ich klug wär, wär ich hier?»

Der Korff muss lachen. Und weil Tyll weiß, dass keiner es sehen kann, tastet er sein Wams ab. Die Goldstücke im Kragen, das Silber in der Knopfleiste, die zwei Perlen, fest eingenäht unten im Aufschlag, alles noch da. «Ehrlich. Ich würd's dir geben, wenn ich was hätte.»

«Bist auch nur eine arme Sau», sagt der Korff.

«In Ewigkeit, amen.»

Alle drei müssen sie lachen.

Tyll und der Korff hören wieder mit dem Lachen auf. Der Matthias lacht weiter.

Sie warten, aber er lacht noch immer.

«Der hört nicht auf», sagt der Korff.

«Wird halt verrückt», sagt Tyll.

Sie warten. Der Matthias lacht weiter.

«Ich war vor Magdeburg dabei», sagt der Korff. «Ich war bei den Belagerern, das war, bevor ich bei den Schweden gewesen bin, da war ich noch bei den Kaiserlichen. Als die Stadt gefallen ist, haben wir alles genommen, alles verbrannt, alle getötet. Macht, was ihr wollt, hat der General gesagt. Man schafft das nicht gleich, weißt du, muss sich erst dran gewöhnen, dass man das wirklich darf. Dass das geht. Mit Menschen machen, was man will.»

Plötzlich ist Tyll, als wären sie wieder draußen, als säßen sie zu dritt auf einer Wiese, der Himmel blau über ihnen, die Sonne so hell, dass man die Augen zukneifen muss. Aber während er blinzelt, weiß er doch auch, dass das nicht stimmt, und dann weiß er nicht mehr, was es eigentlich ist, von dem er gerade noch gewusst hat, dass es nicht stimmt, und da muss er husten, der schlechten Luft wegen, und die Wiese ist fort.

«Ich glaube, der Kurt hat was gesagt», sagt der Matthias.

«Nichts hat er gesagt», sagt der Korff.

Da hat er recht, denkt Tyll, der auch nichts gehört hat. Das bildet der Matthias sich ein, der Kurt hat nichts gesagt.

«Ich hab es auch gehört», sagt Tyll. «Der Kurt hat was gesagt.»

Sofort hört man den Matthias am toten Eisenkurt rütteln. «Lebst noch», ruft er, «bist noch da?»

Tyll erinnert sich an gestern, oder war es vorgestern? Der Angriff, bei dem der Leutnant getötet worden ist. Plötzlich das Loch in der Wand des Schachts, plötzlich Messer und Schreien und Knallen und Krachen, ganz tief in den Dreck hat er sich gedrückt, einer ist ihm auf den Rücken getreten, und als er wieder den Kopf gehoben hat, ist es schon vorbei gewesen: Ein Schwede hat dem Leutnant das Messer ins Auge gestochen, der Korff hat dem Schweden den Hals durchgeschnitten, der Matthias hat dem zweiten Schweden mit der Pistole in den Bauch geschossen, dass der geschrien hat wie ein Schwein nach dem Abstechen, denn nichts tut weh wie ein Bauchschuss, und der dritte Schwede hat einem der ihren, dessen Name Tyll nie erfahren hat, denn er ist ja neu gewesen, und jetzt ist es egal, jetzt braucht er den Namen nicht mehr zu kennen, mit dem Säbel den Kopf abgeschlagen, sodass es aus ihm gespritzt ist wie quellend rotes Wasser, aber der Schwede hat sich nicht lang freuen können, denn der Korff, dessen Pistole noch geladen gewesen ist, hat nun ihm in den Kopf geschossen, klipp-klapp, zipp-zapp, länger hat das nicht gedauert.

Solche Sachen dauern nie lang. Selbst damals im Wald ist es schnell gegangen, Tyll kann nicht anders, er muss daran denken, der Dunkelheit wegen. In der Dunkelheit kommt alles durcheinander, und das, was man vergessen hat, ist plötzlich wieder da. Damals im Wald ist er dem Gevatter am nächsten gewesen, da hat er seine Hand gespürt, deshalb weiß er so gut, wie sie sich anfühlt, darum erkennt er sie jetzt. Er hat nie davon gesprochen, hat auch nicht mehr daran gedacht. Denn das kann man tun: einfach nicht an etwas denken. Dann ist es wie nicht geschehen.

Aber jetzt, im Dunkeln, da steigt alles auf. Das Augenschließen hilft so wenig, wie die Augen weit zu öffnen, und um es abzuwehren, sagt er: «Wollen wir singen? Vielleicht hört uns wer!»

«Ich sing nicht», sagt der Korff.

Dann beginnt der Korff zu singen: Ist ein Schnitter, der heißt Tod. Der Matthias singt mit, dann stimmt auch Tyll mit ein, und sogleich verstummen die zwei anderen und hören ihm zu. Tylls Stimme ist hoch, klar und kraftvoll. Hat Gewalt vom höchsten Gott. Heut wetzt er das Messer, es schneidt schon viel besser, bald wird er drein schneiden, wir müssen's nur leiden.

«Singt mit!», sagt Tyll.

Und sie tun es, aber der Matthias hört gleich wieder auf und lacht vor sich hin. Hüte dich, schöns Blümelein. Was heut noch grün und frisch da steht, wird morgen schon hinweggemäht. Nun kann man hören, dass auch der Kurt mitsingt. Er schafft es nicht sehr laut und ist heiser und trifft die Töne schlecht, aber da darf man nicht streng sein; wenn einer tot ist, kann ihm schon auch das Singen schwerfallen. Die edlen Narzissen, die Zierden der Wiesen, die schön' Hyazinthen, die türkischen Binden. Hüte dich, schöns Blümelein.

«Donnerwetter», sagt der Korff.

«Ich hab dir gesagt, dass er berühmt ist», sagt der Matthias. «Es ist eine Ehre. Ein angesehener Mann krepiert mit uns.»

«Berühmt bin ich schon», sagt Tyll, «aber angesehen war ich mein Lebtag nicht. Glaubt ihr, das hat einer gehört, das Singen, glaubt ihr, es kommt wer?»

Sie horchen. Die Explosionen haben wieder angefangen. Ein Grollen, ein Zittern im Boden, Stille. Ein Grollen, ein Zittern, Stille.

«Der Torstensson sprengt uns die halbe Stadtmauer weg», sagt der Matthias.

«Schafft er nicht», sagt der Korff. «Unsere Mineure sind besser als seine. Die finden die schwedischen Schächte, die räuchern sie aus. Du hast den langen Karl noch nicht wütend gesehen.»

«Der lange Karl ist immer wütend, aber auch immer besoffen», sagt der Matthias. «Den erwürg ich mit einer Hand auf dem Rücken.»

«Dir hat's das Hirn versumpft!»

«Soll ich's dir zeigen? Du denkst, dass du ein großer Herr bist wegen Magdeburg und was weiß ich, wo du warst!»

Der Korff ist kurz still, dann sagt er leise: «Du, ich hau dich tot.»

«Ja?»

«Ich mach's.»

Dann schweigen sie eine Zeitlang, und man hört die Schläge der Sprengsätze von oben, auch hört man Steine rieseln. Der Matthias sagt nichts, weil er verstanden hat, dass der Korff es ernst meint; und der Korff sagt nichts, weil ihn auf einmal die Sehnsucht übermannt, das weiß Tyll genau, denn der Dunkelheit wegen bleiben die Gedanken nicht bei einem allein, da bekommt man die der anderen mit, ob man will oder nicht. Der Korff spürt die Sehnsucht nach Luft und Licht und der Freiheit, sich zu bewegen, wohin man mag. Und dann, weil ihn das an was anderes erinnert, sagt er: «Die dicke Hanne!»

«O ja», sagt der Matthias.

«Die fetten Schenkel», sagt der Korff. «Der Hintern.»

«Mein Gott», sagt der Matthias. «Hintern. Arsch. Der Arsch hinten.»

«Du hast sie auch gehabt?»

«Nein», sagt der Matthias. «Ich kenn sie nicht.»

«Und ihre Brust», sagt der Korff. «Bei Tübingen hab ich noch eine gekannt mit so einer Brust. Die hättest sehen sollen. Die hat einem alles gemacht, was man will, als gäb's keinen Gott.»

«Hast viele Frauen gehabt, Ulenspiegel?», fragt der Matthias. «Du hast mal Geld gehabt, da hast du dir doch was gegönnt, erzähl.»

Gerade will Tyll antworten, aber auf einmal ist nicht mehr der Matthias neben ihm, sondern der Jesuit auf seinem Schemel, den er so deutlich sieht wie damals: Du musst die Wahrheit sagen, du musst uns erzählen, wie der Müller den Teufel gerufen hat, du musst sagen, dass du Angst hattest. Warum musst du's sagen? Weil es wahr ist. Weil wir das wissen. Und wenn du lügst, schau, da steht Meister Tilman, schau, was er in der Hand hat, er wird es benützen, also sprich. Deine Mutter hat auch gesprochen. Sie wollte erst nicht, sie musste es spüren, aber dann hat sie es gespürt und hat gesprochen, so ist es immer, alle sprechen, wenn sie es spüren. Wir wissen schon, was du sagen wirst, weil wir wissen, was wahr ist, aber wir müssen es von dir hören. Und dann sagt er noch, flüsternd, vorgebeugt, freundlich fast: Dein Vater ist verloren. Ihn wirst du nicht retten. Aber dich kannst du retten. Er würde das wollen.

Doch der Jesuit ist nicht hier, Tyll weiß das, nur die zwei Mineure sind hier, und der Pirmin drüben auf dem Waldweg, gerade haben sie ihn liegen gelassen. Bleibt da, ruft der Pirmin, ich find euch, ich tu euch weh! Und das ist ein Fehler, denn da wissen sie, dass sie ihm nicht helfen dürfen, und der Junge läuft noch einmal zurück und holt den Beutel mit den Bällen. Wie am Spieß schreit und wie ein Kutscher flucht der Pirmin da, nicht bloß, weil die Bälle sein Wertvollstes sind, sondern weil er begreift, was es heißt, dass der Junge sie mitnimmt: Ich verwünsch euch, ich find euch, ich geh nicht rüber, ich bleib, um euch zu suchen! Man kriegt Angst, wenn man ihn so liegen sieht, so verdreht in sich, also rennt der Junge und hört ihn noch von weitem und rennt und rennt, Nele neben ihm, und immer noch hören sie ihn, er ist ja selbst schuld, keucht sie, aber der Junge spürt, dass Pirmins Verwünschungen wirken und dass etwas Schlimmes auf sie zukommt, mitten im hellen Vormittag, hilf doch, König, hol mich heraus, mach es ungeschehen, damals im Wald.

«Na erzähl schon», sagt jemand, Tyll kennt die Stimme, er erinnert sich, es ist der Matthias. «Sag was von Hintern, von Brüsten sag was. Wenn wir schon sterben, wollen wir von Brüsten hören.»

«Wir sterben nicht», sagt der Korff.

«Aber erzähl», sagt der Matthias.

Erzähl, sagt auch der Winterkönig. Was war dort im Wald, erinnere dich, was war?

Aber der Junge sagt es nicht. Ihm nicht und keinem andern und schon gar nicht sich selbst, denn wenn man nicht dran denkt, ist es, als hätte man es vergessen, und hat man es vergessen, ist es nicht passiert.

Erzähl, sagt der Winterkönig.

«Du Zwerg», sagt Tyll, weil er langsam wütend wird. «Du König ohne Land, du Nichts, und außerdem bist du tot. Lass mich, kriech weg.»

«Kriech selbst», sagt der Matthias. «Ich bin nicht tot, der Kurt ist tot. Erzähl!»

Aber der Junge kann das nicht erzählen, er hat es ja vergessen. Den Weg im Wald hat er vergessen, und Nele und sich selbst dort auf dem Weg hat er vergessen, die Stimmen in den Blättern hat er vergessen, geh nicht weiter, aber das war ja auch nicht so, das haben sie nicht geflüstert, die Stimmen, sonst hätten Nele und er doch auf sie gehört, und auf einmal stehen die drei vor ihnen, an die er sich nicht mehr erinnert, er sieht sie nicht mehr, er hat sie vergessen, wie sie da vor ihnen stehen.

Marodeure. Zerzaust, wütend, ohne zu wissen, worüber. Na so etwas, sagt einer, Kinder!

Und Nele denkt dran, zum Glück. An das, was der Junge ihr gesagt hat: Wir sind sicher, solange wir schneller sind. Wenn du schneller läufst als die anderen, kann dir nichts passieren. Also schlägt sie einen Haken und rennt. Später weiß der Junge nicht mehr, und wie sollte er es auch wissen, denn er hat alles vergessen, warum er nicht auch losgerannt ist; aber so ist es nun mal, ein Fehler reicht – einmal was nicht verstanden, einmal zu lang geglotzt, schon legt er einem die Hand auf die Schulter. Er beugt sich über ihn. Er riecht nach Branntwein und Pilzen. Der Junge will laufen, aber es ist zu spät, die Hand bleibt, wo sie ist, und der andere steht daneben, und der Dritte ist Nele nachgelaufen, aber er kommt schon zurück, keuchend, natürlich hat er sie nicht erwischt.

Der Junge versucht noch, die drei zum Lachen zu bringen. Das hat er ja vom Pirmin gelernt, der eine Stunde von hier liegt und vielleicht noch lebt und sie besser geführt hätte, denn mit ihm sind sie nie Wölfen oder bösen Leuten begegnet, kein einziges Mal in der langen Zeit. Er versucht also, sie zum Lachen zu bringen, aber es geht nicht, sie wollen nicht lachen, sie sind zu wütend, sie haben Schmerzen, einer ist verletzt, der fragt: Hast du Geld? Und ein bisschen Geld hat er ja wirklich und gibt es. Er sagt ihnen, dass er für sie tanzen oder auf Händen gehen oder Bälle werfen könnte, und fast werden sie neugierig, doch dann merken sie, dass man ihn dafür loslassen müsste, und so dumm, sagt der, der ihn hält, sind wir nicht.

Und da begreift der Junge, dass er nichts tun kann, nur vergessen, was passiert; es vergessen, noch bevor es zu Ende passiert ist: ihre Hände vergessen, die Gesichter, alles. Nicht da sein, wo er jetzt ist, sondern lieber neben Nele, während sie läuft und endlich stehen bleibt und sich an einen Baum lehnt und wieder zu Atem kommt. Dann schleicht sie zurück, mit angehaltenem Atem und darauf bedacht, dass ihr kein Ast knackt unter den Füßen, und sie duckt sich ins Gebüsch, denn die drei kommen und torkeln an ihr vorbei und bemerken sie nicht und sind schon fort; aber sie wartet trotzdem noch eine Weile, bevor sie sich hervortraut und den Weg entlanggeht, den sie eben noch mit dem Jungen gegangen ist. Und sie findet ihn und kniet bei ihm, und beide begreifen, dass sie es vergessen müssen und dass das Bluten aufhören wird, denn einer wie er stirbt nicht. Ich bin aus Luft gemacht, sagt er. Mir passiert nichts. Kein Grund zum Jammern. Alles noch ein Glück. Hätte schlimmer sein können.

Hier im Schacht stecken zum Beispiel, das ist wahrscheinlich schlimmer, denn hier hilft nicht mal das Vergessen. Wenn man den Schacht vergisst, in dem man steckt, ist man immer noch im Schacht.

«Ich geh ins Kloster», sagt Tyll. «Wenn ich hier rauskomme. Ich mein's ernst.»

«Melk?», fragt der Matthias. «Da bin ich mal gewesen. Da ist es herrschaftlich.»

«Andechs. Die haben feste Mauern. Wenn es wo sicher ist, dann in Andechs.»

«Nimmst mich mit?»

Gerne, denkt Tyll. Wenn du uns rausbringst, gehen wir zusammen. Und er sagt: «Dich Galgenvogel lassen sie sicher nicht rein.»

Ihm wird klar, dass das verkehrt herum war, wegen der Dunkelheit. Hab nur Spaß gemacht, denkt er, natürlich lassen sie dich rein. Und er sagt: «Ich kann gut lügen!»

Tyll steht auf. Es ist wohl besser, er hält den Mund. Sein Rücken schmerzt, auf dem linken Bein kann er nicht stehen. Die Füße muss man schützen, man hat ja nur zwei, und wenn man einen davon verletzt, kann man nicht mehr aufs Seil.

«Wir haben zwei Kühe gehalten», sagt der Korff. «Die ältere hat gut Milch gehabt.» Er hat sich wohl auch in eine Erinnerung verstrickt. Tyll kann es vor sich sehen: das Haus, die Wiese, Rauch über dem Schornstein, ein Vater und eine Mutter, alles arm und dreckig, aber eine andere Kindheit hat der Korff nicht gehabt.

Tyll tastet an der Wand entlang. Hier ist der Holzrahmen, den sie vorher eingesetzt haben, oben ist ein Stück abgebrochen, oder ist das unten? Er hört den Korff leise weinen.

«Sie ist weg», jammert der Korff. «Weg, weg! Die ganze gute Milch.»

Tyll ruckelt an einem Felsstück in der Decke, es sitzt locker und löst sich, Steine rieseln.

«Hör auf», ruft der Matthias.

«Das bin ich nicht gewesen», sagt Tyll. «Ich schwör's.»

«Vor Magdeburg hab ich meinen Bruder verloren», sagt der Korff. «Kopfschuss.»

«Ich hab meine Frau verloren», sagt der Matthias. «Bei Braunschweig, sie war mit dem Tross, die Pest hat sie erwischt, die zwei Kinder auch.»

«Wie hat sie geheißen?»

«Johanna», sagt der Matthias. «Die Frau. Von den Kindern die Namen, die weiß ich nicht mehr.»

«Ich hab meine Schwester verloren», sagt Tyll.

Der Korff stolpert herum, Tyll hört ihn neben sich und weicht zurück. Besser, man stößt nicht gegen ihn. So einer wie der Korff hält das nicht aus, wenn man ihn rempelt, der schlägt gleich zu. Wieder eine Explosion, wieder rieseln Steine, lange trägt die Decke nicht mehr.

Wirst sehen, sagt der Pirmin, so schlimm ist Totsein nicht. Du gewöhnst dich.

«Aber ich sterb nicht», sagt Tyll.

«So ist es gut», sagt der Korff, «so ist es richtig, Gerippe!»

Tyll tritt auf etwas Weiches, das ist wohl der Kurt, dann stößt er gegen eine Wand aus grobem Geröll, hier ist der Schacht eingestürzt. Er will mit den Händen graben, denn jetzt ist es gleichgültig, jetzt muss man keine Luft mehr sparen, aber sofort muss er husten, und das

Gestein will sich nicht bewegen, der Korff hat recht gehabt, ohne Hacke geht es nicht.

Keine Angst, du merkst es kaum, sagt der Pirmin. Dein Verstand ist schon halb blöd, gleich lässt dich noch der Rest im Stich, dann wirst du ohnmächtig, und wenn du aufwachst, bist du tot.

Ich werd an dich denken, sagt Origenes. Ich bring es noch zu was, als Nächstes lern ich schreiben, und wenn du magst, schreib ich ein Buch über dich, für Kinder und alte Leute. Was hältst du davon?

Und willst du gar nicht wissen, wie's mir ergangen ist?, fragt Agneta. Du und ich und ich und du, wie lang ist's her? Du weißt ja nicht mal, ob ich noch lebe, Söhnchen.

«Ich will's gar nicht wissen», sagt Tyll.

Du hast ihn verraten wie ich. Du brauchst mir nicht böse zu sein. Hast ihn einen Teufelsknecht genannt wie ich. Einen Hexer, wie ich. Was ich gesagt habe, hast du auch gesagt.

Da hat sie wieder recht, sagt Claus.

«Vielleicht, wenn wir doch die Hacke finden», sagt der Matthias stöhnend. «Vielleicht mit der Hacke können wir's locker machen.»

Lebendig oder tot, du legst dem Unterschied zu viel Gewicht bei, sagt Claus. Es gibt so viele Kammern dazwischen. So viele staubige Winkel, in denen du das eine nicht mehr bist und das andre noch nicht. So viele Träume, aus denen du nicht mehr aufwachen kannst.

Einen Kessel Blut habe ich gesehen, kochend über heißen Flammen, und die Schatten tanzen drum herum, und wenn der große Schwarze auf einen davon zeigt, aber er tut es nur alle tausend Jahre, dann ist des Brüllens kein Ende, dann tunkt der den Kopf ins Blut und säuft, und weißt du, das war noch lange nicht die Hölle, das war noch nicht mal der Eingang zu ihr. Ich habe Orte gesehen, wo die Seelen brennen wie Fackeln, nur heißer und heller und in Ewigkeit, und sie hören nicht auf zu schreien, weil auch ihr Schmerz nicht aufhört, und das ist sie immer noch nicht. Du denkst, dass du es ahnst, mein Sohn, aber du ahnst nichts. Im Schacht eingesperrt sein ist fast wie der Tod, denkst du, der Krieg ist fast die Hölle, aber die Wahrheit ist, dass alles, alles besser ist, hier unten ist es besser, draußen im Blutgraben ist es besser, auf dem Folterstuhl ist es besser. Also lass nicht los, bleib am Leben.

Tyll muss lachen.

«Warum lachst du?», fragt der Korff.

«Dann verrat mir halt einen Spruch», sagt Tyll. «Du bist kein guter Zauberer gewesen, aber vielleicht hast du dazugelernt.»

Mit wem redest du, fragt der Pirmin. Hier ist kein Geist außer mir.

Wieder eine Explosion, dann kracht und donnert es, der Matthias heult auf, ein Teil der Decke muss eingestürzt sein.

Bete, sagt der Eisenkurt. Mich hat's zuerst erwischt, jetzt ist der Matthias dran.

Tyll hockt sich hin. Er hört den Korff rufen, aber der Matthias antwortet nicht mehr. Ihm krabbelt etwas über die Wange, den Hals, die Schulter, es fühlt sich an wie eine Spinne, aber es gibt hier keine Tiere, also muss es Blut sein. Er tastet und findet eine Wunde an seiner Stirn, sie beginnt oben bei den Haaren und geht bis zur Nasenwurzel. Ganz weich fühlt es sich an, und das Rinnsal Blut wird immer größer. Aber er spürt nichts.

«Gott, vergib mir», sagt der Korff. «Herr Jesus Christ, vergib. Heiliger Geist. Ich hab einen Kameraden umgebracht wegen der Stiefel. Meine haben Löcher gehabt, er hat fest geschlafen, das war im Lager bei München, was hätt ich tun sollen, ich brauch doch Stiefel! Also hab ich zugegriffen. Ich hab ihn erwürgt, er hat die Augen noch aufgemacht, aber er hat nicht mehr schreien können. Ich hab halt Stiefel gebraucht. Und er hat ein Medaillon gehabt, das die Kugeln abwehrt, das hab ich auch gebraucht, wegen dem Medaillon bin ich nie getroffen worden. Gegen das Erwürgen hat's ihm nicht geholfen.»

«Seh ich wie ein Pfaffe aus?», fragt Tyll. «Deiner Großmutter kannst du beichten, mich lass in Ruh.»

«Lieber Herr Jesu», sagt der Korff. «In Braunschweig hab ich eine Frau vom Pfahl befreit, eine Hexe, früher Morgen war es, zu Mittag sollte sie brennen. Sie war ganz jung. Ich bin vorbeigekommen, keiner hat's gesehen, weil es noch dunkel war, ich hab die Fesseln durchgeschnitten, hab gesagt: Schnell, lauf mit mir! Sie hat es gemacht, sie war so dankbar, und dann hab ich sie genommen, sooft ich wollte, und ich wollte oft, und dann hab ich ihr die Kehle durchgeschnitten und sie vergraben.»

«Ich vergebe dir. Heut noch bist du mit mir im Paradies.»

Wieder eine Explosion.

«Warum lachst du?», fragt der Korff.

«Weil du nicht ins Paradies kommst, nicht heute und auch später nicht. Einen Galgenvogel wie dich fasst nicht mal der Satan an. Und außerdem lache ich, weil ich nicht sterbe.»

«Doch», sagt der Korff. «Ich hab's nicht glauben wollen, aber wir kommen nicht mehr raus. Mit dem Korff ist's vorbei.»

Wieder ein Knall, wieder bebt alles. Tyll hält seine Hände über den Kopf, als könnte das etwas nützen.

«Vorbei ist es vielleicht mit dem Korff. Aber nicht mit mir. Ich sterbe heut nicht.»

Er macht einen Sprung, als stünde er auf dem Seil. Sein Bein schmerzt, aber er steht fest auf den Füßen. Ein Stein fällt ihm auf die Schulter, mehr Blut läuft über seine Wange. Wieder kracht es, wieder fallen Steine. «Und ich sterbe auch nicht morgen und an keinem andren Tag. Ich will nicht! Ich mach's nicht, hörst du?»

Der Korff antwortet nicht, aber vielleicht kann er noch hören.

Also ruft Tyll: «Ich mach's nicht, ich geh jetzt, mir gefällt es hier nicht mehr.»

Ein Knall, ein Zittern, noch ein Stein fällt und streift seine Schulter.

«Ich geh jetzt. So hab ich's immer gehalten. Wenn es eng wird, gehe ich. Ich sterbe hier nicht. Ich sterbe nicht heute. Ich sterbe nicht!»

WESTFALEN

I

Sie ging noch aufrecht wie früher. Ihr Rücken schmerzte fast immer, aber sie ließ es sich nicht anmerken und hielt den Stock, auf den sie sich stützen musste, wie ein modisches Accessoire. Den Gemälden von einst sah sie noch ähnlich, ja es war genug von ihrer Schönheit übrig, um Menschen, die sich ihr unerwartet gegenüberfanden, in Verwirrung zu versetzen – so wie jetzt, als sie die Pelzkapuze zurückschlug und sich mit festem Blick im Vorzimmer umsah. Auf das verabredete Zeichen hin verkündete die Zofe hinter ihr, dass Ihre Majestät, die Königin von Böhmen, mit dem kaiserlichen Botschafter zu sprechen wünsche.

Sie sah, wie die Lakaien einander Blicke zuwarfen. Offenbar hatten die Spione diesmal versagt, keiner war auf ihr Kommen vorbereitet. Unter falschem Namen hatte sie ihr Haus bei Den Haag verlassen; der Passierschein, ausgestellt von den Generalständen der vereinigten holländischen Provinzen, wies sie als Madame de Cournouailles aus. In Begleitung nur des Kutschers und ihrer Zofe war sie über Oldenzaal, Bentheim und Ibbenbüren nach Osten gefahren, über brachliegende Felder und durch verbrannte Dörfer, abgeholzte Wälder, die immer gleichen Landschaften des Krieges. Es gab keine Herbergen, also hatten sie in der Kutsche übernachtet, ausgestreckt auf der Sitzbank, was gefährlich war, doch weder Wölfe noch Marodeure hatten sich für die kleine Kutsche einer alten Königin interessiert. Und so hatten sie unbehelligt die Straße von Münster nach Osnabrück erreicht.

Sogleich war alles anders gewesen. Die Wiesen wuchsen hoch, die Häuser hatten intakte Dächer. Ein Bach drehte das Rad einer Mühle. Am Straßenrand gab es Wachthäuschen, vor denen wohlgenährte Männer mit Hellebarden standen. Das neutrale Gebiet. Hier herrschte kein Krieg.

Vor den Mauern von Osnabrück war ein Wächter ans Kutschenfenster getreten und hatte nach ihrem Begehr gefragt. Wortlos hatte Fräulein von Quadt, die Zofe, den Passierschein hinübergereicht, und ohne großes Interesse hatte er darauf gesehen und sie weitergewinkt. Bereits der erste Bürger am Straßenrand, er war sauber gekleidet und sein Bart wohlgestutzt, hatte ihnen den Weg zum Quartier des kaiserlichen Botschafters gewiesen. Dort hatte der Kutscher sie und die Zofe aus dem Verschlag gehoben, über den kotigen Boden getragen und mit unversehrter Kleidung vor dem Portal abgesetzt. Zwei Hellebardenträger hatten ihnen die Türen geöffnet. Mit einer Sicherheit, als hätte sie hier Hausrecht – nach dem in ganz Europa geltenden Zeremoniell war auch ein besuchender König überall der

Hausherr –, war sie ins Vorzimmer getreten, und die Zofe hatte nach dem Botschafter verlangt.

Die Lakaien flüsterten und machten einander Zeichen. Liz wusste, dass sie die Überraschung nutzen musste. In keinem dieser Köpfe durfte sich der Gedanke formen, dass es möglich war, sie abzuweisen.

Sie war lange nicht als Monarchin aufgetreten. Wer in einem kleinen Haus lebte und nur mehr von Kaufleuten besucht wurde, die geliehenes Geld zurückwollten, hatte nicht oft dazu Gelegenheit. Aber sie war die Großnichte der jungfräulichen Elisabeth, die Enkelin der Maria von Schottland, die Tochter von Jakob, dem Herrscher beider Königreiche, und sie war als Kind schon darin ausgebildet worden, wie eine Königin zu stehen, zu gehen und dreinzublicken. Auch dies war ein Handwerk, und wer es gelernt hatte, vergaß es nicht.

Das Wichtigste: nicht nachfragen und nicht zögern. Keine Geste der Ungeduld, keine Regung, die nach Zweifel aussah. Sowohl ihre Eltern als auch ihr armer Friedrich, der nun schon so lange tot war, dass sie Porträts ansehen musste, um sich an sein Gesicht zu erinnern, hatten so gerade gestanden, als könnte kein Rheuma, keine Schwäche und keine Sorge sie je berühren.

Nachdem sie also eine kleine Weile gerade gestanden hatte, umgeben von Getuschel und Staunen, tat sie einen und dann noch einen Schritt auf die zwei goldbeschlagenen Türflügel zu. Solch eine Tür gab es sonst nicht in der westfälischen Provinz, jemand musste sie von weit her gebracht haben, ebenso wie die Gemälde an den Wänden und die Teppiche auf dem Boden und die Gardinen aus Damast und die seidenen Tapeten und die vielarmigen Kerzenleuchter und die zwei Luster, kristallschwer an der Decke, an denen, obgleich es heller Tag war, jede einzelne Kerze brannte. Kein Herzog und kein Fürst, ja nicht einmal Papa hätte ein Bürgerhaus in einer kleinen Stadt in solch einen Palast verwandelt. So etwas taten nur der König von Frankreich und der Kaiser.

Ohne innezuhalten, ging sie auf die Tür zu. Jetzt durfte sie nicht zögern. Der kürzeste Anflug von Unsicherheit würde ausreichen, um die zwei Lakaien, die links und rechts von der Tür standen, daran zu erinnern, dass es durchaus auch denkbar war, ihr nicht aufzumachen. Wenn das geschehen sollte, war ihr Vormarsch abgewehrt. Dann würde sie sich auf einen der Plüschstühle setzen müssen, und irgendwer würde auftauchen und ihr sagen, dass der Botschafter leider keine Zeit habe, dass aber sein Secretarius sie in zwei Stunden würde sehen können, und sie würde protestieren, und der Lakai würde kühl sagen, es tue ihm leid, und sie würde laut werden, und der Lakai würde es unbeeindruckt wiederholen, und sie würde noch lauter werden, und mehr Lakaien würden zusammenlaufen, und so wäre sie mit einem Mal keine Königin mehr, sondern eine klagende alte Dame im Vorzimmer.

Deshalb musste es gelingen. Einen zweiten Versuch würde es nicht geben. Man musste sich bewegen, als wäre die Tür nicht da, man durfte davon nicht langsamer werden; man musste so gehen, dass man, falls keiner aufmachte, mit voller Wucht dagegen prallte, und da die Quadt ihr in zwei Schritten Abstand folgte, würde die Zofe dann gegen ihren Rücken prallen, und die Blamage wäre unerträglich – genau deshalb würden sie öffnen; das war der ganze Trick.

Er gelang. Mit verwirrten Mienen griffen die Lakaien nach den Klinken und wuchteten die Türflügel auf. Liz trat ins Empfangszimmer. Sie wandte sich um und wies die Quadt mit einem Handzeichen an, ihr nicht weiter zu folgen. Das war ungewöhnlich. Eine Königin machte keine Besuche ohne Begleitung. Aber dies war auch keine normale Situation. Verblüfft blieb die Zofe stehen, und die Lakaien schlossen vor ihr die Tür.

Der Raum schien riesig. Vielleicht lag es an den geschickt gruppierten Spiegeln, vielleicht war es ein Kunststück der Wiener Hofmagier. Der Raum schien so groß, dass man nicht recht begriff, wie das Haus ihn fassen konnte. Wie ein Saal in einem Palast erstreckte er sich, und eine Flut von Teppichen trennte Liz von einem fernen Schreibtisch. Weit hinten gaben geöffnete Damastvorhänge den Blick auf eine Zimmerflucht frei, noch mehr Teppiche, noch mehr goldene Kerzenhalter, noch mehr Luster und Gemälde.

Hinter dem Schreibtisch erhob sich ein kleingewachsener Herr mit grauem Bart, der so unauffällig aussah, dass Liz einen Moment brauchte, um ihn zu bemerken. Er nahm seinen Hut ab und machte eine höfische Verbeugung.

«Willkommen», sagte er. «Darf ich hoffen, Madame, die Reise war keine beschwerliche?»

«Ich bin Elisabeth, Königin – »

«Verzeihen die Unterbrechung, es ist nur, um Hoheit Mühe zu ersparen. Erklärungen nicht vonnöten, ich bin im Bilde.»

Es kostete sie eine Weile, bis sie verstand, was er gesagt hatte. Sie holte Luft, um ihn zu fragen, woher er wusste, wer sie war, aber wieder war er schneller.

«Weil es meine Profession ist, Madame, Dinge zu wissen. Und meine Aufgabe, sie zu verstehen.»

Sie runzelte die Stirn. Ihr wurde heiß, was zum Teil an dem dicken Pelzmantel lag und zum Teil daran, dass sie es nicht gewohnt war, unterbrochen zu werden. Er stand nun vornübergebeugt, eine Hand auf dem Tisch, die andere auf dem Rücken, als hätte ihn ein Hexenschuss ereilt. Schnell ging sie auf den Stuhl vor dem Schreibtisch zu. Aber wie in einem Traum war der Raum so groß und der Tisch so weit weg, dass es dauern würde, bis sie ihn erreichte.

Dass er sie mit Hoheit angesprochen hatte, bedeutete, dass er zwar ihre Stellung als Mitglied der englischen Königsfamilie würdigte, sie aber nicht als Königin von Böhmen anerkannte, denn sonst hätte er sie mit Majestät anreden müssen; ja nicht einmal als Kurfürstin erkannte er sie an, denn dann hätte er Kurfürstliche Durchlaucht zu ihr gesagt, was zwar daheim in England nur wenig, aber hier im Reich mehr wert war als selbst die Hoheit eines Königskindes. Und gerade weil dieser Mann sein Geschäft verstand, kam es darauf an, dass sie sich hinsetzte, bevor er sie dazu aufforderte, denn während er natürlich einer Prinzessin einen Stuhl anzubieten hatte, so stand ihm dies bei einer Königin nicht zu. Monarchen setzten sich unaufgefordert, und alle anderen standen, bis der Monarch ihnen das Sitzen gestattete.

«Wollen Eure Hoheit –»

Aber da der Stuhl noch weit war, unterbrach sie ihn. «Ist Er der, von dem ich vermute, dass Er er ist?»

Das brachte ihn für einen Moment zum Schweigen. Zum einen, weil er nicht erwartet hatte, dass ihr Deutsch so gut war. Sie hatte ihre Zeit genützt, sie war in den Jahren nicht müßig gewesen, sie hatte Stunden bei einem liebenswürdigen jungen Deutschen genommen, der ihr gut gefallen hatte und in den sie sich fast hätte verlieben können – oft hatte sie von ihm geträumt und einmal sogar einen Brief an ihn aufgesetzt, aber so etwas war nicht möglich, sie durfte sich keinen Skandal leisten. Zum anderen schwieg er, weil sie ihn gekränkt hatte. Ein kaiserlicher Botschafter musste Exzellenz genannt werden – von jedem, außer von einem

König. Er hatte ihr gegenüber also auf einer Anrede zu bestehen, die sie ihm auf keinen Fall gewähren konnte. Für dieses Problem gab es nur eine einzige Lösung: Eine wie sie und einer wie er durften sich niemals begegnen.

Als er zu sprechen anhob, schlug sie einen Haken, ging auf einen Schemel zu und setzte sich; sie war ihm zuvorgekommen. Sie genoss diesen kleinen Sieg, lehnte den Gehstock an die Wand und verschränkte die Finger im Schoß. Dann sah sie seinen Blick.

Ihr wurde eiskalt. Wie hatte sie nur so einen Fehler machen können? Es musste daran liegen, dass sie seit Jahren aus der Übung war. Natürlich konnte sie weder stehen bleiben noch sich von ihm zum Sitzen auffordern lassen, aber ein Stuhl ohne Lehne, das hätte ihr auf keinen Fall passieren dürfen. Als Königin hatte sie selbst in Gegenwart des Kaisers Anrecht, auf einem Stuhl mit Rücken- und Armlehnen zu sitzen, schon ein Fauteuil wäre eine Erniedrigung, aber ein Schemel war unmöglich. Und mit Bedacht hatte er überall im Besuchszimmer Schemel aufgestellt, doch nirgendwo außer hinter seinem Tisch gab es einen Lehnstuhl.

Was sollte sie machen? Sie lächelte und beschloss, so zu tun, als spielte es keine Rolle. Aber er war nun im Vorteil: Er brauchte nur die Leute aus dem Vorzimmer hereinzurufen, und die Kunde davon, dass sie vor ihm auf einem Schemel gesessen hatte, würde wie ein Lauffeuer durch Europa gehen. Selbst daheim in England würde man lachen.

«Das hängt davon ab», sagte er, «was Eure Hoheit zu vermuten geruhen, aber da es Eurer Hoheit bescheidenem Diener nicht zusteht anzunehmen, Hoheit könnten anderes annehmen als das Richtige, stehe ich wiederum nicht an, Eurer Hoheit Frage mit Ja zu beantworten. Ich bin es, Johann von Lamberg, des Kaisers Botschafter, zu Eurer Hoheit Diensten. Eine Erfrischung? Wein?»

Das war eine weitere geschickte Verletzung ihrer Königswürde, denn man bot einem Monarchen nichts an – er hatte Hausrecht, es lag bei ihm zu verlangen, was er haben wollte. Solche Dinge waren nicht unwichtig. Drei Jahre hatten die Botschafter nur darüber verhandelt, wer sich vor wem zu verneigen hatte und wer vor wem zuerst den Hut abnehmen musste. Wer bei der Etikette einen Fehler machte, konnte nicht gewinnen. Also ignorierte sie sein Angebot, was ihr nicht leichtfiel, weil sie großen Durst hatte. Sie saß reglos auf ihrem Schemel und betrachtete ihn. Das konnte sie gut. Ruhig dasitzen hatte sie gelernt, darin hatte sie Übung, wenigstens darin übertraf sie niemand.

Lamberg wiederum stand noch immer vorgebeugt, eine Hand auf dem Tisch, die andere auf dem Rücken. Das tat er offensichtlich, um sich nicht entscheiden zu müssen, ob er sich hinsetzen oder stehen bleiben sollte: Vor einer Königin hätte er nicht sitzen dürfen, gegenüber einer Prinzessin aber wäre es für einen kaiserlichen Botschafter ein Verstoß gegen die Etikette gewesen, zu stehen, wenn sie saß. Da er als Botschafter des Kaisers Liz' Königstitel nicht anerkannte, wäre es schlüssig gewesen, sich zu setzen – aber zugleich auch eine drastische Beleidigung, die er auf diese Art, aus Höflichkeit und weil er noch nicht wusste, welche Waffen und Angebote sie in der Hand hatte, vermied.

«Halten zu Gnaden, eine Frage.»

Auf einmal war ihr seine Art zu reden genauso unangenehm wie seine österreichische Intonation.

«Wie Eure Hoheit allerbestens wissen, findet hier ein Gesandtenkongress statt. Seit Beginn der Verhandlungen hat kein fürstliches Haupt Münster und Osnabrück betreten. Sosehr Eurer Hoheit ergebener Diener sich auch freut, den gnädigen Besuch Eurer Hoheit in seiner armen Bleibe begrüßen zu dürfen, so sehr fürchtet er doch ...» Er seufzte, als bereitete es ihm tiefen Kummer, das auszusprechen, «... dass es sich nicht schickt.»

«Er meint, wir hätten ebenfalls einen Botschafter entsenden sollen.»

Er lächelte wieder. Sie wusste, was er dachte, und sie wusste, dass er wusste, dass sie es wusste: Du bist niemand, du lebst in einem kleinen Haus, deine Schulden wachsen dir über den Kopf, du entsendest keine Botschafter zu Kongressen.

«Ich bin gar nicht hier», sagte Liz. «So können wir

doch miteinander sprechen, oder? Er kann es sich als Selbstgespräch vorstellen. Er redet in Gedanken, und in seinen Gedanken antworte ich Ihm.»

Sie spürte etwas, womit sie nicht gerechnet hatte. So lange hatte sie Vorbereitungen getroffen, nachgedacht, Furcht gehabt vor dieser Begegnung, und jetzt, da es so weit war, geschah etwas Merkwürdiges: Es machte Spaß! All die Jahre im kleinen Haus, fernab von namhaften Leuten und wichtigen Ereignissen – mit einem Mal saß sie wieder wie auf einer Bühne, umgeben von Gold und Silber und Teppichen, und sprach mit einem schlauen Menschen, vor dem jedes Wort zählte.

«Wir wissen alle, dass die Pfalz ein ewiger Streitpunkt ist», sagte sie. «Wie auch die pfälzische Kurwürde, die mein verstorbener Mann innegehabt hat.»

Er lachte leise auf.

Das brachte sie aus dem Konzept. Aber darauf legte er es ja an, und genau deshalb durfte sie sich nicht beirren lassen.

«Die Kurfürsten des Reichs», sagte sie, «werden nicht akzeptieren, dass die bayerischen Wittelsbacher die Kurwürde behalten, die der Kaiser meinem Mann unrechtmäßigerweise aberkannt hat. Wenn Cäsar einen von uns enteignen kann, so werden sie sagen, dann kann er es mit allen tun. Und wenn wir – »

«Halten zu Gnaden, sie haben es längst akzeptiert. Eurer Hoheit Gemahl stand, wie auch Eure Hoheit selbst, unter der Reichsacht, was mich übrigens an jedem anderen Ort verpflichten würde, Eure Hoheit festnehmen zu lassen.»

«Deshalb haben wir Ihn auch hier und nicht an jedem anderen Ort aufgesucht.»

«Halten zu Gnaden –»

«Halte ich, aber vorher hört Er mir zu. Der Herzog von Bayern, der sich Kurfürst nennt, trägt wider alles Recht den Titel meines Mannes. Es steht dem Kaiser nicht zu, eine Kurwürde abzuerkennen. Die Kurfürsten wählen den Kaiser, der Kaiser wählt nicht die Kurfürsten. Aber wir verstehen die Lage. Der Kaiser schuldet den Bayern Geld, die Bayern haben wiederum die katholischen Stände fest in der Hand. Deshalb machen wir ein Angebot. Wir sind die gekrönte Königin Böhmens, und die Krone –»

«Halten zu Gnaden, für einen einzigen Winter vor dreißig –»

«… wird auf meinen Sohn übergehen.»

«Böhmens Krone ist nicht erblich. Wäre sie es, hätten die böhmischen Stände nicht dem Pfalzgrafen Friedrich, Eurer Hoheit Gemahl, den Thron anbieten können. Dass er die Krone angenommen hat, bedeutet, dass er wusste, dass Eurer Hoheit Sohn keinen Anspruch geltend machen kann.»

«So kann man es sehen, aber muss man das? England wird es vielleicht nicht so sehen. Wenn er Ansprüche geltend macht, wird England diese unterstützen.»

«In England herrscht Bürgerkrieg.»

«Richtig, und falls mein Bruder vom Parlament abgesetzt wird, bietet man die englische Krone meinem Sohn an.»

«Das ist zum mindesten unwahrscheinlich.»

Draußen schmetterten Posaunen: ein blecherner Ruf, der anstieg, eine Weile in der Luft hing und verklang. Liz hob fragend die Augenbrauen.

«Longueville, der französische Kollege», sagte Lamberg. «Er lässt Vivat blasen, wenn er sich zum Essen setzt. Jeden Tag. Er ist mit sechshundert Mann Gefolge hier. Allein vier Porträtmaler malen ihn ständig. Drei Holzschnitzer fertigen Büsten von ihm. Was er mit denen anfängt, bleibt ein Staatsgeheimnis.»

«Hat Er ihn danach gefragt?»

«Wir sind nicht autorisiert, miteinander zu reden.»

«Ist das nicht hinderlich beim Verhandeln?»

«Wir sind nicht als Freunde hier, und auch nicht, um Freunde zu werden. Der Botschafter des Vatikans vermittelt zwischen uns, so wie der Botschafter von Venedig zwischen mir und den Protestanten vermittelt, denn der Botschafter des Vatikans ist wiederum nicht autorisiert, mit Protestanten zu reden. Ich muss jetzt meinen Abschied nehmen, Madame, die Ehre dieses Gesprächs ist so groß wie unverdient, aber dringende Aufgaben erheben Anspruch auf meine Zeit.»

«Eine achte Kurwürde.»

Er sah auf. Sein Blick begegnete nur für einen Moment dem ihren. Dann sah er wieder auf den Tisch.

«Der Bayer soll seine Kurwürde behalten», sagte Liz. «Wir verzichten formell auf Böhmen. Und wenn – »

«Halten zu Gnaden, Hoheit können nicht verzichten auf etwas, das Hoheit nicht gehört.»

«Die schwedische Armee steht vor Prag. Die Stadt ist bald wieder in den Händen der Protestanten.»

«Schweden wird Euch die Stadt, falls Schweden sie einnimmt, gewiss nicht geben.»

«Der Krieg ist bald vorbei. Dann gibt es eine Amnestie. Dann wird auch der Bruch ... der angebliche Bruch des Reichsfriedens durch meinen Mann verziehen.»

«Die Amnestie ist längst ausgehandelt. Alle Taten des Krieges werden verziehen mit Ausnahme derer einer einzigen Person.»

«Ich kann mir denken, wer das ist.»

«Dieser endlose Krieg hat mit Eurer Hoheit Gemahl angefangen. Mit einem Pfalzgrafen, der zu hoch hinauswollte. Ich sage nicht, dass Hoheit Schuld tragen, aber ich kann mir doch vorstellen, dass die Tochter des großen Jakob nicht eben versucht hat, den ehrgeizigen Gemahl zur Bescheidenheit anzuhalten.» Lamberg schob langsam seinen Stuhl zurück und richtete sich auf. «Der Krieg dauert schon so lange, dass die meisten, die heute leben, keinen Frieden gesehen haben. Dass nur die Alten sich noch an Frieden erinnern. Ich und meine Kollegen – ja, auch der Dummkopf, der Fanfaren blasen lässt, wenn er sich zum Essen setzt – sind die Einzigen, die ihn beenden können. Jeder will Gebiete, die der andere auf keinen Fall hergeben möchte, jeder verlangt Subsidien, jeder will, dass Beistandsverträge gekündigt werden, die andere für unkündbar halten, damit stattdessen neue Verträge zustande kommen, von denen andere meinen, sie seien unannehmbar. Das hier geht über die Fähigkeiten jedes Menschen weit hinaus. Und dennoch müssen wir es schaffen. Ihr habt diesen Krieg angefangen, Madame. Ich beende ihn.»

Er zog an einem seidenen Strang über dem Tisch. Von nebenan hörte Liz den Ton einer Glocke. Jetzt ruft er einen Secretarius, dachte sie, irgendeinen grauen Zwerg, der mich hinauskomplimentiert. Ihr war schwindlig. Der Raum schien sich zu heben und zu senken, als wäre sie auf einem Schiff. Noch nie hatte jemand so mit ihr gesprochen.

Ein Lichtstrahl fesselte ihre Aufmerksamkeit. Er fiel durch einen dünnen Spalt zwischen den Gardinen, Staubkörnchen wirbelten darin, ein Spiegel an der gegenüberliegenden Wand fing ihn auf und warf ihn zur anderen Wand, wo er eine Stelle an einem Bilderrahmen aufglänzen ließ. Das Gemälde war von Rubens: eine hochgewachsene Frau, ein Mann mit einer Lanze, über ihnen ein Vogel im Himmelsblau. Eine schwebende Heiterkeit ging davon aus. Sie erinnerte sich gut an Rubens, einen traurigen Mann, dem hörbar das Atmen schwergefallen war. Sie hatte ein Bild von ihm kaufen wollen, aber es war zu teuer für sie gewesen; nichts schien ihn zu interessieren außer Geld. Wieso nur hatte er so malen können?

«Prag ist nie für uns gewesen», sagte sie. «Prag war ein Fehler. Aber die Pfalz gebührt meinem Sohn nach dem Recht des Reichs. Dem Kaiser stand es nicht zu, uns die Kurwürde abzuerkennen. Deshalb bin ich nicht nach England zurück. Mein Bruder hat mich immer wieder eingeladen, aber Holland ist formell weiterhin Teil des Reichs, und solange ich dort lebe, besteht unser Anspruch fort.»

Eine Tür öffnete sich, und ein fülliger Mann mit freundlichem Gesicht und klugen Augen kam herein. Er nahm den Hut ab und verbeugte sich. Obwohl er jung war, hatte er kaum mehr Haare auf dem Kopf.

«Graf Wolkenstein», sagte Lamberg. «Unser *Cavalier d'Ambassade*. Er wird Euch eine Unterkunft besorgen. Es gibt keine Herbergszimmer mehr, jeder Winkel ist vollgestopft mit den Gesandten und ihrem Gefolge.»

«Wir wollen Böhmen nicht», sagte Liz, «aber die Kurwürde geben wir nicht auf. Mein Erstgeborener, der klug und liebenswert war und auf den alle sich hätten einigen können, ist gestorben. Das Boot ist umgekippt. Er ist ertrunken.»

«Das tut mir leid», sagte Wolkenstein mit einer Schlichtheit, die sie berührte.

«Mein zweiter Sohn, der nächste in der Thronfolge, ist weder klug noch liebenswert, aber die Kurwürde der Pfalz gebührt ihm, und wenn der Bayer sie nun mal nicht hergibt, muss eine achte geschaffen werden. Die Protestanten werden es anders nicht dulden. Ich werde sonst zurück nach England gehen, wo das Parlament meinen Bruder absetzen und meinen Sohn zum König machen wird, und der wird vom englischen Thron herab dann Prag verlangen, und der Krieg endet nicht. Ich verhindere es. Ich ganz allein.»

«Wir brauchen uns nicht zu echauffieren», sagte Lamberg. «Ich werde Seiner Kaiserlichen Majestät Eurer Hoheit Botschaft übermitteln.»

«Und mein Mann muss in die Amnestie mit einbezogen werden. Wenn alle Taten des Krieges verziehen werden, dann müssen auch seine verziehen sein.»

«Nicht in diesem Leben», sagte Lamberg.

Sie stand auf. Ärger kochte in ihr empor. Sie spürte, dass sie rot angelaufen war, aber sie schaffte es doch, die Mundwinkel hochzuziehen, ihren Stock auf den Boden zu setzen und sich zur Tür zu wenden.

«Eine große und unverhoffte Ehre. Ein Glanz in diesem armen Haus.» Lamberg nahm den Hut ab und verbeugte sich. Keinerlei Spott klang in seiner Stimme.

Sie hob die Hand zum nachlässigen Winken der Könige und ging wortlos weiter.

Wolkenstein überholte sie, erreichte die Tür und gab ein Klopfzeichen – sofort zogen die Lakaien draußen die Flügel auf. Liz trat ins Vorzimmer, Wolkenstein folgte ihr. Vor der Zofe gingen sie zum Ausgang.

«Was Eurer Königlichen Hoheit Unterkunft angeht», sagte Wolkenstein, «so könnten wir anbieten – »

«Er soll sich nicht bemühen.»

«Es ist keine Mühe, sondern eine große – »

«Glaubt Er im Ernst, ich wünsche irgendwo zu logieren, wo es von kaiserlichen Spionen wimmelt?»

«Um ehrlich zu sein: Egal, wo Königliche Hoheit unterkommen, der Ort wird voller Spione sein. Wir haben so viele davon. Wir verlieren auf den Schlachtfeldern, und viele Geheimnisse sind nicht mehr übrig. Was sollen unsere armen Spione den ganzen Tag tun?»

«Der Kaiser verliert auf den Schlachtfeldern?»

«Ich war selbst gerade dabei, unten in Bayern. Mein Finger ist noch dort!» Er hob die Hand und bewegte seinen Handschuh, um ihr zu zeigen, dass die Hülle des rechten Zeigefingers leer war. «Wir haben die halbe Armee verloren. Königliche Hoheit haben keinen schlechten Moment gewählt. Wir machen nie Zugeständnisse, solange wir stark sind.»

«Die Zeit ist günstig?»

«Die Zeit ist immer günstig, wenn man es richtig anfängt. Vergnüge dich an dir und acht' es für kein Leid, hat sich gleich wider dich Glück, Ort und Zeit verschworen.»

«Wie bitte?»

«Das ist von einem deutschen Dichter. So etwas gibt es jetzt. Deutsche Dichter! Paul Fleming heißt er. Seine

Werke sind zum Weinen schön, leider ist er jung gestorben, krank an der Lunge. Man wagt nicht auszudenken, was aus ihm hätte werden können. Seinetwegen schreibe ich auf Deutsch.»

Sie lächelte. «Gedichte?»

«Prosa.»

«Wirklich, auf Deutsch? Ich habe es mal mit Opitz versucht –»

«Opitz!»

«Ja, Opitz.»

Beide lachten.

«Ich weiß, es klingt nach einer Torheit», sagte Wolkenstein. «Aber ich glaube, es geht, und ich habe beschlossen, eines Tages auf Deutsch mein Leben aufzuschreiben. Deshalb bin ich hier. Einmal wird man wissen wollen, wie das war beim großen Kongress. Ich habe einen Gaukler aus Andechs nach Wien gebracht, oder eigentlich hat er mich nach Wien gebracht, ohne ihn wäre ich tot. Aber als Seine Kaiserliche Majestät ihn dann geschickt hat, um vor den Gesandten aufzutreten, habe ich die Occasion ergriffen und bin mit ihm hergekommen.»

Liz gab ihrer Zofe ein Zeichen. Die lief hinaus, um die Kutsche vorfahren zu lassen. Es war ein schönes Gefährt, schnell und einigermaßen standesgemäß, Liz hatte es mitsamt zwei starken Pferden und einem zuverlässigen Kutscher von ihren letzten Ersparnissen für zwei Wochen gemietet. Das bedeutete, dass sie drei

Tage in Osnabrück bleiben konnte, danach musste sie sich auf den Heimweg machen.

Sie trat ins Freie und schlug sich die Pelzkapuze über den Kopf. War das nun eigentlich gut gelaufen? Sie wusste es nicht. So viel mehr hätte sie noch sagen, so viel anderes ins Feld führen wollen, aber das war wohl immer so. Papa hatte einmal gesagt, dass man stets nur einen kleinen Teil seiner Waffen einsetzen könne.

Rumpelnd fuhr die Kutsche vor. Der Fahrer stieg ab. Sie blickte sich um und erkannte mit eigentümlichem Bedauern, dass der dicke *Cavalier d'Ambassade* ihr nicht weiter gefolgt war. Sie hätte gern noch ein wenig mit ihm gesprochen.

Der Kutscher fasste sie um die Hüfte und trug sie zum Gefährt.

II

Am nächsten Vormittag suchte Liz den schwedischen Botschafter auf. Diesmal hatte sie ihren Besuch angekündigt, Schweden war eine befreundete Macht und Überrumpelung nicht notwendig. Der Mann würde sich freuen, ihr zu begegnen.

Die Nacht war furchtbar gewesen. Nach langem Suchen hatten sie ein Zimmer in einer besonders verdreckten Herberge gefunden: kein Fenster, Reisig auf dem Boden, statt eines Bettes ein schmaler Strohsack, den sie sich mit der Zofe teilen musste. Als sie nach Stunden endlich in unruhigen Schlaf gefallen war, hatte sie von Friedrich geträumt. Sie waren wieder in Heidelberg gewesen, wie damals, bevor Leute mit unaussprechlichen Namen ihnen Böhmens Krone aufgedrängt hatten. Nebeneinander waren sie durch einen der steinernen Gänge des Schlosses gegangen, und sie hatte bis ins Innerste ihrer Seele gespürt, wie es war, wenn man zusammengehörte. Als sie aufgewacht war, hatte sie dem Schnarchen des draußen vor der Tür schlafenden Kutschers gelauscht und darüber nachgedacht, dass sie jetzt schon fast so lange ohne ihn lebte, wie sie einst mit ihm verheiratet gewesen war.

Als sie ins Vorzimmer des Gesandten trat, musste sie ein Gähnen unterdrücken; sie hatte viel zu wenig geschlafen. Auch hier lagen Teppiche, aber die Wände waren protestantisch kahl, nur an der Längsseite hing ein mit Perlen besetztes Kreuz. Das Zimmer war voller Menschen: Einige studierten Akten, andere gingen unruhig auf und ab, sie warteten offenbar schon seit geraumer Zeit. Wie kam es eigentlich, dass Lambergs Vorzimmer leer gewesen war? Hatte er noch ein anderes, vielleicht sogar mehrere?

Alle Augen wandten sich ihr zu. Es wurde still. Wie am Vortag ging sie festen Schrittes auf die Tür zu, während die Quadt hinter ihr mit lauter, wenn auch etwas zu schriller Stimme ausrief, die Königin von Böhmen sei hier. Plötzlich stieg die nervöse Furcht in ihr auf, dass es diesmal nicht gutgehen würde.

Und wirklich, der Lakai griff nicht nach dem Türknauf.

Mit einem unschönen Halbschritt kam sie zum Stehen, so abrupt, dass sie sich mit der Hand an der Tür abstützen musste. Sie hörte, wie die Zofe hinter ihr beinahe stolperte. Ihr wurde heiß. Sie hörte Murmeln, sie hörte Tuscheln, und ja, Kichern hörte sie auch.

Langsam wich sie zwei Schritte zurück. Zum Glück hatte die Zofe die Geistesgegenwart, ebenfalls zurückzuweichen. Liz krampfte die linke Hand um den Gehstock und sah den Lakaien mit ihrem liebenswürdigsten Lächeln an.

Der Kerl glotzte blöd. Natürlich, ihm hatte keiner gesagt, dass es eine Königin von Böhmen gab, er war jung, er wusste von nichts, und er wollte nicht riskieren, einen Fehler zu machen. Wer konnte es ihm verdenken?

Aber sie konnte sich auch nicht einfach hinsetzen. Eine Königin hockte nicht im Vorzimmer, bis man Zeit für sie hatte. Es gab schon gute Gründe dafür, dass gekrönte Häupter nicht zu einem Gesandtenkongress reisten. Aber was hätte sie anderes tun sollen? Ihr Sohn, für dessen Kurwürde sie kämpfte, war viel zu herrisch und unbedarft, er hätte mit Sicherheit alles verdorben. Und Diplomaten hatte sie nicht.

Sie stand so unbeweglich wie der Lakai. Das Murmeln schwoll an. Sie hörte lautes Lachen. Nicht rot werden, dachte sie, nur das nicht. Nur nicht rot werden!

Sie dankte Gott von ganzem Herzen, als jemand die Tür von der anderen Seite öffnete. Ein Kopf schob sich durch den Spalt. Ein Auge stand höher als das andere, die Nase war seltsam schräg daruntergesetzt, die Lippen waren voll, schienen sich aber nicht recht zusammenzufügen. An seinem Kinn hing ein strähniger Spitzbart.

«Eure Majestät», sagte das Gesicht.

Liz trat ein, und der ungerade Mann schloss schnell wieder die Tür, als wollte er vermeiden, dass andere nachdrängten.

«Alvise Contarini, zu Euren Diensten», sagte er auf Französisch. «Botschafter der Republik Venedig. Ich bin der Vermittler hier. Kommt weiter.»

Er führte sie durch einen schmalen Korridor. Auch hier waren die Wände kahl, aber der Teppich war auserlesen und – Liz erkannte es, schließlich hatte sie zwei Schlösser eingerichtet – unbezahlbar.

«Ein Wort vorab», sagte Contarini. «Die größte Schwierigkeit ist nach wie vor die, dass Frankreich fordert, die kaiserliche Linie des Hauses Österreich solle die spanische Linie nicht mehr unterstützen. Schweden wäre das egal, aber wegen der hoben Subsidienzahlungen, die Schweden aus Frankreich bekommen hat, müssen sich die Schweden die Forderung zu eigen machen. Der Kaiser ist immer noch kategorisch dagegen. Solange das nicht gelöst ist, bekommen wir keine Unterschrift von einer der drei Kronen.»

Liz neigte den Kopf und lächelte unergründlich, wie sie es ihr Leben lang getan hatte, wenn sie etwas nicht verstand. Wahrscheinlich, dachte sie, wollte er ja überhaupt nichts Bestimmtes von ihr und war nur einfach ans Reden gewöhnt. Solche Leute gab es an jedem Hof.

Sie erreichten das Ende des Korridors, Contarini öffnete die Tür und ließ ihr mit einer Verbeugung den Vortritt. «Eure Majestät, die schwedischen Botschafter. Graf Oxenstierna und Doktor Adler Salvius.»

Sie sah sich irritiert um. Da saßen sie, der eine in

der rechten, der andere in der linken Ecke des Empfangszimmers, in gleich großen Lehnstühlen, wie platziert von einem Maler. In der Mitte des Raumes stand ein weiterer Stuhl mit Armlehnen. Als Liz auf ihn zutrat, erhoben sich die beiden Männer und verbeugten sich tief. Liz setzte sich, die Männer blieben stehen. Oxenstierna war ein schwerer Mann mit vollen Wangen, Salvius war schmal und hoch gewachsen und wirkte vor allem sehr müde.

«Eure Majestät waren bei Lamberg?», fragte Salvius auf Französisch.

«Das wisst Ihr?»

«Osnabrück ist klein», sagte Oxenstierna. «Eure Majestät wissen, dass dies ein Gesandtenkongress ist? Keine Fürsten, keine Herrscher und –»

«Ich weiß das», sagte sie. «Ich bin auch eigentlich nicht hier. Und der Grund, dessentwegen ich nicht hier bin, ist die Kurwürde, die meiner Familie zusteht. Wenn ich richtig informiert bin, unterstützt Schweden unseren Anspruch auf eine Restitution des Titels.» Es tat gut, Französisch zu sprechen; die Worte kamen schneller, die Wendungen fügten sich, es kam ihr vor, als ob die Sprache selbst die Sätze bildete. Am liebsten hätte sie ja Englisch gesprochen, die reiche, weiche und singende Sprache ihrer Heimat, die Sprache des Theaters und der Gedichte, aber fast niemand hier verstand sie. Es gab auch keinen englischen Botschafter in Osnabrück, schließlich hatte Papa sie und Friedrich geopfert, um sein Land aus dem Krieg herauszuhalten.

Sie wartete. Keiner sprach.

«Das ist doch richtig?», fragte sie schließlich. «Dass Schweden unseren Anspruch unterstützt, das stimmt doch?»

«Im Prinzip», sagte Salvius.

«Wenn Schweden auf einer Restitution unseres Königstitels besteht, wird mein Sohn anbieten, auf ebendiese Restitution von seiner Seite aus zu verzichten, sofern der kaiserliche Hof uns in einem Geheimabkommen dafür die Schaffung einer achten Kurwürde zusichert.»

«Der Kaiser kann keine neue Kurwürde schaffen», sagte Oxenstierna. «Er hat kein Recht dazu.»

«Wenn die Stände es ihm geben, hat er es», sagte Liz.

«Aber das dürfen sie nicht», sagte Oxenstierna. «Außerdem wollen wir viel mehr, nämlich die Rückgabe von allem, was unserer Seite im Jahr dreiundzwanzig fortgenommen wurde.»

«Eine neue Kurwürde wäre im katholischen Interesse, weil Bayern die Kurwürde behielte. Und sie wäre im protestantischen Interesse, weil unsere Seite einen protestantischen Kurfürsten dazubekäme.»

«Vielleicht», sagte Salvius.

«Nie», sagte Oxenstierna.

«Die Herren haben beide recht», sagte Contarini.

Liz sah ihn fragend an.

«Geht nicht anders», sagte Contarini auf Deutsch. «Sie müssen beide recht haben. Der eine steht seinem Vater, dem Kanzler, nahe und will weiter Krieg führen, den anderen hat die Königin geschickt, damit er Frieden schließt.»

«Was sagt Ihr?», fragte Oxenstierna.

«Ich habe ein deutsches Sprichwort zitiert.»

«Böhmen ist nicht Teil des Reichs», sagte Oxenstierna. «Wir können Prag nicht in die Verhandlungen einbeziehen. Darüber müssten wir zuvor verhandeln. Man muss immer erst aushandeln, worüber man eigentlich verhandeln wird, bevor man verhandelt.»

«Andererseits», sagte Salvius, «hat Ihre Majestät, die Königin –»

«Ihre Majestät ist unerfahren, und mein Vater ist ihr Vormund. Und er meint, dass –»

«War.»

«Wie?»

«Die Königin ist volljährig.»

«Gerade erst geworden. Mein Vater, der Kanzler, ist Europas erfahrenster Staatenlenker. Seit unser großer Gustav Adolf in Lützen sein Leben ausgehaucht hat –»

«Seither haben wir kaum mehr gewonnen. Ohne die Hilfe der Franzosen wären wir verloren gewesen.»

«Wollt Ihr sagen –»

«Wer wäre ich, die Verdienste des Herrn Reichskanzlers Hochgräflicher Exzellenz Eures Vaters zu schmälern, ich bin aber der Meinung –»

«Aber vielleicht zählt Eure Meinung nicht so viel, Herr Doktor Salvius, vielleicht ist die Meinung des zweiten Botschafters nicht –»

«Des Verhandlungsführers.»

«Ernannt von der Königin. Deren Vormund aber ist mein Vater!»

«War. Euer Vater *war* ihr Vormund!»

«Vielleicht können wir uns darauf einigen, dass der Vorschlag Ihrer Majestät es wert ist, bedacht zu werden», sagte Contarini. «Wir müssen nicht sagen, dass wir ihm folgen, wir müssen nicht einmal versprechen, den Vorschlag zu bedenken, aber wir können uns doch alle darauf einigen, dass der Vorschlag es wert sein könnte, von uns bedacht zu werden.»

«Das reicht nicht», sagte Liz. «Sobald Prag erobert ist, muss eine offizielle Forderung an Graf Lamberg ergehen, meinem Sohn den böhmischen Thron zurückzugeben. Dann wird ihm mein Sohn sofort in einem Geheimabkommen zusagen, dass er darauf verzichtet, soweit er wiederum mit Schweden und Frankreich ein Geheimabkommen über die achte Kurwürde schließt. Das muss schnell gehen.»

«Nichts geht schnell», sagte Contarini. «Ich bin seit Beginn der Verhandlungen hier. Ich dachte, dass ich keinen Monat in dieser grässlichen Regenprovinz aushalte. Inzwischen sind fünf Jahre vergangen.»

«Ich weiß, wie es ist, wenn man beim Warten alt wird», sagte Liz. «Und ich warte nicht länger. Wenn Schweden nicht die böhmische Krone fordert, damit mein Sohn dann im Austausch gegen die Kurwürde auf sie verzichten kann, werden wir auf die Kurwürde verzichten. Dann habt Ihr nichts mehr in der Hand, um eine achte Kurwürde zu bekommen. Es wäre das Ende unserer Dynastie, aber ich würde einfach zurück nach England gehen. Ich wäre gern wieder daheim. Ich würde gern wieder ins Theater gehen.»

«Ich wäre auch gern daheim in Venedig», sagte Contarini. «Ich möchte noch Doge werden.»

«Eure Majestät erlauben mir nachzufragen», sagte Salvius. «Damit ich verstehe. Ihr kommt hierher, um etwas zu verlangen, das wir von selbst nie betrieben hätten. Und Eure Drohung ist: Wenn wir nicht tun, was Ihr wollt, dann zieht Ihr Eure Forderung zurück? Wie soll man solch ein Manöver nennen?»

Liz lächelte ihr geheimnisvollstes Lächeln. Nun tat es ihr wirklich leid, dass kein Bühnenrand vor ihr war und nicht das Halbdunkel eines Zuschauerraums mit gebannt lauschendem Publikum. Sie räusperte sich, und obwohl sie ihre Antwort schon wusste, tat sie wegen des größeren Effektes auf die Zuschauer, die nicht da waren, als müsste sie nachdenken.

«Ich schlage vor», sagte sie schließlich, «Ihr nennt es Politik.»

III

Am nächsten Tag, dem letzten ihres Aufenthalts in Osnabrück, verließ Liz am frühen Nachmittag ihr Herbergszimmer, um sich auf den Empfang des Bischofs zu begeben. Keiner hatte sie eingeladen, aber sie hatte gehört, dass alle, die etwas zählten, dort sein würden. Morgen um diese Zeit würde sie schon auf dem Rückweg sein, durch verheerte Landschaften, zu ihrem kleinen Haus bei Den Haag.

Sie konnte es nicht in die Länge ziehen. Sie musste abreisen, nicht bloß des Geldmangels wegen, sondern auch, weil sie die Regeln eines guten Dramas kannte: Eine abgesetzte Königin, die plötzlich auftauchte und wieder verschwand, so etwas machte Eindruck. Eine abgesetzte Königin aber, die auftauchte und blieb, bis man sich an sie gewöhnte und anfing, über sie Witze zu machen, das ging nicht. Das hatte sie in Holland gelernt, wo man sie und Friedrich einst so freundlich willkommen geheißen hatte und wo inzwischen die Mitglieder der Generalstände immer gerade verhindert waren, wenn sie um ein Treffen bat.

Dieser Empfang würde ihr letzter Auftritt sein. Sie hatte ihre Vorschläge gemacht, hatte gesagt, was sie zu sagen hatte. Mehr konnte sie für ihren Sohn nicht tun.

Leider kam er nach ihrem Bruder und war ein rechter Klotz. Beide sahen ihrem Großvater ähnlich, aber sie hatten nichts von dessen lauernder Klugheit; sie waren raumgreifende, wichtigtuerische Männer mit tiefen Stimmen und breiten Schultern und ausholenden Bewegungen, die für ihr Leben gern jagen gingen. Ihr Bruder drüben in der Heimat würde seinen Krieg gegen das Parlament wohl verlieren, und ihr Sohn, falls er wirklich Kurfürst werden sollte, würde kaum als großer Herrscher in die Geschichte eingehen. Dreißig Jahre alt war er schon, also nicht mehr jung, und zurzeit trieb er sich irgendwo in England herum, wahrscheinlich jagte er gerade, während sie für ihn in Westfalen verhandelte. Seine seltenen Briefe an sie waren kurz und von einer Kühle, nicht weit entfernt von Feindseligkeit.

Und wie immer, wenn sie an ihn dachte, formte sich das Bild des anderen in ihr: ihres schönen Sohnes, ihres klugen und strahlenden Erstgeborenen, der die freundliche Seele seines Vaters gehabt hatte und ihren Verstand – ihr Stolz, ihre Freude und Hoffnung. Wenn sein Bild in ihr aufstieg, trug es verschiedene Gesichter, alle zur gleichen Zeit: Sie sah ihn, wie er mit drei Monaten gewesen war, mit zwölf Jahren, mit vierzehn. Und da fühlte sie jenes andere Bild herandringen, das jeder Gedanke an ihn mit sich brachte und dessentwegen sie sich bemühte, so wenig an ihn zu denken wie möglich:

das kenternde Boot, der schwarze Schlund des Flusses. Sie wusste, wie es sich anfühlte, beim Schwimmen aus Versehen Wasser zu schlucken, aber ertrinken? Sie konnte es sich nicht vorstellen.

Osnabrück war winzig, und sie hätte von der Herberge aus zu Fuß gehen können. Doch die Straßen waren sogar für deutsche Verhältnisse schmutzig, und außerdem: Wie hätte das ausgesehen?

Also ließ sie sich wieder in die Kutsche heben, lehnte sich zurück und sah die schmalen Giebelhäuser vorbeiruckeln. Die Zofe saß schweigend neben ihr, sie war es gewohnt, von Liz ignoriert zu werden, niemals sprach sie sie an; sich wie ein Möbelstück zu verhalten war das Einzige, was eine Zofe wirklich können musste. Kalt war es, und feiner Nieselregen fiel, dennoch ließ sich die Sonne als bleicher Fleck hinter den Wolken ausmachen. Der Regen reinigte die Luft vom Geruch der Gassen. Kinder liefen vorbei, sie sah eine Gruppe Stadtsoldaten auf Pferden, dann einen Eselskarren mit Mehlsäcken. Schon schwenkten sie auf den Hauptplatz ein. Dort drüben war die Residenz des kaiserlichen Botschafters, in der sie vorgestern gewesen war; in der Mitte des Platzes stand ein mannshoher Block mit Löchern für Kopf und Arme. Letzten Monat erst, so hatte ihr die Herbergswirtin erzählt, hatte hier eine Hexe gestanden. Der Richter war milde gewesen, man hatte ihr das Leben geschenkt und sie nach zehn Tagen am Pranger aus der Stadt gejagt.

Der Dom war klobig und deutsch, ein verunglücktes Ungetüm, der eine Turm dicker als der andere. Seitlich daran gebaut war ein längliches Haus mit wuchtigen Simsen und einem spitzen Dach. Mehrere Kutschen verstellten den Platz, sodass Liz nicht vorfahren konnte. Ihr Kutscher musste in einiger Entfernung halten und sie zum Eingangsportal tragen. Er roch schlecht, und der Regen machte ihren Pelzmantel nass, aber immerhin ließ er sie nicht fallen.

Etwas unsanft setzte er sie ab; sie stützte sich auf ihren Gehstock, um nicht das Gleichgewicht zu verlieren. In solchen Momenten spürte sie ihr Alter. Sie schlug die Fellkapuze zurück und dachte: Mein letzter Auftritt. Eine prickelnde Aufregung erfüllte sie, wie seit Jahren nicht. Der Kutscher ging zurück, um die Zofe zu holen, aber Liz wartete nicht, sondern trat alleine ein.

Schon in der Eingangshalle hörte sie die Musik. Sie blieb stehen und horchte.

«Seine Kaiserliche Majestät hat uns die besten Streicher des Hofes geschickt.»

Lamberg trug einen Umhang in dunklem Purpur. Um den Hals hatte er die Kette des Ordens vom Goldenen Vlies. Neben ihm stand Wolkenstein. Die beiden nahmen die Hüte ab und verneigten sich. Liz nickte Wolkenstein zu, der lächelte sie an.

«Eure Hoheit reisen morgen ab», sagte Lamberg.

Es irritierte sie, dass es nicht wie eine Frage klang, sondern wie ein Befehl.

«Wie immer ist der Herr Graf gut informiert.»

«Nie so gut, wie ich gern wäre. Aber ich verspreche Eurer Hoheit, dass Ihr Musik wie diese nicht leicht anderswo hören werdet. Wien möchte dem Kongress seine Gunst bezeigen.»

«Weil Wien auf dem Schlachtfeld verliert?»

Er tat, als hätte er die Frage nicht gehört. «Und so hat der Hof seine besten Musici geschickt und Schauspieler von Rang und seinen besten Gaukler. Eure Hoheit waren bei den Schweden?»

«Er weiß wirklich alles.»

«Und jetzt weiß Eure Hoheit auch, dass die Schweden zerstritten sind.»

Draußen wurden Posaunen geblasen, Lakaien rissen die Tür auf, ein vor Edelsteinen blitzender Mann kam herein, an seinem Arm eine Frau mit langer Schleppe und einem Diadem. Im Vorbeigehen warf der Mann Lamberg einen nicht unfreundlichen Blick zu, der neigte den Kopf so wenig, dass es nicht ganz ein Nicken war.

«Frankreich?», fragte Liz.

Lamberg nickte.

«Hat Er unseren Vorschlag nach Wien gesandt?»

Lamberg antwortete nicht. Es war nicht zu erkennen, ob er ihre Frage gehört hatte.

«Oder ist das nicht nötig? Hat Er Vollmacht, allein zu entscheiden?»

«Ein Entschluss des Kaisers ist immer ein Entschluss des Kaisers und niemandes sonst. Und jetzt muss ich meinen Abschied von Eurer Hoheit nehmen. Selbst unter dem Schutz des falschen Namens schickt es sich nicht, dass Euer ergebener Diener weiterhin mit Eurer Hoheit parliert.»

«Weil wir unter Reichsacht stehen, oder weil die Frau Gemahlin eifersüchtig wird?»

Lamberg lachte leise auf. «Wenn Eure Hoheit gestatten, wird Graf Wolkenstein Euch in den Saal geleiten.»

«Darf er das denn?»

«Er ist eine freie Seele vor Gott. Er darf alles, was sich ziemt.»

Wolkenstein winkelte den Arm an, Liz legte ihre Hand auf seinen Handrücken, gemessenen Schrittes gingen sie hinein.

«Sind alle Botschafter hier?», fragte sie.

«Alle. Nur darf nicht jeder jeden grüßen und schon gar nicht jeder mit jedem reden. Alles ist streng geregelt.»

«Darf Er mit mir reden, Wolkenstein?»

«Absolut nicht. Aber ich darf mit Euch gehen. Und davon werde ich meinen Enkeln erzählen. Und schreiben werde ich darüber. Die Königin von Böhmen, werde ich schreiben, die legendäre Elisabeth, die ...»

«Winterkönigin?»

«*Fair phoenix bride* wollte ich sagen.»

«Er kann Englisch?»

«Ein wenig.»

«Er hat John Donne gelesen?»

«Nicht viel. Aber immerhin noch den schönen Gesang, in dem er Eurer Königlichen Hoheit Vater auffordert, dem König von Böhmen endlich beizustehen. *No man is an island.*»

Sie sah auf. Der Empfangssaal hatte die stümperhaften Deckenfresken, die man in deutschen Landen häufig sah – üblicherweise das Werk eines zweitklassigen italienischen Künstlers, der es in Florenz nie zu etwas gebracht hätte. Ein Sims trug Statuen ernst blickender Heiliger. Zwei hielten Lanzen, zwei hielten Kreuze, einer hatte die Hände zu Fäusten geballt, einer hielt eine Krone. Unter dem Sims waren Fackeln angebracht, und in vier großen Deckenlustern brannten Dutzende Kerzen, vervielfacht von Spiegeln. An der hinteren Wand standen sechs Musiker: vier Geiger, ein Harfenspieler und einer, der ein fremdartiges Horn hielt, wie Liz es noch nie gesehen hatte.

Sie lauschten. Selbst in Whitehall hatte sie nicht dergleichen gehört. Eine Geige ließ eine Melodie aus der Tiefe aufsteigen, eine andere Geige griff sie auf, gab der Melodie Deutlichkeit und Kraft und reichte sie an die dritte weiter, während die vierte Geige sie mit einer zweiten, leichteren Melodie umspielte. Unversehens vereinigten sich beide Melodien, flossen ineinander und wurden von der Harfe aufgegriffen, die nun in den Mittelpunkt trat, während die Geigen wie in leisem Gespräch bereits eine neue Melodie gefunden hatten; und just in diesem Moment gab die Harfe ihnen die andere Melodie zurück, und die beiden fügten sich zusammen, und über ihnen erhob sich der Freudenruf einer dritten Melodie, stählern und pulsierend, die Stimme des Horns.

Dann war es still. Das Stück war kurz gewesen, aber es fühlte sich an, als hätte es viel länger gedauert, als hätte es seine eigene Zeit in sich getragen. Ein paar Zuhörer klatschten zögernd. Andere standen still und schienen in sich hineinzuhorchen.

«Auf dem Weg hierher haben sie uns jeden Abend vorgespielt», sagte Wolkenstein. «Der Lange dort heißt Hans Kuchner, er kommt aus dem Dorf Hagenbrunn, er war in keiner Schule und kann kaum sprechen, aber der Herr hat ihn gesegnet.»

«Eure Majestät!»

Ein Paar war an sie herangetreten: ein Herr mit kantigem Gesicht und großem Kiefer, an seinem Arm eine Dame, die aussah, als ob sie frieren würde.

Mit Bedauern sah Liz, dass Wolkenstein, dem offenbar verboten war, die Anwesenheit dieses Mannes auch nur zur Kenntnis zu nehmen, einen Schritt zurück trat, die Hände auf dem Rücken faltete und sich abwandte. Der Mann verbeugte sich, die Frau machte einen höfischen Knicks.

«Wesenbeck», sagte er, wobei er das Knacken am Schluss seines Namens so hart aussprach, dass es klang wie eine kleine Explosion. «Zweiter Gesandter des Kurfürsten von Brandenburg. Zu Eurer Majestät Diensten.»

«Wie schön», sagte Liz.

«Eine achte Kurwürde zu verlangen. Respekt!»

«Wir haben nichts verlangt. Ich bin eine schwache Frau. Frauen verhandeln nicht und verlangen nichts. Mein Sohn wiederum hat zurzeit keinen Titel, der ihm erlauben würde, etwas zu verlangen. Wir können nicht fordern. Wir können nur verzichten. Das habe ich in Bescheidenheit angeboten. Niemand sonst kann auf Böhmens Krone verzichten, nur wir können das, und wir tun es im Austausch gegen die Kurwürde. Die Krone für uns verlangen, das müssen die protestantischen Reichsstände.»

«Also wir.»

Liz lächelte.

«Und wenn wir das nicht tun, etwa weil wir nicht wollen, dass die bayerischen Wittelsbacher ihre Kurwürde behalten –»

«Das wäre ein Fehler, denn sie werden sie ja doch behalten, und in diesem Fall würden wir auf die pfälzische Kurwürde verzichten. Deutlich und vor aller Welt. Dann habt Ihr nichts mehr zu fordern.»

Der Gesandte nickte nachdenklich.

Und mit einem Mal kam ihr ein Gedanke, den sie noch nicht zu denken gewagt hatte. Es würde gelingen! Als sie die Idee gehabt hatte, eine Kutsche zu mieten, nach Osnabrück zu fahren und sich in die Verhandlungen einzumischen, war ihr das zunächst wie ein völlig absurder Einfall vorgekommen. Fast ein Jahr hatte sie gebraucht, um Zutrauen zu sich selbst zu fassen, und ein weiteres Jahr, um es wirklich in die Wege zu leiten. Im Grunde aber hatte sie die ganze Zeit erwartet, dass man sie auslachen würde.

Jetzt aber, da sie dem Mann mit dem großen Kiefer gegenüberstand, begriff sie verwirrt, dass es tatsächlich glücken konnte: der Kurfürstentitel für ihren Sohn. Ich war dir keine gute Mutter, dachte sie, und geliebt habe ich dich wohl kaum so, wie es sich gehört hätte, aber eines habe ich für dich getan: Ich bin nicht nach England zurück, ich bin in dem kleinen Haus geblieben und habe vorgetäuscht, es wäre ein Königshof im Exil, und alle Männer habe ich abgewiesen nach dem Tod deines armen Vaters, obwohl mich viele wollten, auch ganz junge, denn ich war eine Legende und schön dazu; aber ich wusste, dass es keinen Skandal geben durfte, um unseres Anspruchs willen, und habe es keinen Moment vergessen.

«Wir zählen auf Euch», sagte sie. Hatte sie den richtigen Ton getroffen, oder war das zu feierlich? Aber er hatte solch einen großen Kiefer, und seine Brauen waren so buschig, und als er seinen Namen genannt hatte, waren ihm fast die Tränen gekommen. Für ihn war der gehobene Ton wohl angemessen. «Wir zählen auf Brandenburg.»

Er machte eine Verbeugung. «So zählt auf Brandenburg.»

Seine Frau betrachtete Liz mit eisigem Blick. In der Hoffnung, dass das Gespräch jetzt vorbei war, sah Liz sich nach Wolkenstein um, aber der war nicht mehr zu sehen; und jetzt waren auch die Brandenburger gesetzten Schrittes weitergegangen.

Sie stand allein. Die Musiker begannen von neuem. Liz zählte die Taktschläge und erkannte den neuesten Modetanz, ein Menuett. Zwei Reihen formten sich, die Herren hier, drüben die Damen. Die Reihen entfernten sich voneinander, dann gingen sie aufeinander zu, Partner fassten einander an behandschuhten Händen. Nach einer Drehung traten sie auseinander, die Reihen entfernten sich wieder, und alles wiederholte sich, während die Musik das Thema von vorhin leicht und singend variierte: auseinander, zusammen, Drehung, auseinander. In den Tönen schwang Sehnsucht, die man spürte, ohne zu begreifen, wem oder was sie galt. Dort schritt der französische Botschafter neben Graf Oxenstierna; die beiden sahen einander nicht an, aber sie bewegten sich, getragen vom Takt, im Gleichschritt. Dort war Contarini, dessen Dame sehr jung war, eine berückend schlanke Schönheit, und dort war Wolkenstein, der die Augen halb geschlossen hatte, sich ganz der Musik überließ und offenbar nicht mehr an sie dachte.

Sie bedauerte, dass sie nicht mitmachen konnte.

Sie hatte immer gern getanzt, aber alles, was sie noch hatte, war ihr Stand, und der war zu hoch, um sich in eine der Reihen einzugliedern. Außerdem konnte sie sich schlecht bewegen, ihr Pelzmantel war zu dick für einen von so vielen Fackeln aufgeheizten Saal, aber sie konnte ihn auch nicht gut ablegen, weil das Kleid, das sie darunter trug, zu einfach war. Von ihrer alten Garderobe war nur noch dieser Hermelin übrig, alles andere war versetzt und verkauft. Sie hatte sich immer gefragt, wozu sie ihn behalten hatte. Jetzt wusste sie es.

Die Reihen kamen wieder zusammen, aber auf einmal gab es Unordnung. Jemand stand in der Mitte des Saales und machte offenbar keine Miene, den Tanzenden aus dem Weg zu gehen. An den Rändern bewegten sie sich weiter zur Musik – dort war Salvius, da drüben die Frau des Brandenburgers –, doch in der Mitte konnten sich die Reihen nicht mehr schließen; Tänzer prallten gegeneinander, Tänzer kamen aus dem Gleichgewicht, alle versuchten, an dem Stehenden vorbeizukommen. Dürr war er, die Wangen hohl, das Kinn sehr spitz, auf der Stirn eine Narbe. Er trug ein geschecktes Wams und Pluderhosen und feine Lederschuhe. Auf seinem Kopf war eine bunte Schellenkappe. Jetzt begann er auch noch zu jonglieren: Stählerne Dinge flogen in die Luft, erst zwei, dann drei, dann vier, dann fünf.

Es brauchte einen Moment, aber dann begriffen es alle zugleich: Das waren Klingen! Menschen wichen zurück, Männer duckten sich, Damen hielten sich schützend die Hände vors Gesicht. Aber die gekrümmten Dolche kehrten immer in seine Hände zurück, immer richtig herum, immer mit dem Griff nach unten, während er nun auch noch zu tanzen anfing – in kleinen Schritten, vor und zurück, erst langsam, dann schneller, was wiederum die Musik veränderte, denn nicht er folgte ihr, sondern sie ihm. Kein anderer tanzte mehr, sie hatten Platz gemacht, um besser zu sehen, wie er um sich selbst wirbelte, während die Klingen blitzend immer höher flogen. Das war nun kein bedächtiger, eleganter Tanz mehr, sondern ein wildes Dahinjagen nach einem atemlosen galoppierenden Takt, der immer schneller wurde.

Dann begann er zu singen. Seine Stimme war hoch und blechern, aber er traf die Töne und kam nicht außer Atem. Seine Worte verstand man nicht. Es war wohl eine Sprache, die er erfunden hatte. Und dennoch war einem, als wüsste man, worum es ging; man verstand es, obgleich man es nicht hätte in Worte fassen können.

Nun waren weniger Dolche in der Luft. Nur vier noch, nur noch drei, einer nach dem anderen steckte in seinem Gürtel.

Da ging ein Schrei durch den Saal. Der grüne Rock einer Dame, es war die Gemahlin Contarinis, war plötzlich rot gesprenkelt. Offenbar war dem Mann eine der Klingen über die Handfläche gefahren, aber in seinem

Gesicht sah man nichts davon – lachend schleuderte er den letzten Dolch so hoch, dass er zwischen den Armen eines Lusters hindurchflog, ohne einen Kristall zu berühren, und im Herabwirbeln fing er ihn und steckte ihn weg. Die Musik verstummte. Er verbeugte sich.

Applaus brach los. «Tyll!», rief jemand, «Bravo, Tyll!», ein anderer. «Bravo! Bravo!»

Die Musiker begannen wieder zu spielen. Liz war schwindlig geworden. Es war so heiß im Saal, der vielen Kerzen wegen, und ihr Pelz war viel zu dick. Rechts in der Eingangshalle stand eine Tür offen, dahinter führte eine Wendeltreppe empor. Sie zögerte, dann ging sie hinauf.

Die Treppe war so steil, dass sie zweimal keuchend stehen blieb. Sie stützte sich an die Mauer. Kurz wurde ihr schwarz vor Augen, ihre Knie wurden schwach, und sie meinte, sie würde zu Boden fallen. Dann kam sie wieder zu Kräften, raffte sich auf und stieg weiter. Endlich erreichte sie einen kleinen Balkon.

Sie schlug ihre Kapuze zurück und lehnte sich ans steinerne Geländer. Unten lag der Hauptplatz, rechts von ihr ragten die Türme des Doms in den Himmel. Die Sonne musste eben untergegangen sein. Feiner Nieselregen füllte immer noch die Luft.

Drunten in der Dämmerung überquerte ein Mann den Platz. Es war Lamberg. Er ging vorgebeugt, mit kleinen, schleppenden Schritten, auf seine Residenz zu. Der Purpurmantel flappte ihm träge um die Schultern.

Einen Moment stand er eingesunken vor der Tür. Er schien nachzudenken. Dann ging er hinein.

Sie schloss die Augen. Die kalte Luft tat ihr gut.

«Wie geht es meinem Esel?», fragte sie.

«Er schreibt ein Buch. Und dir, kleine Liz?»

Sie öffnete die Augen. Er stand neben ihr, gestützt aufs Geländer. Seine Hand war mit einem Tuch verbunden.

«Hast dich gut gehalten», sagte er. «Alt bist du geworden, aber blöd noch nicht, und machst sogar noch was her.»

«Du auch. Nur die Kappe steht dir nicht.»

Er hob die unverletzte Hand und spielte an den Glöckchen. «Der Kaiser will, dass ich sie trage, weil man mich in einer Broschüre, die er mag, so gezeichnet hat. Ich hab dich nach Wien holen lassen, sagt er zu mir, jetzt sollst du auch aussehen, wie man dich kennt.»

Sie zeigte fragend auf seine umwickelte Hand.

«Vor hohen Herren greif ich immer mal daneben. Dann geben sie mehr Geld.»

«Wie ist der Kaiser so?»

«Wie alle. Nachts schläft er, und er hat es gern, wenn man nett zu ihm ist.»

«Und wo ist Nele?»

Er schwieg einen Augenblick, als müsste er sich erinnern, von wem sie sprach. «Die hat geheiratet», sagte er dann. «Lang her.»

«Der Frieden kommt, Tyll. Ich kehre zurück nach

Hause. Übers Meer, nach England. Willst du mitkommen? Ich gebe dir ein warmes Zimmer, und Hunger sollst du auch nicht leiden. Auch wenn du einmal nicht mehr auftreten kannst.»

Er sagte nichts. Unter die Regentropfen hatten sich so viele Flocken gemischt, dass kein Zweifel mehr bestand – es schneite.

«Um der alten Zeiten willen», sagte sie. «Du weißt so gut wie ich, dass der Kaiser sich früher oder später über dich ärgert. Dann bist du wieder auf der Straße. Du hast es besser bei mir.»

«Willst mir Gnadenbrot geben, kleine Liz? Eine tägliche Suppe und eine dicke Decke und warme Pantoffeln, bis ich friedlich sterbe?»

«So schlecht ist das nicht.»

«Aber weißt du, was besser ist? Noch besser als friedlich sterben?»

«Sag es mir.»

«Nicht sterben, kleine Liz. Das ist viel besser.»

Sie wandte sich zur Treppe. Von drunten aus dem Saal hörte sie Rufe und Lachen und Musik. Als sie sich wieder zu ihm drehte, war er nicht mehr da. Verblüfft beugte sie sich übers Geländer, aber der Platz lag im Dunkeln, und Tyll war nicht zu sehen.

Wenn es weiter so schneite, dachte sie, würde morgen alles mit Weiß bedeckt sein, und die Rückfahrt nach Den Haag könnte schwierig werden. War es für Schnee nicht viel zu früh im Jahr? Wahrscheinlich würde dafür bald schon irgendein bedauernswerter Mensch dort unten am Pranger stehen.

Und dabei liegt es an mir, dachte sie. Ich bin doch die Winterkönigin!

Sie legte den Kopf in den Nacken und öffnete den Mund, so weit sie konnte. Das hatte sie lange nicht getan. Der Schnee war noch so süßlich und kalt wie einst, als sie ein Mädchen gewesen war. Und dann, um ihn besser zu schmecken, und nur weil sie wusste, dass in der Dunkelheit keiner sie sah, streckte sie die Zunge heraus.

INHALT

WEITERE WERKE
VON DANIEL KEHLMANN

Prosa

Beerholms Vorstellung. Roman. 1997
Unter der Sonne. Erzählungen. 1998
Mahlers Zeit. Roman. 1999
Der fernste Ort. Novelle. 2001
Ich und Kaminski. Roman. 2003
Die Vermessung der Welt. Roman. 2005
Wo ist Carlos Montúfar? Essays. 2005
Requiem für einen Hund. Ein Gespräch
mit Sebastian Kleinschmidt. 2008
Ruhm. Ein Roman in neun Geschichten. 2009
Leo Richters Porträt. Erzählung. 2009
Lob. Essays. 2010
F. Roman. 2013
Kommt, Geister. Frankfurter Vorlesungen. 2015
Du hättest gehen sollen. Erzählung. 2016
Tyll. Roman. 2017

Dramen

Geister in Princeton. 2011
Der Mentor. 2012
Heilig Abend. 2017
Die Reise der Verlorenen. 2018

Daniel Kehlmann

Du hättest gehen sollen

Erzählung

Ein einsam gelegenes Ferienhaus. Tief unten das Tal mit seinen würfelkleinen Häusern, eine Serpentinenstraße führt hinauf. Das kalte Blauweiß der Gletscher, schroffer Granit, die Wälder im Dunst – es ist Dezember, Vorweihnachtszeit. Ein junges Ehepaar mit Kind hat sich für ein paar Tage dieses komfortable Haus gemietet, doch so richtig aus der Welt sind sie nicht: Das Kind erzählt wirre Geschichten aus dem Kindergarten, die Frau tippt Nachrichten auf dem Telefon, und der Mann, ein Drehbuchautor, schreibt Ideen und Szenen in sein Notizbuch. Aber mehr und mehr notiert er auch anderes – eheliche Spannungen, Zwistigkeiten, vor allem die seltsamen Dinge, die rings um ihn geschehen. Denn mit dem Haus stimmt etwas nicht.

96 Seiten

Veröffentlicht im Rowohlt Taschenbuch Verlag,
Hamburg bei Reinbek, April 2019

Umschlaggestaltung FAVORITBUERO, München
Umschlagabbildung Francisco de Goya; Real Academia
de Bellas Artes de San Fernando, Madrid, Spain /
Bridgeman Images
Satz aus der Kepler MM Roman
bei Dörlemann Satz, Lemförde
Druck und Bindung
CPI books GmbH, Leck, Germany
ISBN 978 3 499 26808 3